CU00663498

BOHÈMES EN PROSE

DU MÊME AUTEUR

RENNES-LE-CHÂTEAU. AUTOPSIE D'UN MYTHE, Loubatières, 1990 ; 2002.

RENNES-LE-CHÂTEAU. TERRE DE MYSTÈRES, Loubatières, 1992.

LES TERRES DE FEU, Loubatières, 1993.

MAURICE MAGRE. *Le lotus perdu*, Dire Éditions, 1999 (Grand Prix de l'Académie du Languedoc).

FRANCIS CARCO. *Au cœur de la bohème*, Éditions du Rocher, 2001 (Prix Marc Orlan ; prix Georges Brassens ; prix de la Société des Gens de Lettres ; Grand Prix de la biographie).

FRANCIS CARCO. ROMANS, Coll. « Bouquins », Robert Laffont, 2004.

LES SOURCES SECRÈTES DU DA VINCI CODE, Éditions du Rocher, 2005.

LES SOURCES SECRÈTES DE ANGES ET DÉMONS, Éditions du Rocher, 2005.

JEAN-JACQUES BEDU

BOHÈMES EN PROSE

BERNARD GRASSET
PARIS

ISBN 978-2-246-75621-7

A Morgane, qui chante si bien la bohème.

Aux premières heures de la monarchie de Juillet, la France entreprend une révolution industrielle accompagnée d'un renouveau philosophique et artistique. Durant cette période, que l'on appellera « romantique », naît un genre d'artiste jusqu'alors inconnu : le bohème. Solitaires, les artistes vivent en marge d'une société en pleine expansion économique. Incapables de s'astreindre à un travail régulier, ils sont pauvres. Cette jeunesse romantique, désireuse de laisser éclore l'avenir au soleil de leurs vingt ans, est qualifiée de bohème, par analogie à la vie errante des Gitans, hostiles aux mœurs et à la morale bourgeoise, happés par le goût de l'aventure et de la liberté. Le bohème naît presque toujours en province et vient mourir à Paris, ce Minotaure qui réclame de nouvelles proies, aspirant vers lui des multitudes de jeunes hommes, et quelques femmes, gonflés d'orgueil et attirés par la gloire.

Du romantisme à la fin des années folles, cette bo hème va durer un siècle. C'est un pays aujourd'hui désert, mais riche en légendes et en souvenirs, si l'on cherche leurs fantômes dans les rues tortueuses de Montmartre au Quartier latin, de Montparnasse à la rive droite. La bohème, tour à tour romantique,

galante, révolutionnaire, maudite, mélancolique, excentrique puis folle, n'est plus qu'un lointain mirage,
la fin d'un temps héroïque, la nostalgie d'un certain
âge d'or.

Bohèmes en prose retrace les destinées mauvaises de
quelques personnages et des lieux qui y sont attachés.
Certains sont de nos jours méconnus. Si nous l'avons
voulu ainsi, c'est parce que Théophile Gautier a écrit :
« Si le public ne s'occupe guère d'habitude que des
étoiles de première grandeur, il n'en existe pas
moins dans les cieux des lueurs vagues qu'on néglige,
et qui sont parfois des mondes considérables observés
depuis longtemps par certaines classes d'astronomes,
et qui jouent un rôle important dans l'harmonie
universelle. »

DES TROIS GLORIEUSES
À LA TROISIÈME RÉPUBLIQUE

LE TEMPS DES TROIS BOHÈMES :
ROMANTIQUE, GALANTE ET MAUDITE

Premier acte de la bohème : la bataille d'Hernani

En février 1830, une vague de froid sans précédent sévit à Paris. Par crainte de perdre l'équilibre dans les rues verglacées, Victor Hugo se déplace en pantoufles. La première représentation d'*Hernani*, écrite à la suite de l'interdiction de *Marion de Lorme*, doit avoir lieu le 25 février. Les décors ne sont pas achevés, la peinture gèle dans les ateliers, et les répétitions sont laborieuses. Les acteurs rechignent à jouer dans une pièce qui brise les normes du théâtre classique. La censure veille. Des bribes de scènes dévoilées sont tournées en dérision par les adversaires de Victor Hugo. Ils colportent dans les salons leur ironie vengeresse, en indiquant les endroits où il est impérieux de rire. La première s'annonce tumultueuse. Dans tous les théâtres, il est nécessaire de s'assurer la « claque », ces spectateurs dont le métier est d'applaudir à l'entrée en scène des acteurs, à des répliques importantes définies à l'avance, et qui maîtrisent ou expulsent les indélicats. Des indiscrétions apprennent à Hugo que les partisans du classicisme ont loué une grande partie des places afin de perturber la représentation, et que la claque officielle lui sera défavorable. Craignant le désastre, il fait appel aux amis de son cénacle [1]. Il

---

1. Le terme est de Sainte-Beuve. Il désigne le groupe d'artistes se réunissant autour de Victor Hugo dans un salon appelé Joseph Delorme, titre de l'un

recrute dans le Quartier latin des équipes censées lui être dévouées, au sein des ateliers de peinture, de sculpture, ou dans les estaminets où tentent de se réchauffer les poètes. Comme l'Empereur haranguant ses soldats avec éloquence, Hugo en fait de même avec ses troupes : « Je remets ma pièce entre vos mains, entre vos mains seules. La bataille qui va s'engager à *Hernani* est celle des idées, celle du progrès. Nous allons combattre cette vieille littérature crénelée, verrouillée [1]. » On compte, parmi les admirateurs du poète, des artistes déjà reconnus comme Honoré de Balzac, Hector Berlioz, Eugène Devéria, Alexandre Dumas, et une jeunesse frondeuse et enthousiaste, éprise de liberté, qui porte les cheveux longs, la barbe au vent et des costumes singuliers. Ils se nomment Pétrus Borel, Louis Boulanger, Théophile Gautier, Célestin Nanteuil, Gérard de Nerval (Gérard Labrunie), Philothée O'Neddy... Ils formeront la phalange du « Petit Cénacle », qui va naître au lendemain de la bataille à venir, celle d'*Hernani*. Théophile Gautier s'en souvient : « 25 février 1830 ! Cette date reste écrite dans le fond de notre passé en caractères flamboyants : la date de la première représentation d'*Hernani* ! Cette soirée décida de notre vie ! Là nous reçûmes l'impulsion qui nous pousse après tant d'années et qui nous fera marcher jusqu'au bout de la carrière [2]. »

La troupe des claqueurs, admirateurs passionnés de Hugo, les « brigands de la pensée » selon l'expression de Philothée O'Neddy, s'introduit dans le théâtre plusieurs heures avant le début de la représentation. Ils investissent les places hautes et les recoins obscurs,

---

des recueils de poésie de Sainte-Beuve paru en 1829. Le cénacle contribuera à l'éclosion du romantisme.

1. Adèle Hugo, *Victor Hugo raconté par Adèle Hugo*, Plon, 1985.
2. Théophile Gautier, *Histoire du romantisme*, Charpentier, Paris, 1874.

demeurent dans la pénombre, à boire, à manger[1], sous l'étroite surveillance de la police, appelée à les évacuer au moindre signe d'agitation, et à interdire la pièce. Enfin, le rideau se lève et le combat s'engage. Les premières huées émanant de l'orchestre, des loges ou des balcons pavés de « classiques », sont couvertes par les applaudissements des claqueurs. C'est la bataille entre deux courants littéraires. La pièce est interrompue, sifflée. La salle bourdonne, les vers sont disputés, les tumultes étouffés et, peu à peu, les « romantiques » prennent le pas sur les « classiques ». Tandis que la bataille fait rage, Hugo note toutes les réactions des spectateurs. De part et d'autre, la lutte est acharnée mais, lorsque le rideau se baisse, on scande le nom de l'auteur. Devant le théâtre, une rixe éclate entre partisans, les « flamboyants » et détracteurs, les « grisâtres ». La pièce est un succès, mais la bataille d'*Hernani* n'est pas encore gagnée. A la seconde représentation, Adèle Hugo quitte la salle sous les quolibets et, les jours suivants, sifflets et rires redoublent d'intensité. *Hernani* poursuit néanmoins sa carrière avec d'importantes recettes. Au mois de juin, après la quarante-cinquième représentation, la bataille est gagnée. Hugo devra, jusqu'à la fin, mobiliser ses troupes parfois clairsemées, et qui auront du mal à faire taire les opposants.

Eté 1830. A un mois des Trois Glorieuses, les journaux ne publient pas encore de roman-feuilleton ; la

---

1. L'anecdote des partisans de Victor Hugo, obligés d'uriner dans les couloirs parce que les toilettes sont fermées, ne serait pas authentique. Elle l'est pour une autre pièce, *Le Roi s'amuse*. Dans *Hernani*, la présence de Balzac recevant un trognon de chou dans la figure, appartiendrait à la légende. En compagnie de Berlioz, il fait bien partie de la liste des invités pour la première, mais sa participation n'est pas prouvée, pis encore, il écrit dans le *Feuilleton des journaux politiques* des articles peu favorables à la pièce.

censure dans la presse fait rage ; les manifestations et
les associations sont interdites ; le théâtre et les enter-
rements demeurent les seuls lieux de rencontre où
peuvent s'échanger des idées libérales. Sur le champ
de bataille d'*Hernani*, le romantisme a posé la première pierre d'un nouvel idéal, et une révolution va
bientôt balayer l'ancienne littérature épuisée. Il en
sera de même de la peinture car, désormais, les
tableaux se feront d'après les modèles. Une vaillante
et jeune garde, avec Théophile Gautier en capitaine,
va se former au sein d'un « Petit Cénacle ». Ils seront
la première légion de la bohème romantique.

Le Petit Cénacle et la bohème romantique

Au lendemain de la révolution de 1830, qui voit la
chute de la monarchie des Bourbons, l'exil de Charles X et l'accession au trône de Louis-Philippe, Victor
Hugo est seul, victime de jalousies, de rivalités théâ-
trales et politiques. Sa suprématie sur les lettres
françaises indispose. Parce qu'il est célèbre et un
homme public, Alfred de Musset s'en éloigne. Sainte-
Beuve renie son Dieu. Le Cénacle est mort. Le Petit
Cénacle lui succède. Affublés de costumes excentriques, les jeunes gens qui le composent, appelés selon
l'expression de Théophile Gautier les « Jeunes-
France », n'appartiennent plus au même monde.
Gérard de Nerval écrit : « L'ambition n'était pas de
notre âge, et l'avide curée qui se faisait alors des
positions et des honneurs nous éloignait des sphères
d'activités possibles. » Le romantisme est intolérant et
agressif. L'horreur de la platitude, le désir de se

distinguer des bourgeois, les inclinent à porter les cheveux tombants et la redingote à brandebourgs. On fume, et l'on se grise en imitant Byron et ses orgies de *Newstead Abbey*. Les membres du Petit Cénacle vivent une nouvelle chevalerie et changent leurs patronymes : Théophile Dondey est Philothée O'Neddy, Auguste Maquet devient l'ossianique Augustus Mac Keat, Jean Duseigneur est le médiéval Jehan du Seigneur et Gérard Labrunie devient Gérard de Nerval, nom d'un petit champ qu'il fait passer pour le fief de lointains ancêtres. Ils croient à tout ce que croyait le Moyen Age. Dans cette armée romantique, ils sont tous jeunes, la plupart n'ayant pas encore atteint la majorité. Il est bon de paraître livide ou spectral, mais la pâleur cache un tempérament de feu. Le romantique n'obéit pas à la mode ; il crée la sienne. Il est individualiste. Sa toilette est pittoresque ; il s'habille comme on s'habillait chez les Valois, et il rêve de bizarreries et d'excentricités de toutes sortes.

La bohème romantique a ses lieux de prédilection, siège de gaietés exubérantes. Au bal de la Grande Chaumière, les filles font preuve de peu d'ingénuité : « Ohé ! Les Horizontales, les Bradamantes, les Nini, les Allumeuses, les Pas-le-Sou, les Trois-Six, les Belles-Vaches, secouez vos vertus et vos puces [1]. » Le Petit Moulin-Rouge, avenue de la Grande-Armée, est un de leurs lieux de rendez-vous. C'est une vieille masure, une taverne excentrique à la façade vermillon, dont l'aménagement est différent du Grand Moulin-Rouge, situé avenue des Veuves [2], qui est un

---

1. Arsène Houssaye, *Les Confessions – Souvenirs d'un demi-siècle. 1830-1880*, E. Dentu, Paris, 1885.

2. D'abord « allée des Soupirs », puis appelée ainsi parce que les veuves venaient s'y consoler ou les femmes seules y chercher une aventure galante. Elle était bordée de bouges et de guinguettes. Depuis 1850, c'est l'avenue Montaigne.

restaurant luxueux du quartier des Champs-Elysées.
Les bohèmes doivent se contenter de murs blanchis à
la chaux, d'un plancher saupoudré de sable, et d'une
grande table dans la salle commune. Les couverts sont
en fer battu, mais l'on y sert une bière fameuse, du
vin et de la limonade. Comme plus tard au Chat Noir,
il y a une autre salle réservée aux habitués, qui donne
sur un jardinet en pente. C'est là que se déroulent les
orgies de spécialités italiennes et de plaisanteries
grivoises, et où les Jeunes-France promènent leur
muse et leurs rêves. Le tenancier, Graziano, est un
personnage dont on remarque la « prestance sénato-
riale », selon l'expression de Théophile Gautier. Les
peintres, oubliant leurs cruchons de bière, le choisis-
sent comme modèle et il se prête au jeu : « Il était fou
de son art, et son amour-propre, risible pour des
septentrionaux, était parfaitement justifié ; il nous fit
un macaroni au sughillo avec des tomates à se lécher
les doigts jusqu'aux coudes, un macaroni sublime et
que lui seul était capable de recommencer [1]. »

Lorsqu'ils ne sont pas au Petit Moulin-Rouge, ou à
la barrière Montparnasse sous les tonnelles du cabaret
de la Mère Saguet − dont la spécialité est la daube de
tétines de vaches −, les bohèmes tiennent leurs assises
rue de Vaugirard, dans l'atelier du sculpteur Jehan du
Seigneur, ancien local d'un fruitier, une chambre
pauvre − « mais d'une pauvreté fière et non sans
quelque ornement [2] » − où il n'y a pas assez de sièges
pour tous les hôtes : peintres, statuaires, graveurs,
poètes, futurs écrivains épris de romantisme, fous de
poésie et de théories incendiaires. Tous fraternisent
avec enthousiasme. Sur la cheminée, trône une tête de

---

1. Théophile Gautier, *op. cit.*
2. *Idem.*

mort faisant office de pendule, qui symbolise la fuite du temps. Gérard de Nerval en apporte un autre, subtilisé à son père, ancien chirurgien dans l'armée de Napoléon. Il s'agit du crâne d'un tambour-major tué à la Moskova, sur lequel il a fixé une poignée de commode en cuivre, qu'il remplit d'alcool brûlant et fait circuler à la ronde aux convives peinant à dissimuler leurs grimaces. Ce crâne, on le retrouve dans les mains du voluptueux Alexandre Dumas père, s'en servant de bol pour manger de la crème, lors d'une fête donnée en son honneur. En 1832, le domicile de Pétrus Borel — à la bien nommée rue de l'Enfer — est le siège d'une orgie où se déroulent les excentricités les plus folles. Du dehors, les fenêtres rougeoient comme les soupiraux de l'enfer. Les bourgeois, en passant, se signent comme s'ils avaient vu l'antre de Satanas. Au premier étage, retentit la sarabande dans la fumée des pipes, des cigares et cigarettes, en compagnie de femmes à demi nues et, à l'entresol, les convives succombent à l'abus de punch. Alphonse Brot, le poète des *Chants d'amour*, faillit être violé parce qu'il s'était déguisé en grisette. Ces fêtes d'un genre nouveau, virant parfois en bacchanales, suscitent l'intérêt d'une certaine presse et la réprobation des bourgeois. On les accuse de passer leur temps à boire des saladiers de punch : « O horrible ! Horrible !! Most horrible !!! — on l'a vidé en buvant dans des têtes de morts !!! Le saladier gigantesque était flanqué de quatre têtes de morts comme un château de ses tourelles. [...] Et le dégoût a soulevé le cœur des demoiselles folles de leur corps, quand on a apporté le quadruple ornement de punch. Elles se sont toutes mises à crier du haut de leur tête. Mais ce sont des hurlements de terreur qu'elles ont poussés, quand on a voulu les forcer à boire dedans, comme les hardis et vaillants gentilshommes, leurs compagnons, dont quelques-uns avaient la nausée. L'une d'elles s'est jetée à la fenêtre, menaçant de se précipiter, si la tête de punch faisait un pas de plus vers elle [1]. » La presse a longtemps exagéré les frénésies de ces jeunes romantiques menant – pour la plus grande majorité d'entre eux – une vie paisible, donnant à croire aux bourgeois qu'ils boivent toutes les nuits du punch dans le crâne de leur maîtresse. Ame de ce Petit Cénacle, et icône de la bohème romantique, Pétrus Borel est l'archétype du génie manqué, un personnage dédaigné en son temps, mais qui connaîtra une gloire éphémère, grâce aux surréalistes, qui exhumeront une partie de ses œuvres.

Pétrus Borel, le lycanthrope

André Borel [2], pauvre, ruiné, est père d'une famille de quatorze enfants. A Lyon, il a combattu dans les rangs royalistes, ce qui l'a contraint – sous la Terreur – à émigrer en Suisse. Son fils Pétrus est son douzième enfant. Incapable de payer ses études, comme le fera plus tard le père de Murger, André vend Pétrus comme apprenti à un cabinet d'architecture. L'enfant vient d'avoir quinze ans et s'insurge d'être, contre son gré, placé chez cet artisan à Paris : « Je ne savais ce que tout cela voulait dire, je suivis mon père, et il me vendit pour deux ans. [...] Je ne sais si je comprends

---

1. Louis Maigron, *Le Romantisme et la mode*, Honoré Champion, Paris, 1911.

2. Un de ses fils, portant le même prénom et diplômé de l'Ecole des Chartes, va s'évertuer à démontrer que la famille a droit à une particule, car elle serait descendante des Borel d'Hauterive ou de Pétrus Borel de Castres, antiquaire et médecin de Louis XIV.

bien ; mais je suis triste et je pense à la vie ; elle me semble bien courte ! Sur cette terre de passage, alors pourquoi tant de soucis, tant de travaux pénibles, à quoi bon ?... Si j'ai rêvé une existence, ce n'est pas celle-là, ô mon père ! Si j'ai rêvé une existence, c'est chamelier au désert, c'est muletier andalou, c'est Otahïtien [1] (sic) ! » L'architecture classique n'inspire pas le jeune homme, et les premières esquisses de ses constructions démontrent l'audace de son style. Lorsqu'il met ses projets à exécution, plusieurs procès l'épuisent et l'inclinent à renoncer à une carrière pour laquelle il n'était pas destiné. Il a faim ; il connaît la misère et, selon Jules Claretie, son premier biographe, il en est réduit à loger dans les caves des maisons qu'il construit, ayant pour seule nourriture des pommes de terre sous la cendre, arrosées d'eau et assaisonnées de sel le dimanche. Obligé, par décision de justice, de détruire sa dernière maison en construction, Pétrus Borel, ruiné, délaisse l'architecture et décide d'être peintre. A l'aube du romantisme, il étudie le dessin dans l'atelier d'Eugène Devéria. Il rencontre un groupe ardent, professant des idées républicaines, en se jurant de rénover la médiocre société bourgeoise. En fougueux champion du romantisme, il est admis dans le Cénacle de Victor Hugo, ce qui lui vaut d'être à la tête du bataillon marchant vers *Hernani*, lors de la bataille éponyme. C'est au sein du Petit Cénacle que Pétrus, renonçant à la peinture, éprouve sa vocation de poète. Grand, svelte et frêle, dans ce groupe de jeunes enfiévrés de rimes, de punch et de rénovation, Borel – parce qu'il est le plus âgé – fait figure de jeune maître. Théophile Gautier, qui lui doit sa première rencontre avec Victor Hugo, écrira :

---

1. Pétrus Borel, *Champavert – Contes immoraux*, Eugène Renduel, Paris, 1833.

« Une individualité pivotale autour de laquelle les
autres s'implantent et gravitent comme un système de
planètes autour de leur astre. » Dans la misère au sein
de laquelle Pétrus Borel se débat, cette ruche du Petit
Cénacle remplace sa famille incapable de lui venir en
aide. Vivant en communauté, au gré des déménagements, on le retrouve au pied de la butte Montmartre,
dans une maison isolée, bientôt surnommée dans ce
quartier inhospitalier le « camp des Tartares », à cause
des tentes qui sont dressées autour de la bâtisse afin
d'accueillir tout ce monde, et surtout des excentricités qui s'y déroulent. Comme il fait chaud, on vit nu.
Couchés sur des tapis ou des peaux de bêtes, Pétrus et
ses camarades mènent une existence de sauvage, ce
qui offusque le voisinage et provoque l'intervention
des sergents de ville, priant ces jeunes gens de se
rhabiller au plus vite. Averti, le propriétaire donne
congé à cette bohème naturiste et joyeuse. Pour
autant, ces romantiques ne passent pas leur temps à
terroriser les bourgeois par l'excentricité de leur
mise, et à dépenser leur jeunesse en d'interminables
fêtes. Certains travaillent à l'émancipation de la
littérature française, avec plus d'application que le
facétieux Jules Vabre [1], annonçant un *Essai sur
l'incommodité des commodes*, ouvrage « d'ébénisterie
transcendantale » qui ne verra jamais le jour, tout
comme le traité de *L'influence des queues de poissons sur*

---

1. Privé de ressources, Jules Vabre s'exile à Londres où il ambitionne de
traduire en français l'intégralité de l'œuvre de Shakespeare. Il ne parle plus
qu'anglais, pense en anglais, se coupe de la littérature et de la langue française,
dans l'espoir de réaliser son gigantesque travail, même s'il doit mourir de
faim. En 1843, Théophile Gautier le rencontre dans une taverne où il a un fort
accent anglais. Il lui assure que pour traduire l'auteur de *Macbeth*, il lui faudra
désormais réapprendre le français. Vabre lui répond : « Je vais m'y mettre ! »
Jamais il ne trouvera d'éditeur pour sa traduction et mourra dans la misère. Il
avait été devancé par le second fils de Victor Hugo.

l'ondulation de la mer d'Ernest Reyer. Bientôt, on dit de Borel : « Quand il publiera, Hugo ne sera plus le premier en France. » En 1832, Pétrus publie un premier livre de poésies désespérées, *Rhapsodies*. Préfigurant le mouvement anarchiste, il affirme, dès la préface, sa passion pour la liberté et la République [1], jurant haine et malheur à la société bourgeoise et à « Buonaparte », avec ses huit millions d'hommes tués. Hélas, Borel n'éclipsera jamais Hugo. Chacun des camarades du Petit Cénacle, dédicataire d'un des poèmes de cette diatribe contre la société, applaudit. La presse l'ignore ou s'en moque, comme Jean Raynaud dans la *Revue encyclopédique* : « Fragments épars d'une vie de jeune homme, jetés au-dehors sans dessein et sans réflexion, puis brochés au hasard et façonnés en livre. » Au lendemain du désastre des *Rhapsodies*, Borel trouve refuge chez un ami architecte, Léon Clopet. Ensemble, ils vont réunir leurs derniers subsides et fonder un journal, *La Liberté, Journal des Arts*, organe prônant une liberté totale dans les arts, au mépris des institutions officielles. Le mensuel comptera dix-neuf numéros grâce aux souscriptions des amis. Si Borel parvient à vivre de sa plume, on le doit à la bienveillance de son éditeur, Renduel, qui lui

---

1. Durant les émeutes de juin 1832, passant dans la rue, il est arrêté par des gardes nationaux et jeté en prison, au seul motif qu'il a une « démarche républicaine ». Une mésaventure similaire arrivera à Gérard de Nerval qui sera écroué sous la prévention de complot contre l'État. Ce ne sera pas le seul séjour de Pétrus sur la paille humide d'un cachot. Se rendant à pied avec un camarade jusqu'à Rouen, il est arrêté par des gendarmes qui lui demandent ses papiers, sésame qu'il est alors impérieux d'avoir sur soi lorsque l'on voyage, même en France. Pétrus Borel répond : « Comment mes papiers ? Mes papiers ! Quels papiers ? Parbleu ! Vos papiers il y en a de plusieurs sortes... Je n'en ai plus. Mais si vous voulez vous donner la peine de suivre nos traces, vous trouverez, si vous avez de bons yeux, ceux que nous avons semés le long de notre route ! » Ils resteront cinq jours au cachot. En 1835, il fera à nouveau de la prison pour refus de se présenter à des périodes militaires.

commande, à l'usage des préfets et maires, des discours pour les distributions des prix, et une confortable avance pour un ouvrage à venir. 1833 est l'année de *Champavert* — *Contes immoraux*, recueil de nouvelles brutales et fantaisistes. L'ouvrage connaît le même sort que *Rhapsodies*. Borel est le premier d'une longue cohorte de poètes maudits. Son talent est incompris. Il faudra attendre Baudelaire, et bien plus tard André Breton, pour donner à Pétrus Borel la place qu'il mérite. Il y a, chez cet être torturé, tous les ingrédients du surréalisme : l'excentricité, une imagination puissante et déréglée, l'humour noir, l'ironie glaciale, l'apologie de la mort et la force de la révolte. Dans la préface de *Champavert*, l'auteur explique que Borel est mort, et que son vrai nom est Champavert, un personnage désespéré de la vie qui, à la fin de l'ouvrage, se suicide après avoir poignardé sa maîtresse sur la tombe de leur enfant exhumé, parce qu'elle l'avait tué afin d'échapper au déshonneur. *Champavert*, dont le titre augure le scandale, ne connaît pas le succès escompté par son auteur. Une nouvelle fois, la critique l'éreinte. Il en subsiste de très belles pages empreintes de lucidité : « Dans Paris il y a deux cavernes, l'une de voleurs, l'autre de meurtriers ; celle des voleurs c'est la Bourse, celle des meurtriers, c'est le Palais de Justice. [...] Pour moi, l'amour c'est de la haine, des cris, de la honte, du deuil, du fer, des larmes, du sang, des cadavres, des ossements, du remords... »

Usé par cette existence de bohème, accablé par la faim et la misère, en ménage avec un enfant [1] qu'il n'a pas désiré, Pétrus Borel fuit Paris et ses « cavernes ».

---

1. Certains biographes de Pétrus Borel affirment que l'enfant souffrait d'une disgrâce physique ou d'une tare. Plus tard, lorsqu'il aura un second fils, il ne fera jamais état de ce premier enfant qu'il considérait comme illégitime.

Il s'installe à la campagne, dans le sinistre hameau de Bas-Baizil, en Haute-Marne. Dans une hutte de boue et de chaume, il s'abandonne à la vie sauvage et libre, comme son héros *Robinson Crusoé*, dont il a achevé la traduction. Selon son expression, il travaille « comme un laboureur », et, entre deux pages de son nouveau roman, *Madame Putiphar*, il s'échine à cultiver la terre pour nourrir sa famille. Un nouveau coup dur l'accable. A l'instar de Jules Vabre, sa traduction du chef-d'œuvre de Daniel Defoe est devancée de neuf jours par celle d'Amable Tastu. Dans la préface d'une nouvelle édition, la rivale malmène le travail de Pétrus Borel, lequel fait pourtant autorité : « Enfin est venu un soi-disant poète qui a voulu rendre avec l'amphi-gouri d'une prose poético-romantique les pieuses réflexions, les pensées philosophiques de Robinson, si simples et si naïves [1]. » Replié sur lui-même, loin de ses amis, la retraite champêtre de Pétrus Borel, aux accents d'exil littéraire, tourne au cauchemar. Elle est loin d'être bucolique, comme celle des peintres de Barbizon sous le Second Empire. Après une année d'hésitations entre la plume et la charrue, vivant grâce aux subsides que lui font parvenir ses amis, assuré d'avoir enfin écrit un chef-d'œuvre, il rentre à Paris avec, pour seul bagage, *Madame Putiphar*. Pour des raisons encore obscures, la publication de l'ouvrage est retardée d'une année et, lorsque le roman paraît, il se heurte à la critique du très redouté Jules Janin [2]. Pétrus Borel doit s'y résoudre : la gloire tant espérée

---

1. Jean-Luc Steinmetz, *Pétrus Borel*, Fayard, 2002, p. 130. Le travail de Pétrus Borel est plus littéraire que celui de Madame Tastu, donnant lieu, entre les deux traducteurs, à de violents échanges.

2. Jules Janin (1804-1874) est surnommé le « prince des critiques » grâce aux 2440 feuilletons hebdomadaires qu'il donnera à divers journaux, couvrant la période de 1830 à sa mort. Il est élu à l'Académie française le 7 avril 1870, au siège de Sainte-Beuve.

ne viendra jamais, et ce nouvel échec met un terme définitif à une courte, mais intense carrière. Nous sommes au début des années 1840, au déclin du romantisme. Comme le sera Rimbaud, Pétrus Borel est l'un de ces écrivains maudits, suicidés métaphoriques : « Il n'est de bonheur vrai, de repos qu'en la fosse, sur la terre on est mal, sous la terre on est bien. [...] Quand la vérité est de boue et de sang, quand elle offense l'odorat, je la dis de boue et de sang, et la laisse puer ; tant pis ! Ce n'est pas moi qui l'arroserai d'eau de Cologne [1]. » Comme son héros abandonné sur une île déserte, Pétrus Borel, victime de l'indifférence générale, promène sa pâleur dans Paris, pendant que certains de ses compagnons, Gérard de Nerval ou Théophile Gautier, connaissent la notoriété. Un jour, le futur auteur du *Capitaine Fracasse* le rencontre sur un boulevard et lui dit : « Ecoute, je puis te trouver un emploi. — Lequel ? dit Pétrus. — Tu as toujours aimé la vie sauvage et libre. Que dirais-tu d'un poste en Algérie ? — Rien. Je partirais [2]. »

En 1846, Pétrus Borel, nommé inspecteur de la colonisation à Mostaganem, quitte la France sous les quolibets de la presse, raillant ce poète qui, hier encore, vomissait sa haine des bourgeois et de l'administration. Il n'en reviendra jamais. Arrivé sur place un jour de tempête, il ne tarde pas à découvrir des malversations émanant de ses supérieurs. Ses émoluments, ainsi qu'une partie de l'argent qu'il gère, il les utilise à prodiguer des soins à ses administrés, ou à les sauver de la famine. On le contraint à démissionner. Pétrus Borel l'humaniste, à l'orgueil indompté et à la probité inattaquable, rédigeant tous

---

1. Citations extraites de *Madame Putiphar*.
2. Jules Claretie, *Pétrus Borel le Lycanthrope*, Paris, 1865.

ses rapports en vers, se retire, brisé et désespéré.
Obscur, il échoue dans une modeste sous-préfecture.
Il manie à nouveau la pioche et la bêche, sous un soleil
accablant. On dit que Pétrus Borel — le lycanthrope —
a succombé à une insolation : « Je ne me couvrirai pas
la tête, la nature a bien fait ce qu'elle a fait, ce n'est
pas à moi de la corriger. » Il est plus vraisemblable
qu'il se soit laissé mourir de faim dans le désert,
comme les personnages de ses livres.

Pourquoi se donna-t-il cet excentrique surnom de
lycanthrope, l'homme-loup ? Parce qu'il était noir et
triste comme un loup, vivait seul, et voulut se donner
le visage effrayant de la bête. Ce fut un loup, toujours
tiraillé par la faim, mais qui ne sortit jamais du bois.

La bohème galante de Gérard de Nerval

« Quels temps heureux ! On donnait des bals, des
soupers, des fêtes costumées. […] Nous étions jeunes,
toujours gais, quelquefois riches… Mais je viens de
faire vibrer la corde sombre : notre palais est rasé.
J'en ai foulé les débris l'automne passé[1]. »

La rue et l'impasse du Doyenné n'existent plus. La
pyramide du Louvre s'élève à l'endroit où, jadis, un
labyrinthe de bicoques misérables, de cabarets de
gueux, de boutiques d'oiseleurs, de marchands de
sangsues, d'arracheurs de dents et de vieux hôtels
croulants, comblaient la place du Carrousel, ce lieu où
Léon Deubel écrira en 1900, une nuit de misère, l'un
de ses plus beaux poèmes, *Détresse*. Depuis sa traduc-

---

1. Gérard de Nerval, *La Bohème galante*, Michel Lévy, Paris, 1856.

tion du *Faust* de Goethe, faite à dix-huit ans, et applaudie par l'auteur[1], Gérard Labrunie[2] s'est fait connaître sous le pseudonyme de Gérard de Nerval. Dans le groupe du Petit Cénacle, Théophile Gautier en convient : « Gérard était le plus lettré de tous. » Il a plusieurs domiciles, mais n'en habite aucun. S'il fait beau, il travaille dans la rue, en marchant, noircissant des carnets qu'il tire de ses poches. Par temps de pluie, il trouve refuge dans les passages, dans des cabarets et griffonne au creux de ses mains, parfois au poste de police où ses amis viennent le réclamer. Déjà épris de voyages, et du commerce avec l'au-delà, l'esprit occupé de cosmogonies et du culte de l'Orient, il déambule la nuit. Soixante ans plus tard, Jean de Tinan l'imitera lors de ses noctambulismes. Gérard de Nerval couche dans les carrières de Montmartre, auprès des rôdeurs de barrière, des ouvriers sans logis ou des vagabonds puis, au petit matin, lorsque des tas de bottes de fleurs encombrent le trottoir, il est aux Halles devant un bouillon de poulet à deux sous.

C'est Camille Rogier[3] qui a découvert le vaste appartement de neuf pièces, rue du Doyenné. Ce palais abandonné, qui comprend six chambres, va devenir le campement de la bohème romantique, au milieu d'un quartier qui ressemble à la Cour des Miracles, où Balzac a logé la *Cousine Bette*. Derrière la grande bâtisse

---

1. Qui lui écrivit : « Je ne me suis jamais si bien compris qu'en vous lisant. »

2. Gérard n'a jamais connu sa mère. Durant la campagne de Russie, elle avait voulu rejoindre son mari. C'est en Silésie, traversant un pont jonché de cadavres, qu'elle attrapa la fièvre qui l'emporta. Son fils, confié à son oncle, avait à peine deux ans. Gérard souffrit de n'avoir aucun portrait d'elle. Son père ne se consola jamais, en sus d'être veuf, d'avoir engendré un poète.

3. Né en 1810, mort en 1893, Camille Rogier est peintre et graveur. Fonctionnaire de l'administration des postes, quand il partit pour Constantinople en 1840, Gérard de Nerval l'y rejoignit.

aux murs lézardés, on trouve une église en ruine sur un terrain vague empli d'orties et de vieux arbres, où paissent vaches et chevaux, au milieu d'une légion de volailles et de quelques chèvres. C'est la thébaïde en plein Paris. Gérard de Nerval, par son grand-père maternel, a hérité de la somme de trente mille francs ; une fortune vite dilapidée. Cette bohème, à l'inverse de celle de Murger, sa remplaçante, est riche, dorée, élégante, raffinée et rayonnante d'esprit. L'argent brûle les doigts de Nerval. Il meuble l'appartement, après avoir acquis l'authentique lit à colonnes où dormait Marguerite de Valois [1], des tableaux de Fragonard, complétés des œuvres de Théodore Chassériau, Camille Corot, Célestin Nanteuil, Emile Wattier : « Le vieux salon du Doyenné, restauré par les soins de tant de peintres, nos amis, qui sont depuis devenus célèbres, retentissait de nos rimes galantes, traversées souvent par les rires joyeux ou les folles chansons des Cydalises [2]. » Le 28 juin 1835, on y donne une fête mémorable — appelée le « Bal des Truands » — où Théophile Gautier accepte d'admettre le bourgeois, à la seule condition qu'il soit : « Un éditeur ventru venant proposer dix mille francs pour un volume de vers ou un Anglais curieux de se composer une galerie de tableaux inédits. » On déniche l'orchestre dans une guinguette. Puisqu'il sera impossible de trouver le sommeil, tout le quartier est convié ; seul le commissaire de police décline l'invitation, au grand dam des jeunes romantiques n'ayant d'yeux que pour son épouse. Les hommes ne sont reçus que s'ils sont accompagnés de femmes du monde protégées — si elles le désirent — par des dominos ou des loups. Au

---

1. Il n'y dormira jamais, se contentant d'un matelas jeté au pied de ce lit imposant, trouvé chez un antiquaire en Touraine.
2. Gérard de Nerval, *op. cit.*

petit matin, la fête n'est pas encore terminée et l'on fait rouvrir un cabaret. Excédé, le propriétaire qui habite l'étage au-dessous peut enfin s'endormir. Le répit sera de courte durée car, dans les mois qui suivent, les soupers succèdent aux bals, les fêtes aux comédies données jusqu'à l'aube. La bohème, que Gérard de Nerval immortalise sous l'appellation de « galante », voue une place de choix à ces femmes qu'il nomme les « Cydalises ». La plus connue est l'amante de Camille Rogier, aimée de Nerval comme de Théophile Gautier qui, fou de jalousie, menace de tuer son ami. La jeune femme, phtisique, aura une existence brève et sa disparition tragique réconciliera les trois hommes. De son côté, Gérard de Nerval est fou amoureux de Jenny Colon, une cantatrice dont il n'ose s'approcher, de peur d'être déçu. Lorsqu'il assiste à ses représentations, il reste au fond de la salle, timide, incapable de lui avouer son amour. Un soir de première, il fait porter à l'actrice un bouquet avec un billet tendre signé d'un « inconnu », puis disparaît durant de longues semaines en Allemagne [1]. Le Doyenné verra un ballet journalier de demoiselles éprises de ces jeunes hommes excentriques et plaisantins. Un jour, à l'occasion de la visite d'austères notables de province, trois d'entre elles sont dénudées, enduites de farine, et laissées dans la pose des trois Grâces. S'apercevant de la tromperie, courroucés, les messieurs font mine de partir alors que les jeunes filles éclatent de rire. L'un d'eux s'étonne d'une telle mise en scène. On lui répond : « Nous ne

---

1. Lorsqu'il finit par se déclarer, l'actrice s'est promise à un flûtiste de la Comédie-Française qu'elle épousera en 1838. Un mariage de raison. Ce sera l'une des causes du mal de Gérard de Nerval. L'actrice, née en 1808, épuisée et malade, mourra en juin 1842. Gérard de Nerval vouera un culte fanatique à cette femme morte si tôt, comme sa mère.

jouons pas du tout! On nous conseille d'étudier d'après l'antique, mais le marbre est hors de prix. Nous avons trouvé plus économique de prendre des statues de chair [1]. »

Parmi les virées nocturnes de cette bohème des « temps bénis », les défilés de la « côtelette aux cornichons » sont restés célèbres. La nuit, ils arpentent les beaux quartiers de Paris en hurlant : « Le choléra [2], le choléra est de retour. » Aux premières heures du jour, le périple s'achève à la barrière Montparnasse, chez un charcutier qui sert des côtelettes fraîches, en se réjouissant d'avoir terrorisé le bourgeois.

Préfigurant la Ruche d'Alfred Boucher, le Doyenné, durant deux années, est un phalanstère d'artistes qui travaillent dans la fantaisie, au gré de leurs caprices ou sous l'étreinte de la nécessité. Théophile Gautier y écrit les *Jeunes-France,* Gérard de Nerval sa *Reine de Saba*, et le futur administrateur général de la Comédie-Française, Arsène Houssaye [3], la *Couronne de bleuets*. Dans ce groupe, composé d'une vingtaine de

---

1. Pierre Labracherie, *La Vie quotidienne de la bohème littéraire au XIXe siècle*, Hachette, 1967.

2. Cette maladie, apparue sur les bords du Gange en 1817, se propagea dans toutes les directions et même au-delà des mers puisque l'Angleterre ne fut pas épargnée. En 1832, Paris fut victime d'une violente épidémie de choléra qui causa plus de 20 000 morts. Sous la Restauration, à l'exception de quelques beaux quartiers, dans l'enchevêtrement des ruelles qui n'ont pas encore de trottoirs, les ordures sont jetées par les fenêtres, balayées et transportées au moindre orage, s'amoncelant et fermentant de pourriture. Chacun se soulage devant les portes cochères et, dans ces dépôts infects, se développent les pires maladies. Le baron Haussmann, en rasant certains quartiers afin d'ouvrir de larges avenues, contribuera à améliorer l'hygiène de la capitale. Le président du Conseil, Casimir Perier, qui rendit visite aux cholériques des hôpitaux, contracta et succomba à la terrible épidémie.

3. A l'âge de dix-sept ans, il s'enfuit du domicile de ses parents agriculteurs pour mener, à Paris, une vie de bohème. Il s'échoue impasse du Doyenné. Bien plus tard directeur de *La Presse*, il contribuera à l'éclosion de jeunes talents comme Henri Murger, Théodore de Banville et Charles Baudelaire. Il meurt en 1896.

Jeunes-France, Gérard de Nerval apparaît comme un personnage déjà légendaire. Il mène une vie errante et, au milieu de ses camarades, semble absent. La nuit lui sert de jour. Gérard disparaît durant plusieurs mois, sondant les mystères de Paris en courant les endroits mal fréquentés. Il vagabonde dans l'Europe entière ; à Naples, Vienne et jusqu'au Caire où il écrit les *Nuits du Rhamazan*, sans se soucier de l'argent de son héritage, sacrifié à ses excentricités. Bientôt, le château de bohème est frappé d'un décret de ferme-ture. Lassé du tumulte et des mœurs dissolues de ses locataires, le bailleur leur demande de partir. En découvrant les peintures ornant les murs, horrifié par tant de nudité, et prétextant que cela l'empêche de louer à des « bourgeois », ce dernier fait lessiver ces « taches ». L'affreux propriétaire, surnommé ainsi par ses locataires, ne se doute pas qu'il y a là une fortune et que leurs auteurs connaîtront bientôt la célébrité. Lors du déblaiement de la place du Carrousel, Gérard de Nerval se lamentera de la perte de ces trésors : « Vers cette époque, je me suis trouvé, un jour en-core, assez riche pour enlever aux démolisseurs et racheter deux lots de boiserie du salon, peintes par nos amis. J'ai les deux dessus-de-porte de Nanteuil, le Watteau de Wattier, signé ; les deux panneaux longs de Corot [1]... »

Chassée du Doyenné, la bohème galante, réduite à trois membres [2], trouve refuge à Saint-Germain-des-Prés. Ils ont encore assez d'argent pour se payer une

---

1. Gérard de Nerval, *Petits châteaux de bohème*, 1853. Tout le mobilier, y compris le lit de Marguerite de Valois, sera éparpillé ou détruit.

2. Théophile Gauthier, Gérard de Nerval et Arsène Houssaye. Camille Rogier part pour l'Italie, puis Constantinople où Nerval le retrouvera en 1843. Les autres connaîtront des fortunes diverses (Alphonse Karr deviendra horti-culteur) ; certains s'engageront dans la grande aventure de la presse, devenant par la suite d'authentiques bourgeois.

cuisinière et un valet de chambre, situation qui dure peu de temps car Gérard de Nerval, aimant les endroits bizarres, vagabonde vers Montmartre où il s'installera en 1846, dans une grande bâtisse surnommée « le Château des brouillards ». Du côté du boulevard extérieur, entre la barrière Rochechouart et celle des Martyrs, à quelques encablures du futur Chat Noir, il dépense ses ultimes deniers dans un commerce singulier, un estaminet où une foule d'ouvriers boit du gin, du tafia et où des rixes éclatent. Il s'y vend aussi des cannes extravagantes. L'une d'entre elles l'attire. Sa poignée représente un Apollon tordu dans les flammes. Elle est faite de racines de mandragore, cette plante magique dont la légende raconte que son cri peut tuer le malheureux qui se risque à l'arracher, et qu'elle proliférait naguère sous les gibets où elle se nourrissait de la semence des pendus. C'est l'époque où Gérard commence à rôder vers les mondes invisibles. Son esprit saturé de sciences secrètes, il entame un commerce régulier avec l'au-delà. Sa réflexion l'amène à comprendre que le monde n'est pas limité à ce qu'il voit. Prémices de ses premières crises de folie, il devient fantaisiste au point de promener un homard vivant dans les jardins du Palais-Royal, au bout d'une laisse faite d'un ruban bleu. A ceux qui s'en offusquent, il répond : « En quoi un homard est-il plus ridicule qu'un chien, qu'un chat, qu'une gazelle, qu'un jeune lion ou toute autre bête dont on se fait suivre ? J'ai le goût des homards, qui sont tranquilles, sérieux, savent les secrets de la mer, n'aboient pas comme les chiens, si antipathiques à Goethe, lequel pourtant n'était pas fou [1]... » Place du Carrousel, chez les marchands d'oiseaux, il converse

---

1. Henri Clouard, *La Destinée tragique de Gérard de Nerval*, Grasset, 1929.

avec les perroquets. Aux Tuileries, il en fait de même avec les poissons rouges du grand bassin. Plus tard, accueillant avec excitation les ébats d'un hippopotame dans une mare du Jardin des Plantes, il lui lance son chapeau et s'aventure à vouloir le récupérer. En février 1841, au mépris du froid, devant une patrouille de soldats, il se débarrasse de ses vêtements et déambule, nu, sous la pluie et sur la voie publique. Il relate cet épisode dans *Aurélia* : « On me coucha sur un lit de camp pendant que mes vêtements séchaient sur le poêle. J'eus alors une vision. Le ciel s'ouvrit devant mes yeux comme une gloire, et les divinités antiques m'apparurent. Au-delà de leur ciel éblouissant je vis resplendir les sept cieux de Brahma. Le matin mit fin à ce rêve [1]. » Gérard se persuade, selon la tradition allemande, que chaque homme a un double et que sa vision est le signe d'une mort prochaine. Cette dualité, mystère de son être et secret de son talent, l'amène à se poser la question qui sera l'objet de sa quête à venir : « Quel était donc cet esprit qui était moi et en dehors de moi ? » Au début de l'année 1843, croyant trouver un élément de réponse, fuyant le fantôme de ses amours mortes, Gérard de Nerval embarque à Marseille en direction de cet Orient mystique, mis à la mode par Chateaubriand et Lamartine. Il emporte dans ses bagages un daguerréotype, un lit de voyage, des ouvrages pour apprendre l'arabe, et une paire de lunettes équipée de verres bleus. Ce périple l'amène au pied des pyramides, avec leurs quarante siècles de mystères et symboles, dans les-

---

1. *Aurélia ou le rêve et la vie*, Editions Artemis, 2004. Ce récit, écrit en grande partie dans la clinique du docteur Blanche, raconte son existence au lendemain de sa déception amoureuse avec l'actrice Jenny Colon. Les plus belles pièces de son œuvre littéraire seront écrites vers la fin de sa vie, entre deux crises de démence.

quels il plonge au sein de la bibliothèque de la Société égyptienne. Au Caire, il s'initie à l'opium, en atteignant les dernières limites du pays que les hommes nomment la raison, polluant son cerveau déjà nourri de rêves et d'hallucinations. Fils de franc-maçon, à la poursuite des chimères du roi Salomon, on le retrouve au Liban, berceau de toutes les croyances de l'humanité, amoureux de la fille d'un cheik [1], qui ressemble à s'y méprendre à son actrice morte depuis un an, et dont il poursuit le fantôme et l'image. Au moment de se marier, il fuit vers Constantinople. Au retour de ce voyage en Orient, dont le récit sera publié [2], il va pleurer sa reine de Saba, en vers comme en prose : à Paris, en Italie, en Hollande, en Allemagne, voyage qu'il entreprendra sept fois. Il a un irrésistible besoin de fuir. Ses amis le perdent de vue durant parfois plusieurs mois, si bien qu'on le croit mort. Jules Janin écrira une nécrologie dans le *Journal des Débats* du 1er mars 1841. A peine a-t-il quelque argent — emprunté à l'un de ses éditeurs — qu'il veut entraîner ses amis vers un nouveau voyage en Grèce. Usé par ses courses infécondes à travers l'Europe et l'Orient, Gérard de Nerval rentre à Paris, sans un sou en poche. Il habite un réduit à Montmartre, mais il n'est pas rare de le voir passer trois jours et trois nuits aux Halles, sur des monceaux de détritus, en compa-

---

1. Sur ce point, il cédait aux usages du pays qui ne tolérait pas le célibat, même chez les étrangers. Il affirmera, en sus, avoir été initié aux plus hauts mystères de la religion druze. Sur la fin de son existence, il se vantait de pratiquer dix-sept religions, affirmant que chacune d'entre elles détenait une part de vérité.
2. *Voyage en Orient* paraît en 1851 et connaîtra plusieurs éditions. C'est l'un des grands textes de la littérature du XIXe siècle. L'introduction contient ces lignes obscures : « Ne suis-je pas toujours, hélas ! le fils d'un siècle déshérité d'illusions, qui a besoin de toucher pour croire et de rêver le passé... sur ses débris ? Il ne m'a pas suffi de mettre au tombeau mes amours de chair et de cendre, pour bien m'assurer que c'est nous, vivants, qui marchons dans un monde de fantômes. »

gnie d'escarpes, ou dans une carrière, mêlé au rebut de Paris. Il est à la fois surveillé par la police, et par les voyous qui se méfient de ce personnage en redingote. Le peu d'argent qu'il parvient à gagner, il le donne à des familles dans la misère, partageant leur existence dans des taudis. A un pauvre, il offre son manteau. Il noctambule, victime d'une crise morale qu'il tente de soigner dans l'alcool. Cette bohème n'est plus galante, elle est l'expression de la lutte contre la faim, et surtout contre son « double ». Dans le monde des lettres, Gérard de Nerval est estimé sans toutefois connaître le succès. Une de ses pièces de théâtre, *L'Imagier de Harlem*, ne reste que quelques jours à l'affiche. Gérard de Nerval est désespéré, en proie à des fièvres qui le mènent à l'hôpital de la Charité, puis à la clinique du docteur Blanche. La folie s'accélère au point qu'il est à nouveau interné. En 1841, le docteur Blanche estimait déjà ce patient « incurable », mais l'avait laissé sortir. Dix ans plus tard, en proie à des rêves délirants, à une hypertrophie de la personnalité, et à des syndromes d'anxiété, Gérard de Nerval y retourne, passant des douches froides à la camisole de force, se plaignant des tortures que le personnel lui fait subir, et du voisinage néfaste des autres malades. Alternant douceur et délire [1], il parvient à gagner la sympathie du célèbre médecin dont la clinique aura pour dernier patient Guy de Maupassant, lequel y finira ses jours. C'est entre deux internements qu'en 1853 Gérard de Nerval écrit *Sylvie*. On pense qu'il remonte la pente, mais il est au fond de l'abîme. Il ne cesse de clamer : « Je conviens officiellement que j'ai été malade. Je ne puis convenir que j'ai été fou ou hal-

---

1. Henry Clouard affirme qu'un jour, caché derrière un arbre, il tenta de tuer le docteur Blanche d'un coup de pierre.

luciné [1]. » A la suite de ses nombreux séjours dans des maisons d'aliénés, il a perdu tout son crédit auprès des journaux et des éditeurs. Gérard de Nerval se cherche des protecteurs à la Société des gens de lettres, parmi les magistrats, à la préfecture de police, chez les francs-maçons et les voleurs. Mais il doit se résigner : il est seul. Ses anciens amis l'abandonnent. Son père, qui s'est toujours désintéressé de son sort, notifie aux médecins son refus définitif de s'occuper de lui.

Le 20 janvier 1855, Paris est sous la neige. La Seine charrie des glaçons qui se brisent contre les ponts. Gérard de Nerval entre dans les bureaux de la *Revue de Paris*. Théophile Gautier raconte à Maxime Du Camp son projet de *Capitaine Fracasse*. Les deux hommes sont surpris par la pauvre vêture de leur ami, bien légère pour affronter les rigueurs du climat. On lui propose un manteau, mais il refuse, arguant qu'il a deux chemises et que le froid est tonique, les Lapons n'étant jamais malades [2]. Il n'a plus de chambre ; ce n'est pas grave, il marchera dans la campagne. L'exercice est recommandé pour son affection. Tirant de sa poche une cordelette, il la montre à ses amis : « Voilà ce que je viens d'acheter, c'est la ceinture que portait Mme de Maintenon, quand elle faisait jouer *Esther* à Saint-Cyr. » Les deux hommes veulent le retenir, mais Gérard s'échappe en dissertant sur ses ascendances impériales. Le surlendemain, dans un cabaret, la police l'embarque et il passe la nuit au violon, en compagnie de bohémiens, sachant qu'il ne faut surtout pas

---

1. Lettre à Antony Deschamps du 24 octobre 1854.
2. Le peintre Chaudois, dans les années 1910, trouvera un moyen encore plus radical pour ne pas souffrir du froid dans sa mansarde de Montmartre. En hiver, il ira tremper dans la fontaine et grimpera sur le toit pour y passer la nuit dans la tenue d'Adam. Ainsi, une fois retourné dans sa chambre sans feu, il lui semblera avoir chaud. Après être rentré de la guerre le visage mutilé par une affreuse blessure, il se jettera dans la Seine.

s'endormir si l'on ne veut pas mourir de froid. Le 25, Gérard de Nerval continue à déambuler dans Paris. Il écrit à sa tante : « Ne m'attends pas ce soir, car la nuit sera noire et blanche. » Après une journée à piétiner dans la neige durcie par la bise, il emprunte sept sous à un ami pour manger, mais refuse son hospitalité. Il est deux heures du matin. La température descend à 18 degrés au-dessous de zéro. Une ronde de police interpelle à nouveau ce vagabond qui, en plein Paris, doit être le seul à errer par un tel froid. Il est sommé de présenter ses papiers et s'en acquitte par deux reçus de l'asile. On le laisse aller. Il se rend aux abords de la rue de la Vieille-Lanterne, un cloaque immonde. Il ne lui reste que deux sous en poche, assez pour frapper à la porte d'une masure où une pancarte signale : « Ici on loge à la nuit. » Personne ne répond. Il réitère ses coups, mais finit par renoncer car ses forces l'abandonnent. Le froid le paralyse. A six heures du matin, dans les ténèbres, on retrouve Gérard Labrunie, dit Gérard de Nerval, pendu aux barreaux d'une grille qui ferme un égout de cette rue aujourd'hui disparue. Il porte son chapeau sur la tête, et son cadavre ne présente aucune trace de violence. Dans son paletot on trouve les deux sous, les feuillets de la fin de son dernier roman, une lettre où il réclame 300 francs pour passer l'hiver, et la carte de visite de l'un de ses amis. Interrogée par la police, qui conclut au suicide [1], la patronne du garni se souvient qu'on a bien frappé, vers trois ou quatre heures du matin mais, parce qu'il faisait trop froid, elle n'a pas eu le courage d'ouvrir...

---

1. Si l'hypothèse du meurtre est à écarter, les témoignages divergent sur les circonstances de son dépendage. Par peur de la police, les premiers arrivés refusèrent de couper la corde. Selon Victorien Sardou, un sergent de ville présent sur les lieux aurait affirmé qu'il respirait encore et qu'il aurait pu être sauvé. Ce mystère ne sera jamais élucidé.

C'est de tristesse qu'est mort Gérard de Nerval, le père de la « bohème galante », devenu un vagabond sans feu ni lieu, achevant sa mélancolique existence dans une sordide ruelle. Pour ses contemporains, il était l'écrivain le plus doux de la terre et l'un des littérateurs les plus distingués de son temps. Quand on informe le docteur Labrunie de la mort de son fils, il déclare : « Ah ! le jeune homme est mort, le pauvre garçon ! Je le regrette fort, c'était un bon sujet, pauvre jeune homme ! Il venait de temps en temps par intervalles [1]... » Alexandre Dumas déclara : « L'agonie a dû être douce puisque le chapeau n'est pas tombé [2]. »

Les premiers poètes maudits

Dans *Stello* (1832), Alfred de Vigny ouvre la voie au mythe des poètes maudits : « Du jour où il sut lire il fut poète, et dès lors il appartint à la race toujours maudite par les puissances de la terre. » L'artiste, incompris, est condamné à être victime de la société. Certains brûlent leur existence en s'imaginant voués au succès, alors que les fougues de leur esprit fécond les destinent à une vie d'errance et de misère. Ils oscillent entre la folie ou la tentation du suicide. Alfred de Musset prophétise : « Le seuil de notre siècle est pavé de tombeaux [3]. »

Victor Escousse et Auguste Lebras sont les victimes les plus emblématiques du mépris que la critique affiche pour les jeunes artistes en quête de notoriété,

---

1. Pierre Labracherie, *op. cit.*
2. Sur Gérard de Nerval, *Nouveaux Mémoires*, Editions Complexe, 1990.
3. *A la Malibran, Stances.*

et qui attendent tout de la vie littéraire. L'un d'eux vient pourtant de connaître un premier succès au Théâtre de la Porte Saint-Martin avec un drame en vers, *Farruck le Maure*. Forts de cette gloire éphémère, les deux poètes ont imaginé amasser la fortune avec un peu de travail, au mépris de toutes les règles. Le vol des grands oiseaux, lorsqu'ils commencent à s'élever de terre, a toujours lourdeur et gaucherie. C'est ce que ne comprennent pas les deux comparses, à peine âgés de dix-neuf et vingt et un ans, qui viennent de composer un mélodrame en prose, *Raymond*, joué au théâtre de la Gaîté. La pièce est sifflée et, dès le lendemain, la critique se déchaîne. La calomnie, arme des méchants et des envieux, est si forte que l'un des auteurs, Auguste Lebras, estime qu'il est dans son devoir de défendre son jeune camarade : « Je veux seulement publier la reconnaissance que je dois à Victor Escousse, qui, pour me frayer une entrée au théâtre, m'a admis à sa collaboration ; je veux aussi le défendre, autant qu'il est en mon pouvoir, contre les calomnies qui, dans le monde, attaquent son caractère comme homme, et lui imputent une vanité ridicule que je n'ai point remarquée en lui. [...] Puisse ce peu de mots, que j'écris avec franchise, amortir les traits que la haine se plaît à lancer contre un jeune homme de talent [1]. » En février 1832, dans l'esprit des deux amis, germe l'envie de se détruire. Vivants, ils ne sont plus rien ; morts ils seront des héros. Victor Escousse, au matin du 18 février, s'est fait livrer plus de charbon qu'à l'ordinaire. La veille, il écrit à son camarade : « Je t'attends à onze heures et demie : le rideau sera levé. Viens, afin que nous précipitions le dénouement ! » A l'heure dite, Auguste Lebras se présente

---

1. Alexandre Dumas, *Mémoires – Neuvième Série*, Michel Lévy, Paris, 1863.

chez Escousse. Le charbon est déjà allumé. Ils prennent soin de calfeutrer les portes et toutes les issues avec des journaux, ceux-là mêmes qui, hier encore, les éreintaient. Puis ils s'allongent, côte à côte, sur le lit d'agonie, en attendant la délivrance. Escousse, sur sa table de travail, laisse ce mot : « Escousse s'est tué parce qu'il ne se sentait pas à sa place ici-bas ; parce que la force lui manquait, à chaque pas qu'il faisait en avant ou en arrière ; parce que la gloire ne dominait pas assez son âme, si âme il y a. » Lebras écrit à ses parents : « Je meurs, et pourtant ne me pleurez pas, je vous en conjure, ne me regrettez pas ; car mon sort doit exciter plus d'envie que de pitié... Ceux-là seuls sont à plaindre, qui se ruent dans la tourbe du monde... » A minuit, la voisine, rentrant chez elle, entend deux râles bien distincts contre la frêle cloison. Inquiète, elle frappe à la porte sans obtenir la moindre réponse. Elle se dirige chez le père d'Escousse, qui loge sur le même palier. Elle le réveille. Celui-ci portant son oreille contre la porte entend des gémissements, qu'il prend pour des soupirs amoureux. Il renvoie la voisine dans sa chambre en la traitant de jalouse. Le lendemain, au moment de partir à son bureau, le père, inquiet, frappe à la porte de l'appartement de son fils. Pas de réponse ; pas un bruit. Panique. Dans l'urgence, on fait venir un serrurier qui peine à forcer la porte. Lorsque les deux hommes entrent, pris à la gorge par une âcre vapeur de charbon, ils découvrent le drame. D'une constitution plus légère, Lebras, couché à terre, semble avoir été vaincu par la mort avec célérité. Son compagnon, plus vigoureux, a les jambes repliées, ses mains sont crispées et ses ongles ont laminé sa chair dans sa lutte cruelle. Il est mort dans d'atroces souffrances, en laissant comme épigraphe :

« Adieu, trop inféconde terre,
Fléaux humains, soleil glacé !
Comme un fantôme solitaire,
Inaperçu j'aurai passé.
Adieu, les palmes immortelles,
Vrai songe d'une âme de feu !
L'air manquait : j'ai fermé mes ailes.
Adieu ! »

S'asphyxier pour avoir déplu au public de la Gaîté, il n'y avait vraiment pas de quoi. Ces jeunes romantiques irréfléchis ont choisi de se donner la mort pour conquérir l'immortalité.

La dramaturgie de certains romans et pièces de théâtre n'est pas étrangère à la mode du suicide. En 1835, on imagine qu'Alfred de Vigny s'est inspiré des destins tragiques de ces deux épaves de l'impuissance littéraire que furent Lebras et Escousse pour écrire *Chatterton*[1]. C'est le drame d'un jeune homme tiraillé entre matérialisme et idéalisme. Le poète, héros de la pièce, travaille à l'œuvre censée lui procurer la gloire. Mais Chatterton est un romantique, martyr d'une société où il imagine ne pas avoir sa place. Croyant le sauver, on lui offre un emploi de valet de chambre, qu'il juge trop méprisant. Il s'empoisonne. Accablé par la misère, la calomnie, et une peine de cœur qui le fait ressembler à Werther, Chatterton renonce à lutter pour la vie : « Dernière heure de ma vie, aurore du jour éternel, salut ! Adieu, humiliations, haines, sarcasmes, travaux dégradants, incertitudes, angois-

---

1. Le héros d'Alfred de Vigny a existé. C'est un poète anglais du XVIIIe siècle, Thomas Chatterton. A peine âgé de dix-huit ans, il est accusé d'être un faussaire. Il se suicide à l'arsenic plutôt que de mourir de faim. Alfred de Vigny avouera qu'il ne doit au poète anglais que le titre du drame.

ses, tortures du cœur, adieu ! » La pièce est un succès,
comme le fut *Les Souffrances du jeune Werther* de
Goethe. Dans la même veine, elle fait naître de funes-
tes « vocations », et suit une vague contagieuse de
suicides, pour des prétextes parfois futiles [1]. Harcelé,
Alfred de Vigny reçoit des dizaines de lettres émanant
de jeunes littérateurs, la plupart dépourvus de talent,
qui menacent de se suicider si leurs œuvres ne sont
pas jouées. A l'un d'eux, Charles Michel, il écrit :
« Vous n'avez pas le droit de dire à la Société qu'elle
vous méconnaît puisque vous n'avez fait aucune œuvre
importante encore [2]. » Derrière cette comédie, se
cache une peine de cœur, doublée d'une dette de jeu.
Le jeune homme s'est ruiné pour une maîtresse, et
demande à Vigny de déposer la somme nécessaire
pour le renflouer. Sur l'enveloppe, il écrit : « Suicide
que j'ai eu le malheur de ne pouvoir empêcher. »

Le cœur abreuvé de souffrance et d'angoisse, tous
n'ont pas le triste désespoir des deux poètes Escousse
et Lebras, ou celui de Gérard de Nerval, mort de la
« nostalgie du monde invisible », selon l'expression de
Paul de Saint-Victor. A la veille du Second Empire, il
y eut les vaincus de l'existence, les poètes maudits, les
martyrs et des destinées mauvaises.

---

1. A l'imitation de certaines sociétés secrètes, un « Suicide-club » voit le
jour à Paris en 1846. Ses statuts précisent : « Le but de la société est de
combattre les idées bourgeoises sur le suicide et de montrer par la pratique
qu'il n'est rien de plus noble et de plus digne de l'homme. Seul peut autoriser
le suicide, le dégoût de l'existence considérée comme mauvaise et indigne
d'être vécue. Le suicide devra avoir lieu devant le club ou une commission de
trois membres au moins. » Parmi la centaine de membres de ce club, on
comptera trois décès. L'un est mort fou à vingt-huit ans, l'autre de phtisie à
vingt-cinq, et le dernier s'est suicidé. Dans son livre *Le Romantisme et la mode*,
Louis Maigron publie la statistique des suicides. Ils sont passés de 1 542 en
1827 à 2 747 en 1838.
2. Cité par Anne Martin-Fugier, *Les Romantiques 1820-1848*, Hachette,
Paris, 1998.

*
* *

Charles Lassailly est entré dans l'existence par une porte bien lugubre. Son père, courtier, s'est jeté dans la Loire. Lui, veut être poète. Du fond de sa province, il arrive à Paris, la tête pleine de chefs-d'œuvre et le portefeuille vide. Menant une existence de bohème désenchantée au contact du groupe des romantiques, il écrit des vers qu'il ne parvient pas à faire imprimer, mais collabore à la *Revue des deux mondes*. Un jour, aux Tuileries, il croise une femme montant dans une calèche. Désormais, il sait qu'il ne peut vivre sans cette belle inconnue, qui est la comtesse de Magnencourt. Courant après son attelage, il apprend qu'elle fréquente le théâtre des Italiens. Durant sa courte existence, au mépris de la gloire, il ne cesse, auprès de ses rares amis, de réclamer argent et linge afin de pouvoir assister à chacune des représentations de celle qu'en secret il aime. Arsène Houssaye a conté cette anecdote, sur ce personnage qui passa son temps à être amoureux : « Un jour, il n'avait pas dîné la veille, il me demanda un louis. Par hasard, j'avais un louis ; j'étais trop heureux de le si bien placer. — Voulez-vous dîner avec nos amis Gérard et Rogier ? — Non, me répondit-il, je n'ai pas le temps. Adieu. — Où allait-il ? Je le suivis parce que j'allais du même côté. Il s'arrêta devant la marchande de fleurs que Janin a si poétiquement chantée. — Il jeta son louis sur le comptoir et demanda un bouquet, — comme ce rêveur antique dont parle Platon, qui n'avait faim qu'après avoir émietté tout son pain aux oiseaux de son toit [1]. »

Un temps, Balzac le prend sous sa protection,

---

1. Arsène Houssaye, *op.cit.*

l'emploie comme secrétaire mais, trop loin de l'élue de son cœur, il s'enfuit. Comme Chatterton, il promet d'écrire l'ouvrage qui lui procurera fortune et gloire. Ce sont quelques strophes farouches et un livre qu'Arsène Houssaye déclare « L'œuvre d'un fou prédestiné, les *Roueries de Trialph, notre contemporain avant son suicide* ». Puis il disparaît, et on le retrouve dans une maison de santé où, atteint de folie, il ne reconnaît plus personne. Dans des moments de lucidité, Lassailly raconte que la comtesse a appris qu'il se meurt pour elle. Elle vient le voir, lui apporte un bouquet, cause avec lui, récite des vers et, en partant, dépose un baiser sur son front. Au bout de la trente-neuvième visite, il lui fait savoir que son âme n'en peut supporter davantage. Elle ne le croit pas, et dépose sur son front un quarantième et dernier baiser. Le soir, il meurt, avec entre ses doigts un bouquet de violettes fraîches. Cette passion aurait inspiré une partie de l'intrigue de *Ruy Blas* à Victor Hugo.

*
* *

Dans le monde des lettres, la pauvreté est impitoyable, surtout aux femmes. En 1828, Elisa Mercœur vient d'arriver à Paris en compagnie de sa mère, qui l'avait pourtant abandonnée à sa naissance. A l'âge de huit ans, cette enfant, née avec le talent, entame l'écriture d'une tragédie en cinq actes pour la Comédie-Française puis, à seize, un recueil de poèmes qu'elle dédie à Chateaubriand, avec cette supplique :

« J'ai besoin, faible enfant, qu'on veille à mon berceau,
Et l'aigle peut, du moins, à l'ombre de son aile,
Protéger le timide oiseau. »

L'aigle, flatté, ne tarde pas à répondre : « Je suis un mauvais appui. Le chêne est bien vieux et il s'est si mal défendu des tempêtes qu'il ne peut offrir d'abri à personne ! » Lamartine, qui a lu le recueil de vers, est ébranlé : « Je ne croyais pas au talent poétique des femmes. Cette fois, je me rends et je prévois que cette petite fille nous effacera tous tant que nous sommes. » A force d'opiniâtreté, certaine de faire éclater son talent à la capitale, Elisa obtient des dons et une pension de mille deux cents francs, dont la plus grande partie lui est dérobée alors qu'elle lit ses vers, lors d'une soirée poétique à Nantes. Mais, à Paris, il est dur de se faire un nom quand on n'est pas recommandé, et si l'on est une jeune fille arrivant de province. Elle inonde ses contemporains de vers élogieux. Surviennent les événements de 1830. Dans le besoin, elle écrit au nouveau ministre une lettre émouvante : « Sauvez-moi pour ma mère ! » Hélas, celui-ci n'accorde à la jeune fille que deux cents francs. Elle subvient aux besoins de sa mère. Tous les secours dont elle bénéficiait sont désormais supprimés. Lorsqu'elle se présente à un journal pour donner des vers, le caissier lui offre vingt-huit sous. De rage, elle déchire le manuscrit. Ses espoirs reposent à présent sur un projet de tragédie, *Boabdil*, qu'elle présente à la Comédie-Française. Le 3 mai 1831, à la lecture, les comédiens sont enthousiasmés. Tous louent le talent de la jeune femme. Le baron Taylor, commissaire royal au Théâtre Français, refuse la pièce en arguant que le public parisien ne peut s'intéresser à l'histoire d'un roi de Grenade. Cet échec, injure du sort, met fin à la promesse d'une brillante carrière. Attristée et malade, dans la misère, ne cessant de se plaindre, elle se retire à la campagne avec sa mère. Elle tente de se

donner la mort par asphyxie et, au bout d'une année
de souffrances, le 7 janvier 1835, à 25 ans, elle pousse
son dernier soupir, non sans avoir confié à sa mère :
« Si Dieu m'appelle à lui, on fera mille contes sur ma
mort ; les uns diront que je suis morte de misère ; les
autres d'amour. Dis à ceux qui t'en parleront que le
refus de M. Taylor de faire jouer ma tragédie, seul a
fait mourir la pauvre enfant ! » Sa tombe, au Père-
Lachaise, dont Madame d'Hautpoul compose l'épitaphe : « Elle adorait, servait et nourrissait sa mère ! »,
fut longtemps un lieu de pèlerinage pour les rêveurs et
les mélancoliques. Alfred de Musset y écrivit ces
mots : « Je ne pleure pas, j'envie ton sort. » Celle que
l'on appelait la « Sapho de la Loire », est morte de
cette fièvre de gloire qui lui gâcha la vie et la conduisit
du désespoir à la tombe.

*
* *

Hégésippe Moreau [1] n'a pas encore vingt ans, lorsqu'il part de Provins pour chercher la gloire et la
fortune à Paris. Poète, riche d'ambitions mais pauvre
de ressources, il suit le salutaire conseil de Jean-
Jacques Rousseau, et apprend le métier de typogra-
phe. Il arrive en pleine bataille d'*Hernani*, alors que
l'attention des critiques est fixée sur ces poètes inspirés
que sont Lamartine, Alfred de Musset, Alfred de Vigny
et Victor Hugo. Déjà aigri par une vie incertaine qui
commence, il écrit à celle qu'il nomme sa « sœur »,
mais qui est une maîtresse plus âgée : « Les vers, à
moins d'être signés Lamartine ou Hugo, n'ont aucun

---

1. Fils naturel d'un professeur de collège de Provins, Claude François
Moreau, il est né le 8 avril 1810 à Paris, et inscrit sur les registres sous le nom
de Pierre Jacques Rouillot.

autre débit dans Paris. Un journal qui les insérerait
ferait plutôt payer l'insertion. » Il a choisi son camp ; il
ne se laissera pas gagner par le tourbillon romantique.
Les pièces en vers, surabondantes sur le marché, sont
refusées par les éditeurs et si l'un d'entre eux condescend à publier celle d'un auteur inconnu, c'est sans
contrepartie. Non reconnu comme un poète, il compose des contes qu'il place dans des publications pour
jeunes filles. Eclate la révolution de Juillet. Hégésippe,
qui a trouvé un emploi dans les ateliers de la maison
Didot, se retrouve, comme la plupart des employés
d'imprimerie, sur le pavé. Orphelin, sans protecteur,
anonyme dans une foule de poètes misère et bohèmes,
au sein d'une jeunesse turbulente, c'est un être désenchanté, influençable, qui se transforme en républicain
exalté. Converti à la lutte armée, fusil en main, sous
les ordres du Polytechnicien Vaneau, il abat un Suisse
retranché dans la caserne de Babylone. Affligé par son
geste, il se rachète en parvenant à en sauver un autre.
Il le cache dans sa mansarde du Quartier latin, le
soigne, et lui permet de s'enfuir après lui avoir donné
la seule redingote qu'il possède. Privé d'emploi, un
temps pion mais renvoyé parce que trop chahuté par
ses élèves, Hégésippe Moreau est incapable de donner
son adresse, car il ne sait pas où il couchera demain. Il
vit d'un pain [1] de hasard, chassé des garnis qu'il est
incapable de payer, couche dans les péniches à charbon
amarrées le long de la Seine, sous les ponts, dans les
chantiers, les terrains vagues, ou sous les arbres du bois
de Boulogne. Une nuit, une patrouille le découvre sur
les marches de la Sorbonne et le conduit à la préfecture
de police. Comme il refuse de décliner son identité, il

---

1. Privé de nourriture durant plusieurs jours, une nuit de colère il compose
une *Ode à la faim* : « A tout prix, il faut que je mange/Rien ne saurait m'em-
pêcher/Que le bon Dieu m'envoie un ange/Je le plume pour l'embrocher. »

est soulagé d'avoir trouvé un abri pour cinq jours. Il songe au suicide. Plusieurs fois, les flots de la Seine l'appellent. Il renonce. Durant les émeutes des 5 et 6 juin 1832, il grimpe en haut des barricades, expose sa poitrine aux balles de la garde nationale, qui refuseront de venir s'y loger. Mais un terrible fléau sévit à Paris depuis plusieurs mois : le choléra-morbus. L'un de ses camarades de bohème vient d'être admis à l'hôpital de la Pitié. Il meurt sous les yeux d'Hégésippe Moreau. Pris d'un accès de folie, le poète se roule dans les draps encore humectés des moiteurs cholériques de son compagnon, hurlant à la mort dans un délire qui aurait pu le conduire à la maison du docteur Blanche. Mais une fois encore, la mort se détourne de lui. C'est pourtant un mauvais rhume qui le cloue, durant deux mois, sur un lit d'hôpital.

Hégésippe Moreau est enfin à l'abri de la faim et du froid. Ce séjour lui permet de retrouver assez de force pour marcher jusqu'à Provins, et revenir dans la ferme qui l'accueillit durant son enfance. Sur place, il laisse aller sa plume empreinte d'anarchie dans le journal satirique qu'il fonde, *Le Diogène*. Il accumule les maladresses et les imprudences. Incapable de s'astreindre au travail régulier, il se plaint de végéter : « Dans un état d'idiotisme rarement interrompu par des moments lucides. » Obligé de fuir Provins à cause d'un duel, il retourne vers Paris et sa misère, avec une nouvelle promesse d'hiver sans feu. En revenant, plus irrité que jamais, il écrit : « Vous me demandez quels sont mes moyens d'existence ? Ma plume, mon espérance, la mort ! » Comprenant que faire des vers ne lui remplira jamais l'estomac, et qu'il se sent inapte au labeur quotidien d'un ouvrier, il exerce des petits boulots, parfois ingrats, dans le monde de l'édition. Puis la misère vient. Il se met à boire, vend ses chemi-

ses et engourdit ses pensées avec de l'opium. Il en est
réduit à collaborer avec la police en offrant ses services afin d'attaquer, dans la presse et sous un pseudonyme, son propre compagnon de misère Louis Berthaud [1], qui vient de brocarder le préfet ayant fait
assommer des marchands de journaux place de la
Bourse. Désemparé, désenchanté, sans but, Hégésippe
Moreau se plaint : « Je m'ennuie, je m'ennuie. » Il a
trouvé un emploi de correcteur d'imprimerie, mais ne
renonce pas à faire publier ses vers. Son premier
recueil, *Le Myosotis*, voit enfin le jour en 1837. Sans
affiche ni réclame, un mouvement de curiosité se fait
sentir dans le monde des lettres où une rivalité har-
gneuse ne permet pas aux nouveaux venus de cueillir
le moindre brin de laurier. Félix Pyat [2] s'enthousiasme
pour ce poète républicain. Il publie un article élogieux
dans le *National*, journal d'avant-garde alors fort lu.
Hélas, ceux qui désirent se procurer ce volume de
vers ne le trouvent pas chez leur libraire. Comme il ne
se vend pas, l'auteur l'a cédé à un épicier de la rive
gauche pour en faire des cornets. Il doit à présent
racheter les exemplaires restants. On croit Hégésippe
Moreau sauvé. Il est trop tard. Envahi par le dégoût,
le poète se laisse aller et, pour tromper la faim, abuse
de l'opium : « Depuis quelque temps, j'ai imaginé de
prendre de l'opium pour me faire dormir jusqu'à
l'heure où je dois revenir à l'imprimerie. Je suis arrivé

---

1. En compagnie de Jean-Pierre Veyrat, ils avaient tous deux recueilli
Hégésippe Moreau, partagé leur pain avec lui, dans le grenier leur servant de
logis, et même leurs vêtements.
2. Avocat, journaliste au *Figaro*, puis au *Charivari*, Félix Pyat (1810-1889)
devient auteur dramatique. Fondateur de la Commune révolutionnaire, après
avoir signé l'appel aux armes de Ledru-Rollin en 1849, il est contraint à plus
de vingt ans d'exil et rentre en France après la proclamation de la République,
le 4 septembre 1870, où il joua un rôle majeur en annonçant, le premier, la
capitulation de Bazaine. Il sera sénateur du Cher, et député des Bouches-du-
Rhône.

à savoir juste la quantité qu'il me faut pour cela, et j'ai besoin de l'augmenter un peu tous les jours pour contrebalancer les effets de l'habitude. Le samedi soir, je triple la dose pour escamoter le dimanche et ne me réveiller que le lundi matin [1]. »

C'en est trop pour son organisme fatigué par un tel régime. Le 20 décembre 1838, Hégésippe Moreau, le poète de la faim et de la misère, s'éteint à l'hôpital de la Charité à l'âge de vingt-huit ans. Félix Pyat parvient à le sauver de la fosse commune, en rendant hommage au disparu : « Jérusalem a encore tué un prophète... Oui, j'ai le droit de le dire par-dessus les toits et de vous accuser et de vous condamner. Vous avez tué cet homme. Vous l'avez tué avec des circonstances aggravantes. Car vous étiez avertis. Je vous avais crié : prenez garde, il y a là un poète, ne le laissez pas mourir encore, faute de gloire, faute de gloire et de pain. »

*
* *

A l'inverse d'Hégésippe Moreau, Aloysius Bertrand n'aura pas la « fortune » de voir son œuvre éditée. Il meurt alors que, depuis près de vingt ans, il se débat dans la misère afin que son livre, *Gaspard de la nuit*, puisse enfin voir le jour.

Né à Dijon en 1807, Louis Bertrand, dit Aloysius, entend faire fortune à Paris. Il connaît les premiers succès grâce à sa revue, *Le Provincial*, qu'il fait paraître dans l'antique capitale des ducs de Bourgogne, et à laquelle collaborent de grandes plumes romantiques. Il prend alors la diligence afin de rejoindre la légion de

---

1. Alphonse Séché, *Les Poètes-misère*, Louis-Michaud éditeur, Paris, sd, 1907.

la future bataille d'*Hernani*. A la mort de son père,
Aloysius se retrouve chef de famille et, en sus
d'assurer sa pauvre existence, il doit subvenir aux
besoins de sa mère et de sa sœur, qui ont vendu tous
leurs meubles afin d'acquitter le prix du voyage pour
le rejoindre à Paris. A cette époque, le poète est si
impécunieux et mal vêtu que, par orgueil, il n'ose
paraître dans les cercles de Charles Nodier et Victor
Hugo, au sein desquels il a pourtant sa place. Avec son
profil disgracieux et sa silhouette fantaisiste, sa redingote râpée qu'il boutonne jusqu'au menton, il fait la
lecture de son manuscrit *Bambochades*, curieuses ballades en prose qui soulèvent l'enthousiasme de Sainte-
Beuve. On lui trouve un éditeur, mais celui-ci fait
faillite. Le manuscrit est placé sous séquestre. L'éditeur du romantisme, Eugène Renduel, pressé par les
sollicitations de Sainte-Beuve, inscrit ce livre excentrique dans son catalogue, sous le titre de *Gaspard de la
nuit* et promet une publication imminente, malgré des
difficultés liées à des problèmes typographiques et le
luxe des vignettes exigées par l'auteur. Toujours
mécontent de lui-même, Aloysius Bertrand passe son
temps à retoucher le manuscrit et à ciseler, mot par
mot, syllabe par syllabe, chaque pièce de cette œuvre
majeure, qui sera la première expression du poème en
prose. Eugène Renduel paye le manuscrit dont le
sous-titre est encore plus obscur que le titre : *Fantaisies à la manière de Rembrandt et de Callot*, et ne se presse
plus de l'éditer. Il l'a même rétrocédé à l'un de ses
confrères, Victor Pavie. Réfugié dans ses rêves, incompris par sa famille, Aloysius Bertrand, sans linge ni
chaussure, vit dans un dénuement qui le contraint à
l'humiliation de solliciter l'aumône à plusieurs de ses
amis : « Je suis tombé dans un marasme qui me ronge
le foie, qui m'abêtit, qui me tue lentement comme

l'aqua-tofana. Si je te disais que je suis au point de n'avoir bientôt plus de chaussures, que ma redingote est usée, je t'apprendrais là le dernier de mes soucis : ma mère et ma sœur manquent de tout dans une mansarde de l'hôtel des Etats-Unis qui n'est pas payée [1]... » Au statuaire David d'Angers, rencontré chez Victor Hugo, il confesse : « Les jours se sont écoulés, et mon jour n'est pas venu. Je ne suis encore que le ver qui dort dans sa chrysalide, attendant que le pied du passant l'écrase, ou qu'un rayon de soleil lui donne des ailes. »

Comme Hégésippe Moreau, Aloysius Bertrand en est réduit aux basses besognes mal rétribuées, dans l'attente de la publication de son livre. Peu à peu, la vie se retire de son corps rongé par une maladie de poitrine. Il fait plusieurs séjours à l'hôpital, et le 11 mars 1841 il entre à Necker. Alerté, Sainte-Beuve écrit à Renduel : « Vous souvient-il d'un manuscrit d'un pauvre jeune homme, Bertrand, que vous avez payé et non imprimé ? C'étaient des espèces de petites ballades en prose. Ce pauvre garçon, pris de la poitrine, a l'air de vouloir mourir ; il est à l'hôpital Necker. David, le statuaire, qui s'intéresse à lui, voudrait ravoir le manuscrit. On verrait à le faire imprimer chez Pavie, qui l'imprimerait gratis. Il ne s'agirait que de le ravoir de vous. Qu'en avez-vous fait ? Tâchez, mon cher Renduel, de vous en souvenir ; cela réjouirait les derniers instants du pauvre jeune homme de songer qu'il restera quelque chose de lui. »

Six semaines plus tard, Aloysius Bertrand meurt de la tuberculose, alors que ses amis ont convaincu le ministre de l'Instruction publique de lui accorder un secours exceptionnel et un emploi de bibliothécaire.

---

1. Lettre à Antoine de Latour en date du 29 septembre 1833.

C'est trop tard. Le 29 avril 1841, David d'Angers rend visite à son protégé à qui l'on vient de mettre un drap sur la tête. Il a juste le temps de crayonner un croquis du poète sur son lit de mort. Il se charge de le faire enterrer et, sous une pluie torrentielle, il est le seul à accompagner sa dépouille jusqu'au cimetière. Sa famille n'aura même pas fait le déplacement. A la fin de l'année 1842, grâce aux efforts de Sainte-Beuve et David d'Angers, qui a racheté le manuscrit à Renduel, *Gaspard de la nuit* voit enfin le jour. Vingt ans plus tard, Charles Baudelaire s'inspire de ce texte qui connaîtra de nombreuses éditions, et raconte : « J'ai une confession à vous faire. C'est en feuilletant, pour la vingtième fois au moins, le fameux *Gaspard de la nuit* d'Aloysius Bertrand (un livre connu de vous, de moi et de quelques-uns de mes amis n'a-t-il pas tous les droits à être appelé fameux ?) que l'idée m'est venue de tenter quelque chose d'analogue… »

Parmi l'immense foule d'écrivains et poètes en marche vers la gloire, la plupart, dans cette période allant des Trois Glorieuses jusqu'au Second Empire, furent maudits. Ils eurent une existence brève, douloureuse, pitoyable. Héros méconnus de l'énergie romantique, Victor Escousse et Auguste Lebras, Charles Lassailly, Elisa Mercœur, Hégésippe Moreau, Aloysius Bertrand, ne sont que quelques exemples parmi tant d'autres. Nous aurions pu ajouter à la douloureuse liste des désespérés Emile Roulland, l'ami d'Alfred de Vigny, mourant d'épuisement à l'instant même où *Chatterton* triomphe sur les planches ; Imbert Galloix, venu de Genève avec la fièvre de l'arrivisme, se laissant mourir à l'âge de vingt et un an, à bout de santé et d'espérances gâchées ; Louis Berthaud et Jean-Pierre Veyrat vaincus par des années de lutte et la tuberculose. Combien de misères inconnues, combien de suicides ignorés ?

Tous ces poètes maudits, ne sont que l'avant-garde d'une autre bohème, encore plus misérable, dont le chantre le plus illustre sera Henri Murger.

Murger, le romancier de la bohème

Toute révolution est fille de la première. Du 23 au 25 février 1848, comme il l'avait fait lors des Trois Glorieuses, Paris se soulève. Refusant de faire verser le sang de son peuple, Louis-Philippe, qui ne croyait à rien, ni en Dieu, ni en l'armée, ni en l'opinion, abdique. La monarchie de Juillet est morte ; la Deuxième République est proclamée par Lamartine. Elle sera brève, et s'achèvera trois ans plus tard, à la suite du coup d'Etat de Louis-Napoléon Bonaparte.

Cette nouvelle révolution est fatale à une multitude d'hommes de lettres et d'artistes. L'un d'eux, Henri Murger, écrit : « L'horizon était d'un noir à faire de l'encre avec. » Ce romancier, qui hante le Quartier latin, un Paris dans Paris, est l'auteur d'une vingtaine de nouvelles, au prix modeste de quinze francs pièce, toutes parues dans le journal le *Corsaire* entre 1845 et 1849 et qui prendront pour titre : *Scènes de la vie de bohème*. Henri Murger, premier sociologue de la bohème, décrit, dans des chapitres sans lien entre eux — ce qui justifie le titre — les affres d'une nouvelle classe d'individus, dont l'existence est tous les jours un problème, sans aucun asile connu, qui exerce cinquante professions ou aucune, qui se lève le matin sans savoir s'ils vont dîner le soir ; un jour riches, pauvres le lendemain, prêts à vivre de façon malhonnête s'ils ne peuvent s'en tirer autrement. *Scènes de la vie de bohème* dévoile l'existence compliquée des artistes, avec leurs bonnes humeurs et leurs désespoirs, à travers les destinées de six personnages : le peintre Marcel, le philosophe Colline, le musicien Schaunard, le poète Rodolphe et leurs deux inspiratrices, des grisettes répondant aux noms de Musette et Mimi. Tous se sont connus par hasard et, menant une vie indépendante, constituent une association aux fins de résister. Ils font figure de maudits, s'habillent de manière surprenante, laissent des dettes jamais honorées, vivent la nuit et inspirent l'horreur aux bourgeois. Dans ces amitiés fraternelles, chacun vit tour à tour des amours libres et excentriques et connaît des succès éphémères. Tous sont décidés, après cet apprentissage obligé, à « manger à la table de la vie » et enfin devenir des artistes reconnus, dans une société respectable. Après avoir été un héros de la pauvreté, l'artiste aspire à devenir un bourgeois, marchant sur le fil entre deux précipices, celui de la misère ou celui de la honte. C'est pourquoi la bohème, selon Murger, est une « Vie de patience et de courage, où l'on ne doit pas, si l'on veut éviter de trébucher en chemin, quitter un seul moment l'orgueil de soi-même qui sert de bâton d'appui [...] Bornée au nord par l'espérance, le travail et la gaîté, au sud par la nécessité et le courage, à l'ouest et à l'est, par la calomnie et l'Hôtel-Dieu... »

L'hôpital, dernier stage avant la morgue, Murger y fait de nombreux séjours. A l'âge de dix-huit ans [1], il y

---

1. Après la mort de sa mère qui était une femme douce et aimante, le père, sinistre personnage, retire l'enfant de l'école à l'âge de quatorze ans, pour en faire un « saute-ruisseau », jeune clerc de notaire, d'avoué, d'huissier, chargé des courses, et de porter des messages ou des colis. Henry Monnier ou Honoré de Balzac connurent la même destinée.

entre pour la première fois en plaisantant : « En somme, l'hôpital, c'est l'hôtel moins la note et les punaises. » Il est atteint de purpura. Son père, qui exerce la profession de tailleur et de concierge, vient de le renvoyer, et il trouve un emploi comme secrétaire chez le comte Tolstoï, qui est le correspondant du Tsar à Paris, aux appointements de quarante francs par mois. La perte du gîte et surtout du seul repas de la journée, conduisent le jeune Henri à mener, la faim au ventre, une existence misérable de meublé en meublé, chez des prêteurs à la petite semaine, dans des mansardes d'artistes, empruntant à des amis quelques sous en sachant qu'il ne peut les rendre, pratiquant ce qu'il appelle : « L'art de souper sans se coucher ou de se coucher sans souper. » Il mène une existence difficile, ponctuée par de longues périodes de jeûnes, de chagrins causés par des trahisons, effacées par la seule joie d'avoir vingt ans. Les stigmates de cette existence de bohème ne tardent pas à se traduire par la maladie, qui le conduit à de fréquents séjours dans des maisons de santé. A intervalles réguliers, son corps présente d'affreuses boursouflures violacées : « Je me suis tout à coup réveillé avec un sentiment de cuisson extrême par tout le corps. J'étais comme enveloppé de flammes ; je flambais littéralement. J'allumai ma bougie, et je fus épouvanté du spectacle que m'offrit mon pauvre moi-même. Imagine-toi que j'étais rouge des pieds à la tête, et cela comme un homard cuit, ni plus ni moins. Les médecins ont été tous ébahis de mon cas [1]. » Comme pour Hégésippe Moreau et bientôt pour Verlaine, l'hôpital est le seul endroit où Murger peut manger à sa faim. Il voit des camarades y mourir, poitrinaires, et se jure de

---

1. Lettre à Nadar du 10 novembre 1842.

« se faire un trou quelque part ou se faire sauter la cervelle ». Après avoir trouvé un poste de rédacteur en chef au *Castor*, journal des chapeliers, Murger écrit *Scènes de la vie de bohème*, qui amuse le public bourgeois car le romancier n'est guère tendre avec ses anciens compagnons, qu'Alphonse Daudet qualifiera de « bande de tziganes, irréguliers de l'art, révoltés de la philosophie et des lettres, fantaisistes de toutes les fantaisies ». Murger prend ses distances avec ces bohèmes, dans une mise au point qu'il estime nécessaire : « Ces types si étranges, qu'on a peine à croire à leur existence ; ils s'appelaient les disciples de l'art pour l'art. Selon ces naïfs, l'art pour l'art consistait à se diviniser entre eux, à ne point aider le hasard qui ne savait même pas leur adresse, et à attendre que les piédestaux vinssent se placer sous leurs pas. C'est, comme on le voit, le stoïcisme du ridicule. [...] Il existe dans la bohème ignorée une autre fraction ; elle se compose de jeunes gens qu'on a trompés eux-mêmes. Ils prennent une fantaisie pour une vocation, et, poussés par une fatalité homicide, ils meurent, les uns victimes d'un perpétuel accès d'orgueil, les autres idolâtres d'une chimère [1]. »

Lorsque Murger veut présenter une pièce tirée de son récit à un directeur de théâtre, celui-ci ne prend même pas la peine de lire les feuillets, et le congédie en répliquant :

« La bohème, mon cher ! La bohème !... Ça va être ruineux à monter. J'ai visité le magasin tout à l'heure. Il n'y a pas un seul costume hongrois ! »

Après une longue inclination pour le suicide ou l'engagement dans la Marine, vient enfin le succès

---

1. Henri Murger, Préface à *Scènes de la vie de bohème*, Lévy frères, Paris, 1880.

mais, hélas, pas la fortune. Après tant d'années de privations, affaibli par la misère, l'abus de café, de tabac, et les excès de la jeunesse, Henri Murger fait plusieurs séjours à l'hôpital. Il voit autour de lui des hommes condamnés à mourir tomber comme des mouches. Il pressent que sa fin est proche.

Après avoir écrit *Scènes de la vie de bohème*, livre culte d'une seule génération, Henri Murger reçoit la Légion d'honneur. Il fréquente désormais les salons plus que les cafés ; il songe à l'Académie française, et perçoit une pension du gouvernement de Napoléon III. Il n'en profitera qu'un seul trimestre. Murger n'a pas encore quarante ans et un nouveau mal le ronge, l'artérite. Plusieurs médecins sont appelés à son chevet et ne s'entendent pas sur le diagnostic. La maladie se propage. Henri Murger est envahi par la gangrène. Lors de son transfert en maison de santé, la légende raconte qu'un de ses pieds se serait détaché et serait resté dans le lit. Personne n'y aurait fait attention, y compris le romancier qui n'avait plus que quelques jours à vivre. A chacun des visiteurs qui se presse à la porte de sa chambre, véritable pèlerinage, il déclare : « Si la mort me prend, ce sera de force. » Elle l'a pris de force et, comme Alfred de Musset, il n'a pas eu le temps d'achever son œuvre. Avant de pousser son dernier soupir, il prononce ces paroles : « Pas de musique ! Pas de bruit ! Pas de bohème... »

Plus de mille cinq cents personnes assistent à ses obsèques. Le Tout-Paris des lettres s'y donne rendez-vous. Les frères Goncourt, retranchés dans leur hôtel particulier, qui passent leur temps à se moquer de leurs confrères pauvres, notent dans leur *Journal* : « Une mort, en y réfléchissant, qui a l'air d'une mort de l'Ecriture, d'un châtiment divin contre la Bohème, contre cette vie en révolte avec l'hygiène du corps et de l'âme, et qui fait qu'à quarante-deux ans un homme s'en va de la vie, n'ayant plus assez de vitalité pour souffrir, et ne se plaignant que de l'odeur de viande pourrie qui est dans sa chambre, et qu'il ignore être la sienne. »

La bohème vagabonde d'Albert Glatigny

Sous le Second Empire apparaît une société qui s'enrichit, mais qui ne lit les livres que si on les lui prête, et ne va au théâtre que s'il elle y est invitée. Les cafés s'illuminent, les orchestres fleurissent; l'absinthe, que la conquête de l'Algérie a rendue populaire, engourdit la nation. Les dames font l'assaut des magasins de toilettes, le commerce est prospère. On s'amuse. Paris se transforme à vue d'œil sous la baguette du baron Haussmann. Mais la misère subsiste, et les bohèmes continuent à chanter comme des cigales insoucieuses de l'avenir.

Comme Henri Murger, Albert Glatigny, au sortir de l'école, après une fièvre typhoïde qui laissera dans son organisme de graves séquelles, barbouille du papier chez un notaire. Le jeune homme, né en 1839, a le goût de la comédie et des voyages. Sans solliciter l'autorisation de ses parents, il s'engage dans une troupe ambulante, lui qui ne connaît pas les soirs sans souper, les logis sans feu et les banquettes vides. Employé comme souffleur, puis comédien jouant dans des vaudevilles des rôles de vingt lignes, il est sifflé à cause de son emphase jugée ridicule. Déambulant de ville en ville, Albert Glatigny parcourt la France entière et se sent une âme de poète. De passage à Alençon, il rencontre le directeur de l'hebdomadaire local, Auguste Poulet-Malassis, qui vient de publier les *Fleurs du mal* de Baudelaire et les *Odes funambulesques* de Théodore de Banville. L'infortuné éditeur sera bientôt ruiné par son entreprise, mais il offre à Glatigny un exemplaire de l'ouvrage de Banville. Quel enthousiasme ! Hier, Glatigny ne savait rien de l'art de la rime, mais après la lecture du recueil, il se met à écrire, sans relâche, jour et nuit, des vers pleins d'entrain et des comédies, des drames que ses camarades interprètent devant un public clairsemé et hilare. Il gagne à peine de quoi satisfaire aux exigences de son estomac, et contracte une fièvre cérébrale. Il oscille entre la vie et la mort. Par miracle, il en réchappe et reprend la route. Un nouveau mal le guette : l'amour. Il s'éprend de Lizane, l'étoile de la troupe. Hélas, la belle n'a que faire de ce jeune prétendant, pauvre, laid et jaloux. Elle cède à la galanterie surannée, et à la prodigalité d'un vieux bourgeois. Désespéré, Albert Glatigny décide de mettre fin à ses jours. Il exhibe un couteau et, devant l'inhumaine, se frappe des grands coups sur la poitrine en hurlant son amour déçu. Le sang jaillit, mais pas celui de son cœur. Le couteau s'est refermé sur son pouce qui est entaillé. Il en portera la marque sa vie entière.

Honteux, Albert Glatigny abandonne la comédie et rejoint Théodore de Banville à Paris. Il devient un familier de la Brasserie des Martyrs, située dans la rue du même nom, près de Notre-Dame-de-Lorette. Comme l'a décrit Firmin Maillard, la Brasserie des Martyrs est une salle pleine de bruit et de lumière où bourdonnent des dévideurs de rimes, des poétereaux encore crottés du nid, des futurs tribuns, des chercheurs d'idées, des philosophes sans le sou, tous malades et héros des obscurs combats de la vie. Parmi ces chevaliers errants de la plume, on compte d'authentiques bohèmes. Albert Glatigny fait la connaissance de Charles Baudelaire, Théodore de Banville, Manet, Gustave Courbet toujours épié par la police, Catulle Mendès, Alexandre Leclerc que l'on retrouvera pendu au Père-Lachaise, le poète Constant Arnoult, qui porte le pantalon du chansonnier Charles Gille, qui lui aussi s'est pendu, et enfin le dessinateur Dumoulin qui se suicidera au gaz. Après toutes ces années d'errances, Albert Glatigny fait connaissance de la bohème parisienne, celle de Murger, qui rappelait cet axiome : « Nous ajouterons que la Bohème n'existe et n'est possible qu'à Paris. » Il y est admis sans examen de passage et pressent qu'il a trouvé une patrie où il imagine, pour la première fois, se fixer. Il occupe un emploi dans un journal, payé cinquante francs par mois. Bibliophile, il promène sa maigre et longue carcasse sur les quais de la Seine en quête d'éditions rares. Il dépense tout son argent. Il n'est pas rare qu'il emprunte cinq francs pour manger et, passant devant la boutique d'un libraire, incapable de résister, achète une nouveauté littéraire. Il préfère museler son appétit. Il se contente de peu : un morceau de pain et de fromage, et un verre de bière pour seul repas de la journée. Lorsque Charles Bataille lui offre le papier pour publier, à dix-huit ans, *Vignes folles*, son premier recueil de vers, il exulte et annonce à ses amis, dans son pays natal : « Ma barque est lancée et vogue maintenant à pleine voile. Un de ces jours ne vous étonnez pas si votre journal vous annonce ma réception à l'Académie française [1]. » En 1860, Albert Gla-

---

1. Jacques Chabannes, *Glatigny*, Grasset, Paris, 1948. *Vignes folles* aura une grande influence sur Verlaine qui déclarera : « Je dois et je peux (ce m'est de toute importance au point de vue littéraire d'y insister) dire que je fus véritablement remué jusqu'aux entrailles par les *Vignes folles*. »

tigny a vingt et un ans. Comme tous les poètes bohèmes, il connaît la misère à Paris, avec une vie faite de
bric et de broc. Il conserve sa naïveté et sa bonne
humeur et, quand arrive la notification de son engagement dans une nouvelle troupe itinérante, il s'écrit :
« Il était temps. Lorsque les avances sont arrivées,
j'étais couché depuis deux jours, et tenu au lit par mes
souliers dont les semelles avaient entièrement disparu [1]. » Le voilà reparti pour une vie aventureuse,
cabotinant d'une province à l'autre, jouant la comédie, improvisant des rimes au bon vouloir du public,
vivant au jour le jour tout en écrivant ses propres
plaquettes de vers qu'il parvient, toujours avec peine,
à faire éditer. S'il n'a pas assez d'argent pour rentrer à
Paris, il demeure durant de longues semaines dans les
villes qu'il traverse, donnant dans les arrière-salles des
cafés des séances de poésie et d'improvisation. Quand
on le qualifie de bohème, Albert Glatigny s'insurge : « Bohème ! s'écriait-il, les crétins !... Mais le
bohème ne travaille pas, le bohème s'appâtit (sic)
chaque jour dans sa mollesse incurable, sans savoir ce
qu'il fera le lendemain. Moi, au contraire, je travaille
sans cesse. Demain je suis à cent lieues de l'endroit où
j'étais la veille ; je sais toujours ce que je ferai le
lendemain, puisque je ferai des vers ! Bohème, moi !
Aucun de ces gens ne me connaît [2]. »
   Après de longues années d'errances ponctuées de
maigres succès sur les planches et surtout d'échecs,
ses amis lui conseillent d'arrêter : « Tu n'es pas construit pour le théâtre ; fixe-toi à Paris une bonne fois,
fais des vers et n'en dis plus. » Plus aucun théâtre ne
lui propose d'engagement, aucun journal n'accepte ses

---

1. Alphonse Séché, *op. cit.*
2. Job-Lazare, *Albert Glatigny – sa vie, son œuvre*, Paris, 1878.

vers. La maladie le force à garder la chambre. Il souffre de problèmes de vue et, à force d'insuccès, il en arrive à un découragement complet. Il donne des conférences et des leçons de français. N'ayant plus les moyens de se payer une chambre, il dort dans les wagons de chemins de fer et les omnibus. En 1869, il est avec sa troupe, en Corse. Les recettes sont si maigres que le théâtre fait faillite. Personne ne reçoit de paye. Voilà Glatigny sans argent, amaigri et avec une telle mine qu'un gendarme le prend pour un dangereux criminel recherché dans toute l'île. Le militaire, qui s'imagine déjà avec la Légion d'honneur, l'arrête sans ménagement et le jette dans un cachot avec les fers aux pieds. Il reste dans cette cellule grouillante de rats pendant huit jours, en proie à des violentes coliques, grelottant de froid. Ses pieds sont si meurtris que pendant plusieurs mois il ne pourra plus remettre de chaussures. Les gendarmes, persuadés qu'ils tiennent leur homme, ne laissent pas Glatigny s'expliquer, d'autant qu'il n'a pas de papiers sur lui. A son tour, le juge de paix le trouve suspect. Sans l'autoriser à adresser des dépêches en métropole pour justifier de son identité, il est reconduit en prison et battu, lui le fils de gendarme, victime d'une gendarmerie déchaînée. Après son transfert à Ajaccio, le juge d'instruction convient de la méprise et le libère, en mettant aux arrêts le fonctionnaire trop zélé qui a commis l'impardonnable erreur. A sa sortie de prison, Albert Glatigny écrit : « Aux trois quarts aveugle, couvert de rhumatismes, plein de maux d'estomac, condamné à l'immobilité absolue, voilà mon lot. Je suis plus malade que jamais ; pas de médecin, rien, isolement complet, et la poitrine dans un état qui me fait croire que ça ne durera pas longtemps. » Dégoût, désespoir, doute, tel est le quotidien d'Albert Glatigny. Sa vue baisse au point qu'il ne peut plus ni lire ni travailler. Il brûle ses manuscrits et les premiers symptômes de la maladie apparaissent. A Nice, prisonnier de sa pauvreté, incapable d'acquitter le prix du voyage vers Paris, il fait étape, à pied, dans toutes les villes de la Côte d'Azur, puis échoue en Avignon après un nouveau passage en Corse. La chance va enfin sourire à Albert Glatigny. Une jeune femme, rencontrée à Nice, elle-même malade de la tuberculose, accepte de l'aimer pour tous les maux qu'il a subis, pour son génie et son âme naïve. Ils se marient à Bernay pendant que les canons prussiens font entendre leurs grondements à la frontière. Hélas, leur bonheur sera de courte durée. Ils se rendent à Paris où la Commune a installé son tribunal sanglant. Il reste au poète moins de trois ans à vivre.

Le 16 avril 1873, tout est fini. Un simple étouffement, une syncope, et Albert Glatigny, le comédien ambulant, meurt à Sèvres, à l'âge de trente-quatre ans. Il laisse une œuvre poétique et théâtrale étonnante.

Tristan Corbière, le bohème de l'océan

C'est en 1865 qu'Edouard-Joachim Corbière devient Tristan, l'année où Richard Wagner compose un opéra s'inspirant de la légende celtique. Il a vingt ans. Peut-être adopte-t-il ce pseudonyme parce qu'il s'imagine être le frère du chevalier de Cornouailles, héros malheureux et désespéré de l'amour ? Il est le fils d'Edouard Corbière, directeur d'une compagnie de bateaux à vapeur, mais ancien mousse et flibustier,

qui connut l'exil et les prisons anglaises. Il est
l'inventeur du roman maritime [1] et, depuis qu'il a mis
pied à terre, est un bourgeois respecté, républicain,
détestant encore plus les curés que le roi. Il a cin-
quante-deux ans. Lorsque le futur Tristan vient au
monde, sa femme en a dix-neuf. Ils en feront un
enfant gâté, et un adolescent qui souffrira de ne jamais
pouvoir égaler la prestance paternelle, et à qui il
vouera une admiration exaltée.

Tristan est malingre et désavantagé par le sort. Son
corps long et dégingandé le fait ressembler à Glatigny.
Très tôt, il a conscience de sa disgrâce physique. Avec
son long nez et son menton fuyant, il se dit fils d'un
crapaud et d'une guenon et n'hésite pas, devançant les
sarcasmes, à se tourner lui-même en dérision. Il s'estime l'homme le plus laid de la terre et frappe celui
qui ose le contredire. A quinze ans, Tristan Corbière
est atteint de rhumatismes, de phtisie et d'un début de
surdité. Pour ne pas aller à l'école, en cachette, il
prend des drogues qui ont pour conséquence d'avilir
sa santé. Il ne finit pas ses études. Il veut être marin.
C'est impossible car sa constitution lui interdit le
métier des gens de mer. Lunatique, farouche, solitaire, en proie à une immense crise morale, il erre
dans Roscoff, où il se taille une réputation de loufo-
que. Son père lui offre un bateau. Il défie la mort en
sortant par les pires tempêtes, et lorsqu'il propose à
l'un de ses rares amis une balade en mer, et que ce
dernier a l'imprudence de lâcher « La sensation que
doit éprouver un naufragé serait curieuse à connaître ! » — il lance son navire contre les récifs qui en
déchirent la coque :

« — Vous souhaitiez les émotions d'un naufrage. Je

---

1. Son plus grand succès, *Le Négrier*, sera réédité de nombreuses fois.

suis votre hôte : mon devoir de galant homme était de satisfaire vos moindres désirs. Voilà [1] ! »

On justifie ses extravagances en se désolant : « C'est un fils de bourgeois qui noce à sa façon. » Dans les bouges à matelots, où il traîne et se fait escroquer par des voyous, il est d'une telle timidité qu'il gifle les filles qui refusent de lui parler. Désœuvré, il ne reste plus à Tristan Corbière que la page blanche pour exprimer sa douleur de vivre et, quand il quitte sa chambre, c'est pour déambuler, vêtu d'un drap de lit, coiffé d'un chapeau pointu, poursuivi par des garnements qui se moquent de lui. Un jour, il se rase les sourcils et la moustache, peignant sur son visage des tatouages effrayants. Le maire prend un arrêté interdisant le vagabondage des chiens : Tristan décide de promener le sien au bout d'un filin qui dépasse cinquante mètres, où s'embarrassent et trébuchent les passants. Au sortir de la messe, on le trouve habillé en évêque, bénissant la foule avec une pipe au bec. A la fin du prêche, il tire une multitude de pétards pour simuler la fin du monde. En 1869, lors d'un voyage en Italie, il est emprisonné à Gênes sans que l'on n'en sache la raison. Il mendie dans les rues de Naples. Mais c'est à Rome qu'il fait montre des pires frasques. Lors du carnaval, il parade en habit de soirée avec une mitre d'évêque sur le crâne, promenant en laisse un marcassin enveloppé de rubans roses. La plaisanterie n'est pas du goût des habitants qui menacent de le lapider s'il ne quitte pas la ville au plus tôt.

A son retour d'Italie, Tristan Corbière entame l'écriture des premiers poèmes qui composeront son unique recueil, *Les Amours jaunes*. Entre-temps, une

---

1. Léon Bocquet, *Les Destinées mauvaises*, Librairie Edgar Malfère, Amiens, 1923.

aventure singulière et médiocre le plonge dans un imbroglio désespéré. Un officier en convalescence est venu à Roscoff avec sa maîtresse, Marcelle [1], une femme sensuelle, volage, et un tantinet vicieuse. Dans cette ville, où la seule occupation est l'ennui, Tristan Corbière, grand escogriffe, avec son allure funambulesque, divertit le couple par son esprit et son insolence. Un ménage à trois s'instaure et Tristan succombe aux approches tentatrices de la jeune femme, qui met fin à la relation dès que le mari consentant, puis jaloux, manifeste son courroux. C'est une relation malsaine, comme l'évoque Jean Rousselot [2] : « Qui a prétendu que l'amour rend aveugle ? Tristan n'a jamais été plus lucide. Il sait très bien que Marcelle, frappée par son extrême laideur, son originalité bruyante, ne s'est frottée à sa carcasse vermoulue que pour éprouver quelques frissons inédits : il y a des gens pour ramasser des crapauds dans l'herbe et s'amuser un instant de leurs pustules... » Tristan Corbière n'avait jamais aimé personne avant cette femme adultère, une théâtreuse qui met le feu à son cœur, puis disparaît à la fin de la saison en regagnant son appartement parisien. Le voilà désormais seul, au milieu des landes où il erre, en humant l'odeur du varech et le goût âcre des embruns. Son âme est devenue noire, comme l'eau des docks. Il reprend ses ivresses dans les cabarets louches du port, et l'écriture de ses poèmes. Inconsolable, poussé par cette passion unique et sordide, en mars 1872, Tristan Corbière décide d'aller retrouver son Yseult à Paris. Il va y faire plusieurs séjours entrecoupés de retours dans sa Bretagne

---

1. Elle s'appelle en réalité Armida-Josefina Cuchiani, dite Herminie, mais c'est Corbière qui décide de la baptiser Marcelle.

2. *Tristan Corbière* dans la collection *Poètes d'aujourd'hui*, Pierre Seghers éditeur, Paris, 1966.

natale. Affichant un dandysme baudelairien, déclassé des mœurs de son époque, il peine à se mêler à la vie littéraire. Sous le pseudonyme de Tristan, il donne plusieurs articles à la *Vie parisienne*. Il y fait paraître ses premiers vers. Tristan Corbière habite alors une mansarde à Montmartre, un coffre de bois lui servant de lit, sur lequel il a coutume de dormir sans retirer ses habits. Sur la cheminée traînent des louis d'or. En prend qui en a besoin. Impulsif, malade, il vit la nuit, fréquente les mauvais lieux de la capitale et des femmes aux mœurs légères. Sa santé se dégrade. Il passe des heures, dans le froid, sous les fenêtres de sa belle qui habite à deux pas, boulevard de Clichy. Le trio malsain se reforme mais Marcelle, lassée de ce phénomène sur lequel les passants se retournent, finit par repousser ses avances. Il se retrouve avec le cœur vide, amer, comme un jouet inutile et blessé. Il crève d'être incompris, et commence à réunir ses principaux poèmes en vue d'une édition. Il dépense en une semaine la pension que son père lui alloue pour le mois, fume plus que de raison, et connaît la faim et les rationnements.

En 1873, Rimbaud n'a pas encore publié ses *Illuminations*. *Les Amours jaunes* paraît à compte d'auteur, chez les frères Gladys [1], plus connus pour leurs publications érotiques distribuées sous le manteau. Le livre est dédié à son père qui a financé l'édition. A l'époque, l'ouvrage – dont l'auteur, ne disposant d'aucun entregent, néglige la presse – passe inaperçu, et il est probable que ses proches ne l'ont même pas lu. Tris-

---

1. Condamnés et poursuivis, mis en faillite, les deux frères, qui publiaient des poètes « invendables », s'exilèrent à Londres. L'un d'eux y mourut. La totalité des *Amours jaunes*, tirée à 400 exemplaires, fut vendue au prix du vieux papier chez les bouquinistes des quais de la Seine. Une édition originale se négocie de nos jours plusieurs dizaines de milliers d'euros.

tan Corbière est un poète ignoré des poètes, alors que les *Amours jaunes* aura une immense influence, portant les gènes de la grande révolution symboliste, et sera vénéré par les surréalistes. Pourquoi « Les Amours jaunes » ? Tristan Tzara, qui préfacera une réédition, envisagera que, puisque l'on « rie jaune », il est possible « d'aimer jaune ».

L'année suivante, en décembre, Tristan Corbière, comme son recueil de poèmes, est oublié de tous. Un matin de réveillon, entrant dans sa chambre, on le découvre inanimé. La veille, alors qu'il gelait, lui est venue la mauvaise idée de faire une longue promenade. Terrassé par une affection de poitrine, presque mourant, on le transporte à la clinique Dubois, d'où il a assez de force et d'humour pour écrire à sa mère : « Je suis à la maison Dubois, du bois dont on fait les cercueils. » Marcelle se précipite à son chevet, mais elle doit laisser la place à la mère du pauvre poète. Elle ramène à Morlaix le fils prodigue, dont le visage est stoïque et les larmes muettes. Il ne se fait plus aucune illusion sur son sort.

Le 17 mars 1875, un bouquet de bruyères et de genêts sur la poitrine, Tristan Corbière meurt dans les bras de sa mère. Il vient d'avoir trente ans, et le sentiment d'avoir gâché une existence qu'il a détestée.

Il faudra attendre plus de quinze ans pour que Tristan Corbière, ce « déchet d'humanité [1] », connaisse enfin le succès et soit réédité, en 1891, chez Vanier. En 1883, Verlaine le classe, en compagnie de Rimbaud, Mallarmé et Villiers de l'Isle-Adam [2], au pre-

---

1. Selon l'expression de son compatriote et académicien Charles Le Goffic.
2. Verlaine a placé Villiers de l'Isle-Adam dans sa liste des poètes maudits. Malgré ses ascendances nobles, l'auteur parnassien des *Contes cruels* ou de l'*Eve future*, vit de manière médiocre sur les ruines de son ancienne gentilhommerie, blason dont il demeure fier à l'excès. Pendant près de trente ans, il erre dans

mier rang des « poètes maudits ». A l'instar d'Aloysius Bertrand et d'Hégésippe Moreau, Tristan Corbière est l'auteur d'un seul recueil et, comme l'écrit Remy de Gourmont : « L'un de ces talents inclassables et indéniables qui sont dans l'histoire des littératures, d'étranges et précieuses exceptions [1]. » Tristan Corbière était un génie, mais un génie en équilibre sur un précipice.

---

les cafés, les tavernes, vêtu comme un loqueteux, admiré de ses amis mais méprisé des libraires et du public. Il n'a même pas de table, et écrit à plat ventre, sur des feuilles d'emballage ou du papier à cigarette. On ne lui connaît pas de domicile fixe. Il se transporte de meublés en meublés, du Quartier latin jusqu'à la butte Montmartre, dort dans des maisons en construction, où il s'éclaire avec les allumettes chipées dans les brasseries. N'ayant plus de chemise, des amis intentionnés lui en déposent dans sa chambre, sans qu'il ne sache d'où provient une telle aubaine. Il meurt en 1889, chez les frères hospitaliers de Saint-Jean-de-Dieu. Il vécut misérable, mais heureux.

1. Remy de Gourmont, *Le Livre des masques*, Mercure de France, Paris, 1896.

UNE BOHÈME FIN DE SIÈCLE

LE TEMPS DU QUARTIER LATIN

Du temps de Murger, les bohèmes avaient investi le Café Momus, sur la rive droite. Ils en avaient fait fuir toute la clientèle. Leurs allures excentriques effarouchaient le consommateur. Ils accaparaient les journaux et les jeux, versant de l'encre dans la boîte à chapelure si les dominos n'étaient pas disponibles, ce qui avait pour effet de noircir les doigts des clients. Le patron échappa de peu à la faillite. Désormais orphelins du salon de Nina de Villard [1], la « Dame aux éventails » de Manet, les artistes, à l'approche de cette fin de siècle, sont en quête de nouveaux lieux. Dans le Quartier latin, un restaurateur nommé Vachette vient d'ouvrir un café. La bohème, qui vient d'enterrer Verlaine, le plus illustre représentant des poètes maudits, forgera la légende des cafés, et en particulier celui du Vachette.

1. A sa lumière vinrent voltiger, de 1863 à 1882, tous les papillons du Paris lettré, du Paris de la décadence, du Paris de la Commune et de la foi en la République, du Parnasse, des premières heures du symbolisme et de l'impressionnisme.

Le Vachette au temps de Moréas

Verlaine détestait aller au Vachette : « Il y a trop de glaces, de lumières. La molesquine y est trop neuve, avec des ressorts meurtriers au pauvre fessier du prolétaire. » Ce café est situé au coin de la rue des Ecoles et du boulevard Saint-Michel. Au rez-de-chaussée, on trouve une grande salle divisée en trois pièces et l'on monte au restaurant du premier étage par un escalier intérieur surnommé « l'escalier des Huguenots ». Pendant quinze ans, le Vachette sera « le » café littéraire, l'astre brillant dans tout le Quartier latin. Les distractions y sont encore rares. Il faut traverser le Luxembourg et marcher jusqu'au Bal Bullier, situé face à la Closerie des Lilas sur l'actuel boulevard Montparnasse ou, pour les plus aventureux qui n'ont pas les moyens de se payer un fiacre, et plus tard l'impériale d'un autobus, il faut traverser la Seine et partir à l'assaut de la butte Montmartre.

Le Vachette fait figure – comme le sera le Lapin Agile à Montmartre – de havre pour tous les artistes désœuvrés. Chaque jour, des groupes s'assoient et s'interpellent d'une table à l'autre, négligeant les consommateurs voisins, tolérés par politesse. On esthétise. On anarchise. Comme les établissements concurrents, le Vachette retentit des disputes provoquées par l'affaire Dreyfus [1]. On commente les derniers livres,

---

1. A compter de la fin de l'année 1897, de nombreux intellectuels – Emile Zola, Daniel Halévy, Charles Péguy, André Gide, Marcel Proust, Lucien

les pièces de théâtre, les revues, les journaux. On y
écrit des chapitres entiers, sans se laisser troubler par
le bruit des dominos. On parle philosophie, politique,
tout en regardant le flot des passants s'écouler sur les
trottoirs. On s'attache à des créatures vénales, les
« Manon des brasseries » qui, avant de racoler, viennent au café causer devant un bock sans tarifer leur
conversation.

Au Vachette, il est un consommateur qui est entouré de prévenances, c'est Jean Moréas, dit « le gentilhomme du Péloponnèse ». Depuis le boulevard Saint-
Michel, on le suit comme un seigneur. Il trône,
entouré de jeunes rhapsodes chevelus sur lesquels il
daigne parfois abaisser son monocle. Le poète des
Stances, des *Syrtes* et des *Cantilènes*, à la mort de Verlaine, s'est vu couronné du titre de « Prince des cafés
littéraires [1] ». Il peuple sa solitude au Vachette, et
improvise des vers sur tous ceux qui passent à sa table.
Sachant qu'on le regarde, il traverse les salles, son
monocle vissé sur l'œil, la moustache retroussée, le
regard sombre. Sans saluer, il se plante devant une
glace et déclare : « Je suis beau, je suis beau ! » Refusant la contradiction, il se mêle de toutes les conversations. Sa voix d'Athénien domine tous les bruits, en
particulier les cris des intellectuels roumains dont le
café est le lieu de ralliement. Le « Maître », à
l'aplomb redouté, règne avec tyrannie sur un petit

Herr, Claude Monet, Jules Renard, Anatole France – s'engagent en faveur de
la révision du procès Dreyfus. Des pugilats éclatent au sein des cafés, des brasseries et des salons littéraires, dont l'influence décline à partir de cette
époque. Parmi les antidreyfusards on compte : Charles Maurras, Maurice
Barrès, François Coppée, Edouard Degas, Auguste Renoir, José-Maria de Heredia, Pierre Louÿs, Léon Daudet... Le café de Flore est le lieu de ralliement
des antidreyfusards de l'Action française, groupés autour de Charles Maurras.
La France des intellectuels est divisée en deux camps, se vouant une haine qui
ne cessera qu'aux premières heures de la Grande Guerre.
1. Il affirme que Verlaine est le seul poète de son temps, après lui !

territoire, près de la porte, au coin de la rue des
Ecoles. Ses scènes sont comiques et parfois violentes.
Il est toujours furieux, surtout quand il a raison. Les
« engueulades » de Moréas, qui font la joie des consommateurs, sont aussi célèbres que celles de Bruant
au Mirliton. Gare à l'intrus qui s'installe à sa table sans
autorisation ; il le toise de son œil noir et, rajustant
son monocle, élève la voix et fait aussitôt fuir
l'indésirable ! Les seuls étrangers admis sont ceux qui
règlent sa boisson, le rhum à l'eau : « Il n'y a que
Verlaine et moi qui prenions cette consommation
ici. » Les fidèles de Jean Moréas sont tous des écrivains, avec en sus le gérant Emile, et Isidore, le garçon
de café qui lui voue une admiration sans borne, et lui
dit chaque jour : « Au maître Moréas, j'apporte une
tasse... »

Parmi les autres familiers du café, on trouve Oscar
Wilde, qui n'y entre que pour y rencontrer Moréas ;
l'écrivain voluptueux Hugues Rebell ; Apollinaire, qui
mènera le cortège lors de l'enterrement du « Maître » ;
les académiciens Emile Faguet et René Boylesve ;
Henri Albert, le traducteur de Nietzsche ; le critique
André Billy et son comparse Léo Larguier, qui tous
deux entreront à l'Académie Goncourt ; Paul-Jean
Toulet déjà ivre d'opium ; le jeune Bernard Grasset [1]

---

1. C'est une boutade qui a donné naissance aux Editions Grasset. Bernard
Grasset, qui prépare son doctorat, est au Vachette en compagnie d'une bande
de jeunes artistes. L'un d'entre eux, Henri Rigal, travaille à un roman empli
d'esprit et de drôlerie, *Mounette*. Bernard Grasset feuillette le manuscrit et
s'exclame : « Pourquoi ne fais-tu pas éditer ça ? » Rigal, avec son accent de
Toulouse, lui rétorque : « Eh ! Trouve-moi un éditeur ! » Bernard Grasset
prend cette boutade comme un défi : « Eh bien si tu veux, je te l'édite, moi, ta
Mounette. » Le marché est conclu devant un bock et, grâce à 3 000 francs
légués par sa mère, Bernard Grasset fait imprimer le manuscrit et s'installe rue
Corneille. Après ce coup d'essai, il part en quête de nouveaux auteurs. Le second ouvrage publié sera la *Chèvre de Pescadoire*, de Léon Lafage, et par la suite
Bernard Grasset entraîne dans sa jeune maison des auteurs plus connus comme

qui, venu finir son droit à la capitale, s'improvise éditeur et fait signer son premier contrat à Jean Giraudoux sur une table du Vachette ; Van Bever, le secrétaire du *Mercure de France* qui y traîne Léautaud. A la terrasse, un jeune peintre tentant de s'abriter des rigueurs de l'hiver passe de table en table pour proposer un portrait, c'est Amedeo Modigliani.

A la mort de Moréas, le Vachette perd son âme et porte le deuil du poète. Paul Valéry, qui assiste à son incinération, déclare : « Ce pauvre Moréas ! Il s'en va comme un cigare. » Ses cendres seront mises en terre, au Père-Lachaise, non loin de la tombe d'Oscar Wilde.

Un jour, le bruit court dans tout le Quartier latin que le café vient d'être vendu. Le mystère est entretenu jusqu'au dernier moment et, le 1er juillet 1913, les maçons commencent le travail de démolition. Tous les familiers sont atterrés. Pour de nombreux artistes, la disparition du Vachette est synonyme de la fin d'un monde. Le café est remplacé par un établissement de crédit dans lequel Francis Carco touchera son premier chèque. Toute la bohème, en proie à une abominable nostalgie, se dispersera dans les cafés voisins, et jusqu'à Montparnasse...

La bohème mélancolique de Jean de Tinan

A la Belle Epoque, fleurissent une multitude de mouvements poétiques, écoles littéraires et courants

---

Maurice Magre qui lui donne : *Conseils à un jeune homme pauvre qui vient faire de la littérature à Paris* (1908).

d'idées. Tous se déchirent en frères ennemis, s'opposent à la littérature de masse et à l'école naturaliste de Zola. Une revue à la couverture violette, le *Mercure de France*, naît sous l'impulsion d'Alfred Valette. Le Symbolisme de Jean Moréas – adoption du symbole en tant que mode d'expression lyrique – règne en maître. Avec sa pléiade de grands poètes, il a sonné le glas du Parnasse contemporain, des Zutistes de Charles Cros, des Hydropathes de Rollinat et de Goudeau. Apparaîtront les Décadents et, d'une scission avec le Symbolisme, naîtra le Magnificisme de Saint-Pol-Roux, puis le Magisme du Sâr Péladan, le Paroxysme de Verhaeren, le Naturisme de Saint-Georges de Bouhélier ; enfin le Synthétisme, le Somptuarisme, l'Humanisme, l'Intégralisme, le Subjectivisme, le Primitivisme, le Bonisme ; liste qui est loin d'être exhaustive...

L'existence de Jean de Tinan est sigillée par une œuvre prolixe et de qualité, dans une courte période allant de 1894 à 1898. Sa genèse, éclatante de précocité, est la résultante de l'amour déçu qu'il a pour Edith, une jeune fille de seize ans. Un baiser volé entre deux portes, l'évocation de fiançailles et des lettres exaltées qui demeurent sans réponse. Pour l'adolescent romantique, qui ressent les mêmes passions désespérées que le jeune Werther, la peine est terrible : « Il m'a fallu quatre mois de tortures pour découvrir que l'on s'était fichu de moi et que pour fabriquer de l'amour il ne suffisait pas, comme cela, de deux jeunes échantillons de sexe différent et de beaucoup d'imagination... » Désormais, il fait le vœu de se consacrer aux voluptés de la chair, qu'il place au-dessus de tout, et entre dans la catégorie d'artistes dont la pensée et l'inspiration proviennent de la femme.

Au début de l'année 1894, Jean de Tinan a vingt ans. Il réside dans un petit meublé de la rue Bonaparte. Il en sera chassé à cause de ses incessantes allées et venues nocturnes. Dans les moments de mélancolie, il réalise qu'il doit se hâter s'il veut éditer l'œuvre qu'il envisage d'écrire. Il vient d'achever *Un document sur l'impuissance d'aimer*, confession de sa déception amoureuse. Pour tous les écrivains encore méconnus, la quête d'un éditeur se résume à recueillir la somme nécessaire à financer l'édition de l'ouvrage. Le père de Jean de Tinan, qui l'introduit dans les salons, règle la facture des trois cent dix exemplaires [1], au libraire-éditeur Edmond Bailly, à l'enseigne de l'Art Indépendant. Cet éditeur est réputé, non pour la pluralité de ses tirages, mais pour la qualité de sa production. C'est un homme à l'allure de sorcier, éditeur attitré des sciences occultes et des sociétés de théosophie. Cette activité lui permet, grâce aux bénéfices de la vente d'articles ésotériques, dont des tables tournantes, d'éditer les plaquettes de vers de ses amis symbolistes. Pour lui, dès qu'un livre se vend, c'est la preuve qu'il ne vaut rien. Nombreux sont ceux qui doivent à Edmond Bailly leurs premiers succès, et la joie de s'être rencontrés. Dans la librairie se retrouvent : Joris-Karl Huysmans, Villiers de l'Isle-Adam, Mallarmé, Oscar Wilde, Henri de Régnier, André Gide, Pierre Louÿs, Paul Claudel, Paul Fort... Un matin, poussant la porte de cette ténébreuse officine, Jean de Tinan fait la connaissance d'un adolescent encore plus jeune que lui, André Lebey. A seize ans, il a déjà publié un livre de vers. Puis vient le tour d'un autre poète dont Tinan intègre le cénacle, Pierre

---

1. Edition d'autant plus coûteuse qu'elle comporte des exemplaires de luxe sur grand papier, et un frontispice de Félicien Rops, ami de la famille.

Louÿs : « Dîner chez Louÿs avec Lebey et Debussy, comme ils sont gentils, d'esprit alerte, délicat, ouvert, comme ils valent mieux que moi – oh moi je ne vaux rien. » Bientôt, il est introduit chez Mallarmé. En le raccompagnant à la porte, le traducteur d'Edgar Poe lui glisse : « Monsieur, vous avez appris le chemin de la maison. » Enfin, Il approche Maurice Barrès – son idole –, icône du Quartier latin.

Son livre, *Un document sur l'impuissance d'aimer*, n'a pas le succès escompté. Seul Pierre Louÿs lui consacre un court article dans le *Mercure de France*. Edmond Bailly n'assure jamais la promotion de ses ouvrages. Il n'avise pas les libraires de la sortie des nouveaux titres et, lorsqu'on lui demande un livre, par paresse de consulter ses registres, il affirme qu'il est déjà épuisé. Qu'importe, Jean de Tinan s'enorgueillit d'être édité, et se présente l'allure altière dans les salons où il coudoie Marcel Proust, Claude Debussy, Jean Lorrain et les plus grandes plumes de son époque. Hélas, ce n'est pas la trentaine d'ouvrages vendus qui permet au jeune Tinan de payer le terme de son loyer et de faire face aux très nombreuses dépenses occasionnées par sa vie de noctambule.

Fuyant Paris et le souvenir d'Edith dont lui parvient la rumeur de son mariage, il prépare le concours d'ingénieur agronome à l'Ecole nationale d'agriculture de Montpellier. Sur place, la fréquentation de petites prostituées ne suffit pas à épancher son trop-plein de désespoir ; Edith l'obsède au point d'envisager le suicide. Le syndrome de Werther l'habite : « J'ai sur ma table la photographie d'Edith. Ma vie n'a plus d'avenir pour moi. Je ne prévois pas de lendemain et les aujourd'hui me semblent interminables. J'ai très mal aux nerfs. Je n'ai plus faim, je dors mal. Une chose m'étonne infiniment : je vis. Pourquoi ? » La maladie exauce son vœu. Victime d'un rhumatisme au cœur, il séjourne à l'hôpital durant de longues semaines et découvre Stendhal. Ses amis ne l'oublient pas. Ils lui font parvenir les volumes du *Mercure de France*, introuvables en province. Pierre Louÿs lui adresse un exemplaire de son nouvel ouvrage, *Les Chansons de Bilitis*, et la surprise vient des nombreuses visites d'André Gide avec lequel il correspond [1]. Après être passé très près de cette mort tant désirée, Jean de Tinan rentre à Paris, vers son Quartier latin sentant l'absinthe et le crottin, renonçant pour l'amour de l'art et de la littérature à sa carrière d'ingénieur, s'inscrivant toutefois— selon le vœu de ses parents — en faculté de sciences.

L'année 1895 marque le début de ses « noctambulismes ». En compagnie d'André Lebey, Pierre Louÿs et Henri Albert, Tinan arpente les pavés de l'Odéon et pas un jour ne se déroule sans qu'on ne les rencontre au Bal Bullier, où Pierre Louÿs est admiré pour son adresse à faire le grand écart et à marcher sur les mains. Au d'Harcourt, ils sont en compagnie de Colette et Willy. On les trouve encore au Vachette, au Soufflot, chez Polydor. Tard dans la nuit, les trois acolytes, après avoir esthétisé, se jettent, près de la Sorbonne, sur un pain au jambon avec des œufs durs et une pinte de bière. Encore plus tard, aux Halles, c'est le pain au lard, payé vingt-cinq centimes et arrosé d'un filet de vinaigre qui fait leur bonheur. Il n'est pas rare de les retrouver, au petit jour, sur un banc devant Notre-Dame. Parfois, ils « passent l'eau », s'aventurant jusqu'à Montmartre, au Moulin

---

1. Tinan et Gide se fréquenteront jusqu'à la brouille entre ce dernier et Pierre Louÿs. Il doit choisir un camp. Tinan opte pour celui de Louÿs, plus séduisant que le rigorisme de Gide qui, à cette époque, était selon Tinan « d'apparence méprisante... ».

de la Galette, où se perdent tant de belles meunières –
proies faciles –, puis au Rat Mort ou chez Weber, rue
Royale, où l'on entrechoque les verres avec Toulouse-
Lautrec. Le lendemain matin, Jean de Tinan est avec
Moréas, devant le café crème qu'il fait durer de neuf
heures à minuit. A midi, il est avec Verlaine, déjà
mourant, l'œil vague, avec qui il hume l'odeur pim-
pante de l'absinthe. Le soir, on le rencontre à la
Taverne du Panthéon, au milieu des cris de femmes
excentriques, des gendelettreries, des boniments de
farceurs et anarchistes ratés, des chants révolutionnaires d'étudiants qui deviendront tous notaires ou
avocats. C'est la compagnie d'Oscar Wilde qu'il
cherche dans le tumulte de cette taverne dans laquelle
Alfred Jarry est redouté pour ses facéties et ses névroses alcooliques. Enfin, au petit matin, longeant le bois
de Boulogne pour aller boire un verre de lait au Pré
Catelan, Jean de Tinan jette dans l'eau les chaises
pour, selon son expression, « que les poissons puissent
s'asseoir ».

La seule obsession de Jean de Tinan demeure la
femme. Rachilde se souvient du dandy, et du beau
ténébreux : « Drapé dans une cape 1830, dont un pan
se rejette sur l'épaule pour mieux montrer sa dou-
blure de satin, coiffé d'un feutre simple, dont un bord
peut se relever fièrement comme suivant l'ondulation
d'une plume, ce jeune homme paraissait descendre
d'un cadre et l'on cherchait, derrière lui, le jardin où
rêve Elvire, car le fond naturel de ces silhouettes-là,
c'est la légende amoureuse, fatalement tragique [1]. » Il
n'y a pas encore d'étudiantes dans ce Quartier latin,
terre d'élection des poètes peu fortunés, travaillant
peu mais buvant plus que de raison. Jean de Tinan et

---

1. Rachilde, *Portraits d'hommes*, Mercure de France, Paris, 1930.

ses amis se rabattent sur les cafés et les brasseries à femmes. Au Vachette, il y a des filles gentilles, des ouvrières timides qui se prêtent pour quatre sous, d'autres qui, sous l'œil de souteneurs, se donnent pour un peu plus cher, puis il y a les « grues », consentant, en l'échange d'un bock ou d'un plat d'œufs au jambon, à quelques défaillances non tarifées. Les demoiselles du d'Harcourt, que côtoie Tinan, sont des filles d'honorables commerçants qui ont quitté leur famille pour « faire la noce ». D'autres se prostituent par paresse ou dégoût du travail. A la fin du XIXᵉ siècle, les brasseries à femmes ont un vif succès auprès de la jeunesse dorée, celle des fils de bonne famille, et auprès d'une clientèle captive et naïve, composée de provinciaux qui ont l'illusion de faire, dans ce « bordel en terrasse », des rencontres faciles, imaginant que leur séduction naturelle peut opérer sur le personnel de salle, composé de serveuses peu farouches et dont la caissière — faisant office de tenancière — vend les photographies suggestives.

C'est une de ces « Manon » de brasseries, Blanche-Marcelle, qui deviendra l'héroïne d'un prochain roman, *Penses-tu réussir?*. Il s'éprend de cette petite prostituée de dix-sept ans, complaisante, facile, mais vénale : « Avec ses cheveux frisés au petit fer, son air las, son teint pâlot, mais bien faite avec ses seins un peu lourds déjà, deux petites rides esquissées aux commissures de la bouche, jolie fille serrée à la taille dans sa chemise de soie voyante, sous son canotier, une belle petite putain, mais qui était tout de même une femme. » Blanche-Marcelle dispense ses faveurs à Jean de Tinan, et par jeu, aux deux autres qui se partagent leurs gigolettes. Pierre Louÿs — grand amateur de photographies coquines — l'entraîne dans sa garçonnière afin de la figer sur ses tirages argentiques,

et André Lebey, le plus amoureux des trois, imagine
par sottise la sortir de son milieu. Il renonce à
l'acquisition d'une belle édition de Plotin, lui remet
une forte somme pour l'époque — cent francs —
qu'elle dépense sans tarder aux terrasses des cafés en
compagnie de nouveaux prétendants. Une situation
que connaîtra l'écrivain Charles-Louis Philippe, qui
s'en inspirera pour écrire *Bubu de Montparnasse.*

Durant les trois dernières années de sa vie, Jean de
Tinan écume tous les mauvais lieux de la capitale. Ses
peines de cœur l'entraînent vers de nouveaux projets
de suicide, toujours ajournés grâce à l'intervention de
ses amis. Phanette, une demi-mondaine, le laisse
désargenté. En villégiature à Honfleur, il doit faire un
emprunt de quatre mille francs au taux usurier de
25 %, afin de pourvoir au train de vie démesuré de la
jeune fille qui, en parallèle, est entretenue par un
riche américain. Lui succède Fanny Zaessinger, l'égérie montmartroise de nombreux artistes, une femme
libérée aux penchants saphiques qui, dans le boudoir
de Colette, ouvre son corsage pour offrir un sein aux
lèvres du futur auteur des *Claudine*, et l'autre à son
plagiaire de mari...

Le 30 mars 1896, à la terrasse du d'Harcourt, Jean
de Tinan est attablé en compagnie de Lebey. Il remarque la maladresse d'une nouvelle serveuse très jeune,
et trop peu expérimentée pour faire valoir ses charmes auprès des clients. Tinan l'aborde et, à la fin de
son service, propose un verre à cette petite polissonne
qui pourrait avoir l'âge de jouer à la marelle. La
fillette se laisse aller aux confidences et les deux amis
proposent à la galante, prénommée Irmine, de la
raccompagner chez elle. Elle bafouille et avoue que
son « chez elle » se résume à un petit garni du quartier, loué ces jours derniers. On décide que l'appar-

tement plus spacieux de Jean de Tinan fera l'affaire. A peine la porte refermée, Irmine recule, pétrifiée, n'osant ni parler, ni respirer, ni fuir. Ce mutisme et cette terreur soudaine inquiètent les deux comparses. Ils la pressent de questions. La jeune fille, épouvantée, en contemplant la bibliothèque, s'écrie :

« Il y a... Il y a que c'est comme à la maison... »

Un mystère plane sur l'identité de cette enfant au teint laiteux et à l'abondante chevelure blonde. Lebey est le premier à faire preuve de méfiance, alors que la jeune fille éclate en sanglots, enserrant les mains de Tinan :

« Oh! Soyez gentil, laissez-moi dormir toute seule... Je dormirais si vous promettiez de ne pas me toucher... Si vous saviez! Si vous saviez!... Demain, je vous dirai tout. Oui, tout, je vous le jure. »

Dilemme! Que faire? Cette fillette est mineure. L'aventure est risquée. Jean de Tinan hésite entre la déshabiller sur-le-champ, ou la border en lui servant une tisane. Sur l'insistance de Lebey, il se résout à la seconde solution. Le lendemain matin, Jean de Tinan, ayant reçu la confession d'Irmine, tambourine à la porte de Lebey : « Tu sais qui c'est! Enorme, vieux, je te le donne en mille : la fille de X... Oui! Oui, frère, notre X..., que nous admirions tant... Ça te l'arrête...! Et pas de doute possible [1]! » La jeune fille a raconté la raison de son escapade. Elle a fui le des-

---

1. En 1921, vingt-cinq ans après les événements, André Lebey demeure toujours soucieux de préserver l'anonymat du personnage, très influent dans les milieux littéraires, et qu'il cache avec pudeur sous le secret de la 24ᵉ lettre de l'alphabet. C'est Joseph-Henri Boex, romancier français né à Bruxelles (1856-1940), plus connu en littérature sous le pseudonyme de Rosny aîné, auteur de *La Guerre du feu* et siégeant – dès la première heure – à l'Académie Goncourt. Le prestige dont jouit Rosny aîné auprès des jeunes littérateurs de la trempe de Tinan est, à cette époque, aussi considérable que celui de Barrès, et le jeune homme se trouve très embarrassé de cette présence inopportune.

potisme et l'égoïsme d'un père violent, divorcé depuis
peu et qui vit avec sa nouvelle maîtresse, instaurant à la
maison un régime de terreur sur ses quatre enfants.
Elle a dérobé un peu d'argent et trouvé un emploi de
serveuse au d'Harcourt. Elle le supplie de ne rien
dire, et surtout de ne pas la raccompagner chez son
père. Peut-elle avoir confiance en son sauveur, alors
qu'elle découvre dans sa bibliothèque un livre dédicacé par cet homme qu'elle tente de fuir? Tinan se
délecte des détails de l'intimité de Rosny, et fait
parler la demoiselle qui demeure plusieurs jours chez
lui. Il continue donc, sans faillir, à dormir sur le sofa.
La coïncidence est d'autant plus savoureuse qu'il vient
d'écrire, dans le *Mercure de France*, un article élogieux
sur le dernier roman de Rosny, l'*Autre Femme*. Il réalise
tout le profit qu'il peut tirer d'une telle aubaine. Le
lendemain, accompagné de Lebey, il se rend chez
l'écrivain qui, dans un premier temps, a passé une
annonce, puis alerté la police déjà sur la piste d'Irmine. Jean de Tinan demeure stupéfait en constatant
que Rosny ne prend pas la peine de demander des
nouvelles de sa fille, ni de ce qu'elle a pu raconter,
arguant qu'elle n'est qu'une sale menteuse, coutumière de la chose! La conversation, durant deux
heures interminables, roule sur la littérature et Rosny
interroge Tinan sur ses projets. De retour à son
domicile, il constate le départ de la jeune protégée.
Sur la table, elle a laissé un mot : « Pardonnez-moi ; je
sens que vous êtes chez lui ; je ne vous oublierai pas.
Merci. Maintenant je vous embrasse un peu. » Il faut
retrouver Irmine et prévenir Rosny de sa nouvelle
fugue. L'écrivain, blasé, n'en a cure et se lance dans
de nouvelles digressions sur la chose littéraire. Le
lendemain, les deux comparses mettent à nouveau la
main sur la fillette. Elle retourne au domicile familial

pour faire aussitôt sa valise et partir – malgré les sup-
pliques de Tinan – en maison de correction alors que
son père aurait préféré le couvent [1]. Le Tout-Paris
sera bientôt au courant de cette aventure picaresque.
Inspiré par cette affaire, Tinan s'emploie à l'écriture
d'un roman, narquois et tendre, hélas resté inachevé,
Aimienne ou le détournement de mineure, qui paraîtra en
l'état en 1899, révélant l'immense talent de ce romancier, mort trop tôt.

Le 22 mars 1896, comme tous les dimanches après-
midi, Paul Léautaud est dans les bureaux d'Alfred
Valette au *Mercure de France*. Ce dernier lui avoue : « Si
on mettait de l'argent sur les écrivains comme on en
met sur les chevaux, j'en mettrais sur Tinan. » A
l'instar de Pierre Louÿs, accablé par son propre succès, Jean de Tinan ne souhaite pas plus de lecteurs que
ses amis gravitant autour du cénacle du *Mercure de
France*. S'il est peu lu de son vivant, nombreux pensent qu'il est un écrivain majeur, et le plus représen-
tatif des dernières heures du symbolisme. En marge de
ses noctambulismes, Tinan travaille un peu et assure le
secrétariat et la gérance d'une éphémère revue : *Le
Centaure – Recueil trimestriel de Littérature et d'Art*. C'est
dans l'esprit d'Henri Albert que germe l'idée d'une
revue luxueuse, qui allierait une grande qualité des
textes – avec de jeunes écrivains prometteurs – et des
illustrations des artistes de l'époque. Ce type de
publication n'existe pas encore en France, et le projet
d'Albert, auquel se joignent Tinan, Lebey et Louÿs,
est ambitieux. Il est décidé de restreindre le comité de
rédaction. Aux quatre amis, s'associent Paul Valéry,
André Gide, Henri de Régnier et André-Ferdinand

---

1. Ni Jean de Tinan, ni André Lebey, n'auront de nouvelles d'Irmine, qui
épousera un médecin belge et s'installera près de Namur. Edmond et Jules de
Goncourt ont relaté ce fait divers dans leur *Journal*.

Herold. On décrète que le comité de rédaction doit
être fermé, et imperméable à toute nouvelle sollicita-
tion. Chacun y met de sa poche — dix francs or mensuels — et l'aventure démarre en fanfare. Les réunions
du comité de rédaction se déroulent dans une ambiance festive, au d'Harcourt, sous les sonatines de
Debussy à qui Tinan, dans le plus grand secret, demande la composition d'une marche funèbre pour ses
funérailles, qu'il sent très proches. Le premier numéro, véritable œuvre d'art, comprenant cinquante
exemplaires de luxe, fait l'objet d'une publicité
restreinte aux milieux littéraires. Il est lancé lors d'un
mémorable banquet — « homérique » écrit Louÿs —
servi au d'Harcourt, où sont conviés Rachilde et
Valette, Alfred Jarry, Rodolphe Darzens, Colette et
Willy, Marcel Schwob et cinquante autres invités.
Commencée au Bal Bullier, la soirée — très arrosée —
se prolonge aux Halles où l'on soupe et, à cinq heures
du matin, Pierre Louÿs et André Lebey se trouvent
encore au bois de Boulogne pour admirer le lever de
soleil, tambourinant aux portes des échoppes pour se
faire servir et, poussant le pas de la Porte Maillot
jusqu'au boulevard Saint-Michel, jusque chez Tinan
qui est couché depuis moins d'une heure. Le second
numéro voit apparaître de nombreuses dissensions —
toutes imputables à Gide — et le spectre de difficultés
financières. Il faut mettre la main à la poche. Il voit le
jour en décembre 1896 et l'on peut y découvrir, fait
marquant, l'édition pré-originale de *La Soirée avec
Monsieur Teste* de Paul Valéry, lequel déclare : « Le
Centaure n'eut que deux numéros, qui nous épuisè-
rent. » Les dettes sont colossales, la revue est mise en
liquidation. Tinan est sans le sou et le prodigue Pierre
Louÿs, qui jouit du succès d'*Aphrodite*, est prié de
mettre la main au portefeuille.

Ce nouvel échec, qui s'ajoute aux nombreux déboires sentimentaux, plonge Jean de Tinan dans l'embarras. Il passe trop de temps dans les bras des filles du d'Harcourt, amourettes faciles et sans lendemain. Epuisé, cet astre brillant est promis à une mort prochaine. Il renonce à faire appel à la générosité de son père ou à la bienveillance de ses amis. Ses relations le poussent à fréquenter Willy, qui fait travailler   pour sa gloire littéraire et mondaine — une kyrielle de nègres, à commencer par son épouse, Colette, qui n'est pas insensible au charme de Tinan. S'inspirant de faits réels, Tinan s'exile à la campagne et écrit, en trois mois, *Maîtresse d'esthète* [1], roman à clés dévoilant, de manière caustique, le milieu littéraire.

Le début de l'hiver 1898 est marqué par un nouvel épisode amoureux qui ruine la santé, déjà précaire, de Jean de Tinan. La voluptueuse Marie de Régnier [2], épouse insoumise du poète Henri de Régnier, au plus fort de sa liaison secrète avec Pierre Louÿs, vient, par dépit, se jeter dans les bras du jeune et romantique Tinan. Ce dernier ignore tout des relations entre Pierre Louÿs et Marie, laquelle voit dans cette amourette un simple divertissement, censé pallier l'absence de son amant attitré. Hélas, Jean de Tinan tombe amoureux de Marie de Régnier. Au bout de deux mois, cette dernière découvre qu'elle est enceinte de Louÿs. Elle rompt aussitôt avec Tinan qui sombre dans la dépression. De leurs côtés, Paul Valéry et André Lebey — ignorant la liaison entre Louÿs et Marie de Régnier — viennent de révéler à l'auteur d'*Aphrodite* l'involontaire trahison dont il a été victime. Renfrognant son immense rancœur, Louÿs décide de surseoir

---

1. Roman paru en 1897. Paul Léautaud affirme qu'*Un Vilain Monsieur!* (1898) serait en grande partie de Tinan.
2. Voir le chapitre suivant : *La grande intrigue amoureuse de la Belle Epoque.*

à l'inévitable séance d'explication, car Tinan vient de tomber malade [1].

Dans la nuit du 21 juillet 1898, à Jumièges, il est victime d'une grave crise de nerfs. Dans les jours qui suivent, il demeure alité, incapable de bouger. Il est contraint, lorsqu'il a la force de se lever, de marcher avec des béquilles. Il perd l'usage de ses sens, en particulier celui de la vue. Un médecin abrège ses souffrances en lui redonnant espoir. Il abuse de l'éther et de la morphine, ce qui ne fait qu'aggraver son cas. Ses jambes, très douloureuses, ont presque doublé de volume. Jean de Tinan devient difforme. Son visage est atteint. Il a de la peine à respirer. Pierre Louÿs vient le visiter et découvre, avec pitié, l'affreuse agonie de son camarade. Tinan lui remet son testament. Il avise aussitôt ses amis et son éditeur. Pierre Louÿs prend en charge son rapatriement vers Paris, calvaire qui dure sept heures dans d'interminables souffrances, qu'un nouveau médecin diminue par des piqûres de caféine. Après un court séjour dans une maison de santé, il s'installe au domicile de ses parents, rue de l'Université. Sans discontinuer, son père le veille. Le 18 novembre, vers dix heures du matin, il s'éteint sans bruit. Il vient d'avoir vingt-quatre ans. L'enterrement a lieu le 21 novembre, au Père-Lachaise. Comme toujours, la presse est unanime à souligner

---

1. Il lui en gardera une sombre rancœur comme en témoigne la lettre de Louÿs envoyée à une amie, le jour de l'enterrement de Tinan : « Comme je revenais de là tout à l'heure, je pensais avec une sorte de soulagement heureux, que Jean n'aura jamais connu l'aversion que j'avais pour lui. Après avoir cru en son serrement de main comme en une affection sûre et presque tendre, je m'étais senti séparé de lui peu à peu mais pour toujours par des traits de caractère et d'âme que je ne vous dirai pas, vous le pensez bien, mais si froids et si trompeurs qu'il n'était même plus pour moi ce que je peux appeler un camarade. [...] Ainsi Jean aura conservé jusqu'à la fin l'illusion d'avoir un ami. En somme, ces illusions-là valent bien des réalités. Mais il aura fait que je les ai perdues. »

l'immense talent de Jean de Tinan, et le grand vide qu'il laisse dans le monde des lettres. Puis on l'oublie. C'est en 1920, sous l'impulsion de Francis Carco, que l'on redécouvre Jean de Tinan. Mettant à profit son précieux conseil, « Va voir les filles », Carco rédige la préface de *Noctambulismes*, un recueil de chroniques parues de son vivant dans le *Mercure de France* : « Les jeunes gens de ma génération n'ont pas connu Jean de Tinan et c'est dommage car sa fréquentation les eût sauvés, peut-être, de la "littérature" et de sa morte extase [...] Puisse le lecteur comprendre la perte pour les lettres françaises d'un écrivain pareillement original et primesautier. »

La grande intrigue amoureuse de la Belle Epoque

Oscar Wilde dit de lui : « Il est trop beau pour n'être qu'un homme ; qu'il prenne garde aux dieux. » A vingt-cinq ans, Pierre Louÿs, avec ses yeux gris bleu, fait tourner les têtes de toutes les femmes et de bien des hommes. Persuadé de mourir jeune, il dilapide en trois mois la part d'héritage léguée par son père. Noceur, il fréquente le milieu mondain, et noctambule en compagnie du jeune Tinan dans les bouges de Paris, et avec Gide dans ceux d'Alger[1]. Perpétuel voyageur, il s'évade durant de longs mois

---

1. Au printemps 1895, au sortir d'un bordel d'Alger, Gide et Louÿs (dont la véritable orthographe est Louis) se fâchent. Gide, qui vient de connaître sa première expérience homosexuelle avec Wilde, est pris de frayeur à l'idée d'avoir attrapé une maladie vénérienne dans ce lieu algérois malfamé. Louÿs, amusé, lui énumère tous les grands hommes qui doivent leur génie à la vérole. Gide est dépourvu du sens de l'humour. Au détour d'une rue de la Kasbah, Louÿs prend à droite, Gide à gauche. Ils ne se reverront jamais plus.

vers l'Orient et ses charmes. De retour dans la capitale, on le croise toujours habillé à la mode des dandys, et il ne passe jamais inaperçu dans les nombreux
salons qu'il fréquente, au sein desquels il se distingue
par la finesse de son esprit. Auprès de son frère,
Georges [1], avec lequel il entretient une relation épistolaire nourrie, il se vante d'avoir déjà connu plus de
huit cents femmes.

Depuis deux ans, Pierre Louÿs est un familier du
salon littéraire de José-Maria de Heredia, fréquenté
par des écrivains renommés, des ministres, des diplo-
mates et des jeunes poètes. Les « Samedis de Heredia », de 15 à 19 heures, ont leur siège rue Balzac. Ils
sont l'incontournable lieu de rendez-vous de la littérature symboliste. José-Maria de Heredia, l'auteur des
Trophées [2], occupe une place de choix dans la littérature française. Il a une affection paternelle pour deux
poètes, Pierre Louÿs et Henri de Régnier. Ils espèrent, grâce à l'entregent de Heredia et à son salon,
briller dans le monde des lettres. Pierre Louÿs est déjà
connu pour avoir publié, en mystifiant la critique, les
Chansons de Bilitis, recueil de poèmes qu'il assure avoir
traduit du grec. Ces trente chansons en vers et en
prose, d'un érotisme troublant, Pierre Louÿs — bien

---

1. Jean-Paul Goujon, le spécialiste de l'œuvre de Pierre Louÿs, lui a consacré une biographie – *Pierre Louÿs, une vie secrète* (1870-1925), Fayard, 2002 –
et a rassemblé l'immense correspondance entre Pierre et Georges, qui était
diplomate et, avant 1914, un personnage important de l'Etat. De vingt-trois
ans l'aîné de son jeune demi-frère, certains imaginent que Georges aurait pu
être le père de Pierre. Ce n'est pas exclu. Leurs rapports très intimes démontrent la nature de leur relation faite de confidences. Georges, en sus
d'être un précieux conseil, épongera sa vie durant les multiples dettes de
Pierre. Voir *Mille lettres inédites de Pierre Louÿs à Georges Louis*, Fayard, 2002.

2. Dont la première édition, datant du 16 février 1893, tirée à 5 000
exemplaires, est épuisée en quelques heures. C'est, à l'époque, un cas unique
dans l'édition. Ce livre, qui lui ouvre les portes de l'Académie française, est la
réunion de sonnets, dont certains étaient écrits depuis plus de trente ans.

qu'il en soit l'auteur [1] – les attribue à une poétesse grecque contemporaine de Sapho. Le succès des *Chansons de Bilitis*, publié au Mercure de France, est immédiat et le soi-disant traducteur commence à jouir d'une réputation d'écrivain licencieux, frivole et audacieux. Succédant à Oscar Wilde [2], dont on se détourne, il est la coqueluche des salons mondains et littéraires où il apparaît avec ses gilets couverts de fleurs de tournesol et ses cigarettes à bouts dorés, qu'il grille les unes après les autres. Hélas, toujours désargenté, vivant aux crochets de son frère, malgré son dandysme, il fait figure d'écrivain bohème. Avec sa voix pleine d'emphase, il use de ses talents de conteur, et récite ses poèmes qui font rougir les femmes, plus de plaisir que de honte. Toute son œuvre à venir sera l'apologie de la chair et de ses plaisirs. Pierre Louÿs est un écrivain prometteur, un grand jouisseur, un homme qui aime les femmes, toutes les femmes, et surtout l'une d'entre elles.

De son côté, Henri de Régnier, d'ascendance noble, de six ans l'aîné de Pierre Louÿs, a publié en 1885 son premier recueil d'un morne classicisme, *Lendemains*. En 1894, sa pièce de théâtre, la *Gardienne*, jouée au Théâtre de l'Œuvre, est un échec cuisant et compte moins de dix représentations, devant un public clairsemé et hostile. Tout sépare les deux hommes. A la beauté de Pierre Louÿs, Henri de Régnier ne peut répondre que par sa noblesse, son allure, et ses manières d'aristocrate suranné, desservi

---

1. Recevant le livre, un critique littéraire, professeur émérite, va remercier Pierre Louÿs de son envoi en lui signalant qu'il connaît le texte depuis déjà trente ans !

2. Il avait été condamné dans son pays à deux ans d'emprisonnement avec travaux forcés, pour avoir entretenu une relation homosexuelle avec un mineur, le jeune Alfred Bruce Douglas, de seize ans son cadet.

par un physique que l'on qualifie d'ingrat : « Henri de
Régnier, le pendu constipé, cadavre au menton de
galoche oublié debout, sous la pluie, par un assassin
distrait... Un profil de mèche de lampe, une voix
enchifrenée, une ironie de flanelle humide, un regard
qui meurt derrière le monocle, tels sont à mes yeux
les attraits de ce gentilhomme [1]. »

Dans le salon des Heredia, tous les hommes se pâ-
ment pour les filles du poète : Hélène, Marie et
Louise. Elles sont au nombre de trois, comme dans la
mythologie grecque les Parques qui dévident et tran-
chent le fil des vies humaines. Deux d'entre elles vont
briser des cœurs. Elles sont belles, et c'est vers Marie
que tous les regards se tournent. Il y a dans ses yeux
noirs un feu intérieur qui éclate, une lumière profonde qui fait grimper la fièvre et allume les cœurs de
la gent masculine. Marie a un corps souple, une
attitude cabrée exprimant l'orgueil et une longue
chevelure d'ébène, éclatante et profonde, qui lui
tombe jusqu'aux reins : « Au royaume des poitrines
orgueilleuses, cette sylphide moqueuse dont la silhouette préfigure les mannequins de Paul Poiret,
allume les désirs sur son passage [2]. » Marie habite les
cœurs de Pierre Louÿs et Henri de Régnier, qui sont
prêts à toutes les folies pour conquérir cette imperti-
nente et impétueuse jeune fille qui, à seize ans, au
milieu d'une assemblée présidée par l'auteur des *Trophées* avait lancé : « Vos symbolistes, je les exècre ! »
Entre Hélène, vingt-deux ans, et Louise, surnommée
« Loulouse », seize, Marie fait l'objet d'une cour
discrète de la part des deux hommes. Elle est la plus
entreprenante des trois, et vient de publier dans la

---

1. Portrait par Léon Daudet, dans l'ouvrage de Robert Fleury, *Marie de Régnier*, Plon, 1990.
2. Dominique Bona, *Les Yeux noirs*, Lattès, Paris, 1989.

Revue des deux mondes ses premiers vers. Elle est la fondatrice de la burlesque « Canacadémie » ou « Académie canaque », dont elle s'est proclamée reine, et dans laquelle, si l'on veut y entrer, il faut remplacer le traditionnel discours par un jeu de grimaces auxquelles se prêtent volontiers Marcel Proust, Paul Valéry, Jean de Tinan et bien sûr ses deux soupirants, Pierre Louÿs et Henri de Régnier, pour lequel ce fut un exercice difficile et périlleux.

Au mois de mai 1895, Marie de Heredia va avoir vingt ans. Pierre Louÿs estime que « Marie est parfaite », et lui offre des cadeaux, lui démontrant tout l'intérêt qu'il lui porte. De son côté, Henri de Régnier lui fait une cour plus discrète. Les deux hommes, comprenant qu'ils sont rivaux, parviennent à un compromis en scellant un pacte qui doit demeurer secret. Puisque la belle Marie de Heredia a désormais le choix, et afin d'éviter toute querelle qui pourrait finir par l'envoi de témoins et en un duel inutile, les deux prétendants devront se déclarer ensemble, au même moment, et c'est à Marie, et à elle seule, qu'il appartiendra de désigner l'élu de son cœur [1].

Certain de n'être pas trompé par Henri de Régnier, Pierre Louÿs quitte Paris en janvier 1895 pour un voyage en Espagne, qui le mènera jusqu'en Afrique du Nord, dans les bras de nouvelles courtisanes. Les bruits de ses aventures courent dans tous les salons mondains et on en parle chez les Heredia. Marie, qui ignore tout du pacte, n'y prête garde. Dans le secret

---

1. Quelques années plus tard, André Gide, qui aura vent du pacte, en reprendra les termes dans son roman, *Les Caves du Vatican* : « Amédée Fleurissoire et Gaston Blafaphas s'éprirent ensemble d'Arnica ; c'était fatal. Chose admirable, cette naissante passion, qu'aussitôt l'un et l'autre ils s'avouèrent, loin de les diviser, ne fit que resserrer leur couture. (…) Ils convinrent de se déclarer l'un et l'autre le même soir, puis de s'abandonner à son choix. »

de son cœur, elle a déjà fait son choix ; c'est Pierre
Louÿs qu'elle aime. L'auteur des *Chansons de Bilitis*
accorde trop de crédit à la confiance qu'il peut porter
à Henri de Régnier, lequel, lorsque courent les premières rumeurs de mariage entre Louÿs et Marie,
déclare à son rival : « Ce bruit qui recommence à
courir me présage, je le crains, bien des ennuis.
Démentez cette fausse nouvelle chaque fois que vous
en aurez l'occasion. Vous savez que j'ai pour cette
jeune fille les sentiments qu'on a pour une bonne
camarade, mais rien de plus [1]. »

Au début du mois de mai 1895, de retour à Paris
pour assister à la réception à l'Académie française de
celui qu'il croit être son futur beau-père, Pierre Louÿs
emménage dans un nouvel appartement, près du domicile des Heredia. Désormais, nul n'ignore que c'est
vers Pierre Louÿs que Marie a porté son choix. A la fin
du mois de mai, elle ose l'aborder pour le supplier de
l'emmener, dans le plus grand secret, passer une soirée
chez Maxim's. Louÿs refuse, puis finit par céder aux
caprices de Marie. Ils semblent destinés l'un à l'autre,
mais n'osent se l'avouer et, dans le Tout-Paris, les
bruits de cette soirée viennent aux oreilles d'Henri de
Régnier, le rival devenu jaloux. Tout bascule au début
du mois de juillet. Lors d'un pique-nique, auquel sont
conviés tous les membres de l'Académie canaque dont
Henri de Régnier et Pierre Louÿs, ce dernier en profite
pour s'éloigner du groupe en compagnie de Marie. Les
deux amoureux s'enfoncent dans la forêt et, alors que la
nuit commence à tomber ils s'enlacent, à l'instant
précis où surgit Henri de Régnier, qui les avait suivis.
Gêné face à cette situation inconfortable, Régnier
simule l'inquiétude du groupe et les invite à rentrer.

---

1. Robert Fleury, *op. cit.*

Dépité, il a compris qu'il n'aura jamais les faveurs de celle qu'il aime, et se résout à surseoir à toute déclaration hâtive auprès de Marie. C'est sans compter sur un incroyable rebondissement, digne d'un drame shakespearien. Le samedi 13 juillet, Pierre Louÿs, qui de son côté n'imagine pas un instant qu'il puisse échouer aux portes du cœur de Marie, adresse à Henri de Régnier une missive l'informant qu'il va déclarer sa flamme à Marie, et propose à son rival de prendre une date afin que – selon le pacte – ils puissent le faire ensemble. Un seul nuage, mais de taille, assombrit l'horizon de ce futur mariage : Pierre Louÿs est loin d'être riche. Du côté de la famille Heredia, c'est encore pire. Le poète cultive le vice du jeu et y perd tous les jours de grosses sommes ; la famille est au bord de la ruine. Pour les Heredia, il est impossible de doter Marie comme c'est l'usage dans les familles de ce rang. Ce n'est pas un obstacle pour Pierre Louÿs, résolu à travailler pour enfin gagner sa vie, et faire un mariage d'amour. C'est sans compter sur l'intervention d'une femme qui, jusqu'à présent, demeurait silencieuse. Madame de Heredia estime avoir son mot à dire. A cette heure, hormis les deux prétendants, le pacte est toujours secret. Madame de Heredia, en prenant les devants, va donner à Henri de Régnier l'occasion inespérée de se délier de son serment. Le lendemain de la réception de la lettre de Louÿs, Henri de Régnier se rend au domicile des Heredia. José-Maria, très étonné de le voir s'y présenter un dimanche, le reçoit en compagnie de sa femme, et en l'absence de Marie. Une fois les mondanités évacuées, l'aristocrate révèle l'objet de sa visite : il vient leur demander la main de leur seconde fille. Avant que le sujet ne soit abordé, Henri de Régnier dissipe tous les malentendus ; il est fortuné, et ne saurait se froisser si sa future épouse est dépourvue de dot. Mieux encore, en grand seigneur, il ne pourrait tolérer que ses beaux-parents puissent éprouver la moindre gêne financière ; il épongera toutes les dettes, dès que la main de Marie lui sera accordée. En présence de tels arguments, Pierre Louÿs n'a plus aucune chance face à un authentique descendant de Saint Louis. Dans ces conditions, pas besoin de réfléchir trop longtemps devant cette offre qui est un don du ciel. La mère, bien décidée à peser de tout son poids, se rend auprès de sa fille plaider la cause de Régnier, et l'on donne rendez-vous au prétendant, le lendemain à onze heures. En apprenant la nouvelle, Marie fond en larmes, ignorant encore l'existence du pacte rompu, et surtout l'odieux marchandage. Elle sait que Pierre Louÿs l'aime, et demande à sa mère de surseoir à la décision avant de l'avoir consulté. Pour Madame de Heredia, il ne saurait en être question ; elle sait Pierre Louÿs impécunieux et demeure inflexible, lui assénant le plus terrible des arguments : l'obéissance absolue ! Bouleversée, Marie s'effondre, consolée par sa plus jeune sœur alors qu'Hélène, qui a saisi l'enjeu pour la famille, se charge de parachever le travail de la mère.

Après une nuit affreuse, durant laquelle Marie se retient de fuir pour prévenir l'amant de son cœur, le moment du rendez-vous approche. A onze heures, Henri de Régnier frappe à la porte. Il s'installe en face des Heredia, qui lui annoncent que sa demande est acceptée. Marie entre dans la pièce et – malgré un geste de répulsion – se laisse embrasser sur le front. C'est par un télégramme laconique que Pierre Louÿs, en fin de matinée, le lundi 15 juillet, apprend cette nouvelle qui le mortifie : « Ai fait ma demande – Suis agréé – Amicalement. Régnier [1]. » Pierre Louÿs,

---

1. *Idem.*

furieux, se présente aussitôt au domicile de Régnier pour exiger des explications. L'altercation est vive ; on envisage un duel réparateur. Il est évité de justesse. Pierre écrit à son frère, en lui confiant : « J'ai passé mon après-midi à pleurer comme un malheureux. » Enfin, il rédige une longue lettre d'adieu à l'intention de José-Maria de Heredia : « Monsieur, j'adorais votre fille Marie. Je ne lui ai jamais dit. Depuis trois ans je rêvais de l'épouser le jour où le succès m'aurait permis de lui offrir autre chose que la bourse d'un jeune homme pauvre et un nom inconnu. Je sais aujourd'hui que j'ai été devancé : je n'ai plus rien à espérer. Pardonnez-moi seulement si je n'ai plus le courage de revenir dans cette maison où j'ai été si affectueusement reçu et où je ne pourrais plus reparaître sans pleurer [1]. » Madame de Heredia commet l'erreur de montrer cette lettre à Marie, laquelle apprend – anéantie – ce qu'elle n'ignorait plus : combien Pierre Louÿs l'aimait ! Hélas, il est trop tard. Pierre, abattu par la douleur et l'orgueil, décide de ne pas livrer bataille, et étouffe cette passion. Il s'efface pour ne jamais revenir. Les fiançailles sont prononcées, et le mariage fixé au 14 septembre prochain. Le Tout-Paris jase, car si Louÿs avait eu la force de se ressaisir, tout aurait pu changer. L'indétermination est son principal défaut. Pierre Louÿs a toujours fui les femmes qui se jetaient à ses pieds. Comme il l'avait promis, Henri de Régnier a commencé à éponger les nombreuses dettes, sauvant pour un temps la famille Heredia de la banqueroute.

Tout au long de l'été, on se prépare au mariage. Régnier rend de fréquentes et courtoises visites à sa future épouse, qui ne lui montre aucun enthousiasme.

---

1. *Idem.*

Pierre Louÿs disparaît. Il trouve refuge chez des amis, et commence à écrire un nouveau roman, *Aphrodite*. Mais des bruits courent sur la teneur du serment contracté entre les deux hommes. Marie en est informée. Sa douleur croît, au point qu'elle doit s'aliter et faire repousser la date du mariage. Paris jase encore. En elle, monte une profonde aversion pour ce mari imposé. Peut-elle faire marche arrière ? Elle n'ignore pas que Régnier a tenu ses engagements financiers et levé toutes les hypothèques. Il n'est plus question d'annuler le mariage, ce qui jetterait l'opprobre sur la famille, déclencherait un scandale et causerait une peine énorme à ce père qu'elle aime tant. Elle décide de se rendre chez Louÿs. Le cœur battant, Marie frappe à sa porte un jour de septembre 1895. Pierre est là. Stupéfait, sans pouvoir articuler la moindre syllabe, il la fait entrer. Déterminée, la jeune femme l'interroge sur la véracité du pacte rompu par Régnier. Il ne peut qu'acquiescer. Marie dégrafe son corsage en lui lançant, le regard empli d'amour : « Puisque c'est ainsi, je me suis promis de me donner à vous le premier [1]. » Pierre Louÿs repousse les avances de Marie. Il ne la veut pas pour maîtresse, mais pour femme ! Il la raccompagne — à demi nue — vers la porte. Marie, ainsi éconduite, fait le serment de se venger de Régnier et de prendre Louÿs comme amant. Elle sera patiente. De retour chez elle, Marie fomente sa vengeance. Puisque Régnier l'a trahie, le mariage aura bien lieu, et même le plus tôt possible, mais elle ne se donnera jamais à lui. Ce sera un mariage blanc au sein duquel le mari, qui sera l'homme le plus trompé de la capitale, en verra de toutes les couleurs !

---

1. *Idem.*

*

* *

Un an après l'épisode du mariage raté avec Marie, Pierre Louÿs, désormais célèbre après la publication d'*Aphrodite* [1], accepte de réapparaître chez les Heredia [2]. Marie se montre à son égard très pressante, osant lui dire : « Ah! Venez donc me voir, je m'ennuie tant chez moi! » Elle se livre à un manège incroyable. Lorsqu'il change cinq fois de place, elle le suit, l'entoure d'une affabilité charmante. On jase. Pierre Louÿs s'en agace et s'éloigne. Une nouvelle fois, il fuit Paris pour l'Espagne et la torride Algérie. Lorsqu'il revient, il n'est plus seul. Il s'affiche aux bras d'une Mauresque qui va partager son existence, rendant Marie de Régnier folle de jalousie. Cette dernière, qui se refuse toujours à son mari, cède à de multiples idylles saphiques [3]. Henri de Régnier n'ignore rien du jeu pervers qui se déroule devant ses yeux, et adopte une attitude digne. Il feint de comprendre, et sauve les apparences par peur du scandale. Il affichera, jusqu'à sa mort, l'expression d'un condamné qui accepte la sentence avec placidité et noblesse, se rachetant de la faute originelle.

---

1. Pierre Louÿs a toujours exigé que ses livres ne soient lus que par un public très restreint. Ses premiers tirages sont réduits à moins de deux cents exemplaires. A ses yeux, atteindre le grand public est une trahison de la conception hautement altière de sa vision de l'Art, qui doit être interdit à la foule. Lorsque Alfred Valette lui propose un tirage de deux mille exemplaires pour *Aphrodite*, il le fait réduire de moitié. Après que l'édition est épuisée en moins d'une semaine, il accepte le succès et ses griseries.

2. Il n'a jamais fait grief à José-Maria d'avoir accordé la main de Marie à son rival ; bien au contraire, il lui a proposé d'être le dédicataire d'*Aphrodite*, mais devant le caractère licencieux de l'ouvrage, ce dernier a refusé, arguant qu'il avait encore deux filles à marier.

3. Le mariage avec Henri de Régnier ne sera jamais consommé et Marie, toujours soucieuse de se donner à Pierre Louÿs, a connu des tendresses féminines. Elle fut courtisée, entre autres, par la célèbre demi-mondaine Liane de Pougy.

Le 17 octobre 1897, après une relation épistolaire
cryptée [1] avec Pierre Louÿs, Marie se présente à
nouveau à son domicile. Cette fois, elle ne sera pas
éconduite. Ce jour-là, Pierre Louÿs découvre ce qu'il
n'osait imaginer : Madame de Régnier est encore
vierge ; elle a donc tenu sa promesse ! Ce que
Jean-Paul Goujon appelle « Les noces secrètes » des
deux amants, vont être célébrées à la date symbolique
du second anniversaire de mariage, et ils vont partager
une passion dévorante durant le dernier trimestre de
l'année. C'est une des plus célèbres histoires d'amour
de la Belle Epoque, une histoire qui va connaître
maints rebondissements durant les prochaines années.

Deux ans plus tard, les deux amants se séparent [2].
Ils se reverront quelquefois, passant plusieurs nuits
ensemble, mais sans respirer le parfum unique des
premiers instants. Entre-temps, Pierre Louÿs apprend
avec stupeur que l'enfant porté par Marie, et qui
naîtra le 8 septembre 1898 est le sien. Henri de
Régnier, une fois de plus, ferme les yeux et, comble
d'ironie, donne au garçon le prénom de son vrai père,
Pierre, qui devient son parrain [3].

En 1899, les intrigues amoureuses chez les Heredia
ne sont pas terminées. C'est au tour de la sœur cadette, Louise, de jeter son dévolu sur Pierre. Elle se
donne à lui et, pour la première fois, il se laisse faire.
Marie encourage Pierre à accepter, imaginant que

---

1. Pour correspondre, les deux futurs amants passent des annonces dans
L'Echo de Paris, comme celle-ci : « Comment pouvez-vous croire que je ne
vous aime plus ? Je n'ai jamais aimé que vous au monde. Aurez annonce ou
lettre demain matin. Merci, merci pour vos larmes. Elles me rendent fou. »

2. La liaison s'éteindra définitivement en 1903.

3. Pour certains spécialistes de Louÿs, un doute subsiste sur cette paternité
que l'on attribue aussi à Jean de Tinan. Des trois sœurs, elle sera la seule à être
mère. Ce fils n'aura pas le talent de son père et c'est alcoolique et drogué,
qu'il s'éteindra en 1943.

cette union renforcera leurs amours secrètes. Elle se trompe. La lassitude s'impose aux deux amants. Le mariage est célébré le 24 juin, et six jours plus tard c'est au tour de l'aînée, Hélène, d'épouser l'écrivain Maurice Maindron. José-Maria de Heredia est satisfait : il a marié ses trois filles à trois hommes de lettres. A la suite de Pierre Louÿs, Marie de Régnier multiplie les conquêtes des deux sexes. Henri de Régnier en est si affligé qu'en 1910, il songe au suicide. En 1903, Marie de Régnier entame une grande carrière dans les lettres. Sous le pseudonyme de Gérard d'Houville, emprunté à l'un de ses aïeux, elle signe un premier roman, l'*Inconstante*, autobiographie de ses amours avec Pierre Louÿs et Jean de Tinan. L'ouvrage remporte un grand succès, le public ignorant qui se cache derrière les trois personnages. Trois ans plus tôt, Henri de Régnier avait fait paraître la *Double maîtresse*, en se mettant en scène sous les traits d'un personnage timide, en permanence trahi, et pour qui l'amour n'est que souffrance. Ce n'est qu'à la mort de Pierre Louÿs que l'on découvrira un roman à clés inachevé, *Psyché*, réponse à l'*Inconstante*, où l'on retrouve le romancier aux prises entre Marie de Régnier et sa maîtresse mauresque Zohra.

En 1910, le journal l'*Intransigeant,* menant une enquête sur les femmes de lettres susceptibles d'entrer à l'Académie française, plébiscite Marie de Régnier, loin devant Anna de Noailles et Colette ; elle ne connaîtra pas cet honneur, mais par son entregent, contribuera à faire élire l'un de ses amants, André Chaumeix [1].

Après son mariage avec Louise, Pierre Louÿs re-

---

1. Elle usera également de son influence pour faire attribuer le Grand Prix de littérature de l'Académie française à Marcel Proust.

nonce à la littérature. Il subsiste grâce à ses droits
d'auteur sur les nombreuses éditions de luxe, quelques articles ou poèmes accordés à certaines revues. Il
mène une existence d'ermite. Criblé de dettes, il se
consacre à ce qu'il estime être la plus grande découverte de son existence : démontrer que derrière les
pièces de théâtre de Molière, se cache la plume de
Corneille [1]. En juin 1925 Pierre Louÿs, presque
aveugle, délaissé et vivant dans une quasi-misère,
demande à écouter l'*Aria* de Bach. Il se met à pleurer
sur son oreiller et meurt. On raconte que, plusieurs
semaines avant sa mort, vivant reclus dans l'obscurité,
il avait reçu la visite d'une mystérieuse femme voilée
de noir et « qu'elle lui imprima en pleine bouche le
puissant sceau de ses lèvres et se retira avant qu'il n'ait
pu la retenir. On dit aussi qu'après cette visite, Louÿs,
chercha, à tâtons, pour se suicider, une arme qu'il ne
trouva pas [2] ».

Jean Lorrain, prince du Paris de tous les vices

La bohème n'est pas toujours misérable. Elle ne se
limite pas aux seuls artistes barbus et chevelus, malades d'argent, qui entrechoquent leurs verres et qui
s'époumonent à réciter des poèmes chantant leurs
déboires, en poursuivant une existence de débauche.

---

1. L'étude de Pierre Louÿs est étonnante. Jusqu'à l'âge de quarante ans,
Molière était illettré et il n'a laissé aucun manuscrit autographe. En 1957, le
romancier Henri Poulaille, qui avait découvert près de deux mille feuillets
inédits de Pierre Louÿs sur le sujet, s'en inspire pour écrire : *Corneille sous le
masque de Molière*. Voir également : Denis Boissier, *L'Affaire Molière, la grande
supercherie littéraire*, Editions Jean-Cyrille Godefroy, 2004.
2. Claude Farrère, *L'Homme seul*, in Robert Fleury, *op. cit.*

La bohème peut être raffinée, mondaine et sulfureuse. C'est celle du dandy Jean Lorrain, figure de cette Belle Epoque riche de ces hommes qui se plaisent, comme l'écrivait Baudelaire, à « vivre et mourir devant un miroir ». Les dandys ne suivent pas la mode venue d'Angleterre au début du XIXᵉ siècle. Ils la créent par leur manière d'être, vêtus à la fois de nuances et d'apparences que seul peut percevoir l'initié, le frère, l'esthète. Mode faite de costumes singuliers et, complément indispensable, de l'apparat du verbe, de la finesse de l'esprit, et de l'écrit. Maîtres en ce domaine, Robert de Montesquiou, Oscar Wilde et surtout Jean Lorrain, font vibrer le « grand monde », ce vase clos qui les entoure, mais dont les racines s'enfoncent dans les fanges des mondes inférieurs, au sein desquels le dernier d'entre eux, un damné du stupre, aime à se repaître.

Jean Lorrain, que l'on surnomme le « fanfaron du vice », alors que lui-même s'attribue le sobriquet d'« enfilanthrope », se reconnaît à son front ravagé qu'il masque sous un fard blanc et croûteux, ses oreilles décollées, ses cheveux partagés par une raie parfumée [1] au patchouli, roussis par le henné et les teintures, et à ses yeux glauques de batracien sur lesquels pèsent de lourdes paupières fardées, bleuies, semblables à une plaie vive ; des yeux qui fascineront la toute jeune Colette qu'il entraînera dans les bordels de Marseille et de Toulon. Jean Lorrain paraît toujours ainsi : maquillé, parfumé et couvert de bijoux de femmes ; on respire son haleine pourrie par l'éther avant de l'avoir aperçu. Il a le foutre à fleur de peau, lorsqu'il se balade, la nuit, dans les bouges de Paris,

---

1. On a écrit que sa présence infligeait à la maison au moins quinze jours de parfum.

« la ville empoisonnée », ou sur les quais de Nice,
n'ayant peur de personne dans son costume de flanelle
blanc et son chapeau de canotier. Sous un clair de lune
équivoque, il serre entre ses bras puissants de jeunes
marins qu'il entraîne et sodomise avec fureur au fond
d'une cale. La nuit se prolonge ensuite dans des
bordels où il célèbre, ses lèvres jutant et giclant son
sermon de vice, des messes noires et blanches sur les
corps de femmes transformés en autels.

Fou ou génie ? Les deux à la fois. Jean Lorrain
écrit : « Je ne corromps pas, je délivre. » Adulé par les
uns, détesté par les autres, c'est un esthète et l'une
des plus grandes plumes de la Belle Epoque. Dandy,
écrivain sensible obsédé par le vice et les prouesses
sexuelles de tous bords, critique littéraire redouté et
chroniqueur mondain sous le pseudonyme de Raitif de
la Bretonne, il fait trembler et rire le monde des
plumitifs et des artistes. Sa plume vitriolée d'inverti
érotomane, et sa réputation scandaleuse, qui n'a
d'égale que le nombre impressionnant de ses ennemis
et de ses procès en diffamation, va marquer cette fin
de siècle de l'empreinte qu'il laissera dans ce Paris de
tous les vices.

Jean Lorrain — de son vrai nom Paul Alexandre
Martin Duval — est né le 9 août 1855 à Fécamp. Entre
un père irascible, riche armateur, et une mère posses-
sive, le futur Jean Lorrain va vivre la jeunesse dorée,
insouciante et ennuyeuse d'un fils unique, placé entre
les murs tristes d'un internat où il développe cette
misanthropie dans laquelle il excellera. Dès les premières blessures de la vie, c'est dans les bras de sa mère
que, romantique et sensible, il se réfugie. Après un
séjour chez les Dominicains, à Arcueil, il vit une crise
de mysticisme et envisage d'entrer dans les ordres.

Au cours de l'été 1873, oscillant entre l'homosexualité et l'hétérosexualité, Paul fait la rencontre de
Judith Gautier, fille du poète Théophile Gautier. Alors
âgée de vingt-huit ans, elle est mariée à l'écrivain
Catulle Mendès dont elle ne tardera pas à divorcer, et
que plus tard Jean Lorrain menacera d'un pistolet dans
une salle de rédaction. Surnommée « Ouragan », c'est
une poétesse fascinante, encensée par Baudelaire [1]
pour *Le Livre de Jade*, publié à dix-sept ans. Paul Duval,
qui n'a que dix-huit ans, s'en éprend, porte son
chevalet, sa boîte à couleurs et lui rend de menus
services dans l'espoir d'attirer ses faveurs et pour
tenter de refouler à jamais l'ombre pesante de sa mère
et ses penchants pour l'homosexualité. Rencontre
déterminante, qui se solde par une cruelle déception.
La jeune femme l'ignore et, pour seule récompense,
lui lit des poèmes de Leconte de Lisle ou de Victor
Hugo, ce qui éveille en lui le goût des lettres.

Paul Duval, malgré les colères de son père, demeure oisif. Il veut faire carrière dans le journalisme.
Le déménagement pour Paris s'impose. Le père cède
et promet une pension, à la seule condition que ne soit
pas entaché de scandale le nom de Duval. Il faut
choisir un pseudonyme. Un livre, pris au hasard, s'ouvre sur une page où apparaît le nom de Lorrain. Paul
choisit le prénom, Jehan, et assortit son pseudonyme
d'une particule. Jehan de Lorrain? Non. Paul Duval
n'est plus. Jean Lorrain prend le train pour Paris.

Durant ces premières années parisiennes, errant de
meublé en meublé, dans ce Montmartre où la Goulue
est à l'apogée de sa gloire, il mange de la vache enragée [2]. Les affaires de son père tournent mal ; la pen-

---

1. Il lui avait prédit qu'elle causerait des « naufrages ». Victor Hugo lui fit
des avances et elle devint l'égérie de Richard Wagner.

2. Invité chez l'un de ses anciens compagnons de bohème, Forain, Jean

sion est supprimée. Il connaît les logis sans feu et les soirs sans souper. Menant une vie funambulesque, il parvient à intégrer le cercle très fermé des Hirsutes. Ce mouvement est l'incarnation d'une pittoresque bohème fin de siècle, composée de désenchantés à la tenue débraillée, qui s'affichent dans les brasseries et les cafés, de Montmartre au Quartier latin. Jean Lorrain commence à écrire des chroniques dans des journaux, dont celui du *Chat Noir*. Il rencontre la romancière Rachilde, fille d'un militaire. On la surnomme « Marquise de Sade » ou « Mademoiselle Baudelaire ». Elle est la sulfureuse romancière de *Monsieur Vénus*[1], une femme aux mœurs libres s'éprenant d'un jeune fleuriste qu'elle humilie, et à qui elle impose de renverser les rôles ; elle devient homme et son amant devient femme. A la suite d'un article élogieux, que Lorrain fait paraître dans le *Courrier Français*, intitulé *Mademoiselle Salamandre*, ils deviennent inséparables. Ensemble, ils courent les soirées. Très friands des bals costumés, c'est en lutteur avec un caleçon de peau de panthère que la romancière apparaît aux bras de Jean Lorrain revêtu d'une seule feuille de chou, avec sur son torse l'inscription : « Les lapins s'en nourrissent et les enfants y naissent. » C'est Rachilde qui donne à Jean Lorrain le surnom de « fanfaron du vice ».

Lorrain s'est vu reprocher la nature de ses mœurs par la femme de son ami. Rassemblant aussitôt ses affaires, l'écrivain s'apprête à quitter les lieux alors que Forain tente de le retenir en arguant : « Souviens-toi de nos débuts, quand nous mangions de la vache enragée... » Jean Lorrain aurait répondu : « Certes, mais moi je ne l'ai pas épousée ! » Denis Boissier, *Dictionnaire des anecdotes littéraires*, Editions du Rocher.

1. Paru en 1884 en Belgique, réédité en 1889 en France. Elle fut poursuivie et condamnée par la justice belge. Elle inventa un nouveau vice en littérature, l'inversion des sexes. Sa carte de visite mentionnait : « Rachilde, Homme de lettres. » Elle obtint de la préfecture de police l'autorisation de s'habiller en homme et de porter les cheveux courts, préfigurant la « garçonne » des années 1920.

Le Paris de tous les vices, univers de l'argent et du sexe, est désormais celui de Jean Lorrain. Il a besoin de sa dose quotidienne de « séances hygiéniques de déversements foutatoires ». Provocateur, il plonge dans tout ce que le fleuve vomit de déchets humains. A l'imitation de Georges Eckhoud en Belgique et d'Oscar Wilde en Angleterre, une aura scandaleuse l'entoure. En marge des boudoirs et des salons, où il condescend à se corrompre aux bras de vieilles artistes ou de jeunes dindes, son monde est aussi celui des mauvaises rencontres et des hôtels borgnes, des maisons de passes délabrées, des bals d'invertis que signalent des réclames aux grandes lettres bleues, des garnis crasseux, des boîtes d'homos, des boxifs à cent sous la négresse avec lesquelles il couche par vice, des mauvais garçons qui sortent du guinche en caressant leur browning, des adolescents qui vendent des fleurs avant d'offrir leur corps, des garçons poudrés et fardés qui font la carrée sur les boulevards extérieurs, des rôdeurs aux larges bacchantes dont les fortifs sont le terrain de chasse. Dans ces milieux, où il apparaît les yeux agrandis de khôl, lèvres peintes, les doigts bagués, la moustache passée au henné et avec des gilets aux couleurs chatoyantes, il affiche alors ses préférences : « J'ai un grand penchant pour les voyous, lutteurs forains, garçons bouchers et autres marlous... » Parfois, cela finit mal. On le violente, on le rançonne. Son idéal pervers et masochiste en est flatté. Un jour, on le retrouve avec un trou dans la tête, le lendemain avec un œil poché, la main en bandoulière, ou nu dans un hôtel, parce qu'on lui a dérobé tous ses vêtements. Ses démêlés avec les « rouleurs de barrières », qui ne partagent pas toujours ses mœurs, sont fréquents. A un ami, qui lui en fait grief, il déplore : « Que voulez-vous, je suis la

Sarah Bernhardt de ces gens-là ! » Il le goût de la provocation. Un soir, en compagnie d'une douzaine de
« belles de nuits » ramassées sur les boulevards, il se
rend chez Maxim's. Faisant croire au portier qu'il
s'agit en réalité d'honnêtes femmes du monde qui
reviennent d'un bal costumé, il les fait entrer dans la
salle emplie de bourgeois, cocottes et demi-mon-
daines, en les annonçant ainsi : « La môme Poil dru et
ses comparses. »

Comme Jean de Tinan, à qui il dit : « Ma porte
pourtant close sera entrebâillée pour vous », il
s'épuise. Il a contracté la syphilis et la tuberculose.
L'abbé Mugnier, le confesseur du Tout-Paris littéraire et des duchesses, note dans son *Journal* :
« Huysmans m'avait raconté que Jean Lorrain qui
écrit dans le *Journal*, avec talent, était un sodomiste
(sic). Il a visité avec lui les milieux sodomistes qui
avoisinent les Halles. Car les sodomistes ne sont pas
des raffinés, mais des bouchers de la Villette, des
forts des Halles. Lorrain est toujours fleuri de gardé-
nias, couvert de bagues et puant de parfumerie, avec
des ongles peints. Et Huysmans de s'écrier : "L'inu-
tilité de tout ça !" Lorrain subit d'affreuses opérations.
On "l'ouvre comme un fruit", on lui arrache "des
orchidées de douleurs", c'est là le plus clair résultat de
ses vices [1]. »

Piètre poète, Lorrain est à présent un critique très
redouté, à la dent dure et à la repartie facile, capable
de faire ou défaire une carrière ou une réputation. Il

---

1. Souvenirs datés du 26 avril 1896. Invité l'année suivante – le 30 août
1897 –, l'abbé Mugnier note encore dans son *Journal* des propos similaires :
« Lorrain a subi des opérations nécessitées par cette sorte de luxure. Il se porte
très bien, malgré tout, et, dit Huysmans, "ça lui donne du talent". Ce qu'il dit
est "infâme et délicieux". Il dicte ça à sa mère. Huysmans plaide pour son
talent et va quelquefois dîner avec lui. »

écrit à l'*Echo de Paris* des chroniques signées de son pseudonyme Raitif de la Bretonne, dénommées *Pall Mall Semaine*. La liste des personnalités épinglées par la férocité de Jean Lorrain s'allonge de jour en jour, et il fait l'objet de haines farouches et tenaces. En 1896, une théâtreuse sans grade, Madame Bob Walter, que Lorrain surnomme « Bob Parterre », lui renvoie son article après en avoir fait usage dans les toilettes. L'occasion est trop belle, il lui retourne aussitôt le courrier malodorant en écrivant sur le paquet : « A Madame Bob Walter-Closet », et profite de sa chronique satirique et ironique pour répliquer : « Madame Bob Walter m'a sans doute, par erreur, envoyé sa carte de visite... » Folle de rage, l'actrice l'agresse à coups de sac lors d'une représentation en hurlant : « Sale canaille, ça t'apprendra à dire du mal des femmes chez qui tu as dîné. » Cet incident, qui empêche Lorrain, couvert de bandages, de suivre le cortège funèbre de Verlaine, contribue à sa renommée, et brise la carrière de l'actrice.

Mais la « tête de Turc » de Jean Lorrain est Robert de Montesquiou-Fezensac, un poète à l'aristocratie vaniteuse et extravagante. L'homme, pourtant découvreur de talents comme Verlaine, fait l'objet de calomnies, ou inspire ses confrères tel Huysmans qui l'incarne en Des Esseintes dans *A Rebours*. Il se fait traiter de « maboul » par Zola ; il est Charlus pour Proust, Chantecler pour Edmond Rostand et Dorian Gray pour Oscar Wilde. Si Jean Lorrain fréquente à la fois les boudoirs et les bas-fonds, Robert de Montesquiou, qui « corydone » avec la même discrétion qu'André Gide, est un personnage incontournable, adepte des salons mondains, attiré par les jeunes esthètes. On le surnomme « Prends ton luth » ou « Haricot vert », à cause du tortillage particulier de son torse et de son pardessus vert myrte. C'est le parangon du Paris mondain et du dandysme, un écrivain décadent et frivole au verbe parfois mordant, adulé par Proust, à qui il a envoyé sa photographie accompagnée d'une légende : « Je suis le souverain des choses transitoires. » Jean Lorrain le hait. Il voit en lui un rival. Leur brouille est la conséquence du refus, par le Comte, d'être le dédicataire d'un poème de Lorrain. Dans les *Pas effacés*, en 1923, l'aristocrate relate cet épisode : « Les astragales de langage, dont je me servis pour ne pas l'accepter, ne faisaient qu'aggraver l'affront, qui cingla vif... et me valut, pendant dix ans, une guerre d'épingles empoisonnées. » Jean Lorrain, à chaque nouveau recueil de poèmes publié par l'orgueilleux mondain, l'échine. L'aristocrate, prétextant que cela vient de trop bas, ne juge pas bon de répliquer. Ce n'est pas le cas de son jeune protégé, Marcel Proust. Lorrain, antisémite et plus tard antidreyfusard, vient de le traiter de « petit Kiou-Kiou ». Après la parution des *Plaisirs et les jours* [1], il est une cible de choix pour un Jean Lorrain déchaîné : « Suave mélancolie, d'élégiaques veuleries, de petits riens d'élégance et de subtilité, de tendresses vaines, d'inanes flirts en style précieux et prétentieux, avec, entre les marges ou en tête des chapitres, des fleurs de Madame Lemaire en symboles jetées... » Pour Proust, c'est intolérable. Il lui envoie ses témoins et l'on se prépare, à grand renfort d'articles de presse, à un duel qui ne donnera rien car les deux protagonistes manient, l'un comme l'autre, de piètre façon le pistolet.

---

1. L'éditeur Calmann-Lévy fera tirer ce livre à 1500 exemplaires. En vingt-deux ans, 329 trouveront preneurs. Autre ennemi de Proust, André Gide s'opposera dans les premiers temps à la publication de *Du côté de chez Swann* à la N.R.F. L'ouvrage sera accepté à compte d'auteur par le jeune éditeur Bernard Grasset.

A la suite de ce simulacre de duel [1] avec Lorrain, Rachilde refuse Proust pour le *Mercure de France*.

Mais Proust et Montesquiou ne sont pas les seuls à souffrir de la méchanceté de Lorrain. Théodore de Banville est : « Une tortue en train de dépecer un trognon de salade à grand renfort de mandibule » ; Rosny aîné : « Un œuf sur lequel on aurait collé des cheveux [2] » ; l'acteur De Max : « Le Monsieur aux camélias » ou encore « la De Max ». Jean Lorrain – qui verra se fermer les portes de la haute société – accrochera à son palmarès toutes les plus grandes plumes de l'époque, dans un genre dont il demeurera prisonnier, malgré une œuvre littéraire très prolixe. Il le déplore : « Ces salauds, ils ont fait de moi un journaliste. » Il demeure le journaliste le mieux payé de Paris, toujours en quête de gloire, mais dépourvu de la considération et de la renommée qui lui feront toujours défaut. Malgré des accusations – avérées – de plagiat, Jean Lorrain a du talent. Paul Morand écrit : « L'érudition de Jean Lorrain nous accable. » Un talent gâché à éructer contre ses contemporains. Pour cette raison, les portes de la naissante Académie Goncourt lui sont fermées.

Lorrain devient le prince de ce Paris décadent. Il compare la ville à l'antique Byzance, ou à Sodome et Gomorrhe. Il connaît un autre vice : une effrayante passion pour l'éther. Déjà miné par la maladie, Lorrain plonge dans les paradis artificiels que Charles Baudelaire a mis à la mode dans les milieux littéraires. Opium, morphine, il a tout essayé. L'éther est une drogue réservée aux femmes, dont les effets sont

---

1. Le seul duel refusé par Jean Lorrain fut celui avec Maupassant. L'auteur de *Bel-Ami* était un bien trop fin tireur. Jean Lorrain, qui l'avait écorné en le représentant dans le personnage de « Beaufrilan » dans *Très Russe*, connaissait sa réputation et se confondit en excuses de peur de voir ses jours mis en danger.

2. Philippe Jullian, *Jean Lorrain ou le Satiricon 1900*, Fayard, 1974.

hallucinatoires et dévastateurs. Si Lorrain vient à l'éther, c'est par accident. Aux prises avec une violente spasmophilie, son médecin lui prescrit un traitement à base de cette substance. Il découvre que plusieurs gouttes d'éther sur un morceau de sucre stimulent ses capacités intellectuelles. Il s'abreuve et s'abrutit de cet élixir propre aux désaxés. Il fuit l'affreux ennui et les horreurs du monde, qu'il décrit dans ses contes. Chez Lorrain, l'éther devient le breuvage qu'il fait consommer à ses convives dans des soirées qui tournent à l'orgie. Après le thé aux nuages d'éther pour Colette, la salade de fruits à base d'éther créée pour Liane de Pougy [1] devient célèbre. L'abus et le mélange des drogues le rendent fou, victime d'hallucinations dantesques qui l'obligent à reprendre ce poison qu'il sert à toutes les sauces. Sa névrose, associée à ce puissant stupéfiant, le conduit à y consacrer un ouvrage, *Contes d'un buveur d'éther*, en 1900. Il en tire ce constat : « C'était l'époque où je ne pouvais promener mes regards dans la solitude de mon cabinet de travail sans voir surgir d'équivoques pieds nus au ras des portières ou d'étranges mains pâles dans l'intervalle des rideaux ; l'affreuse époque enfin où l'air que je respirais était empoisonné par d'horribles présences et où je me mourais, exténué par d'incessantes luttes

---

1. Jean Lorrain était très lié à la célèbre courtisane de la Belle Epoque. Liane de Pougy était homosexuelle et, par jeu, ils avaient annoncé leur mariage. L'un des amants de Liane, qui lui avait légué à sa mort son crâne, lui écrivit : « Je te déshérite ! Tu n'auras pas mon crâne ! Je ne veux pas que M. Lorrain, ton mari, pisse dedans ! » (Denis Boissier, *op. cit.*) Au cours d'une soirée chez Liane de Pougy, Jean Lorrain avait invité une dizaine de lutteurs de foire. Ces derniers, enivrés par l'éther servi à fortes doses, s'affrontèrent nus dans le salon pour le plaisir des invités appartenant au grand monde. Mais l'on n'avait pas prévu que la fête dégénérerait en une orgie dans laquelle Liane faillit être violée. Une fois les lutteurs calmés et renvoyés chez eux, sauf un que Lorrain raccompagna lui-même, on s'aperçut que de nombreux bijoux avaient disparu.

contre l'inconnu, à demi fou d'angoisse au milieu de blêmes rampements d'ombres et d'innombrables frôlements. » Autour de Jean Lorrain, l'air devient irrespirable et empoisonné. Tout est imbibé d'éther. Le locataire qui prendra sa suite dans l'appartement de la rue Courty se suicidera. Il empeste si fort que, dans les salons, il n'a plus besoin de se faire annoncer, on le renifle ! Son haleine est pestilentielle. Ses parois intestinales sont perforées, et il ne cesse de vomir du sang. Il ne dort plus, passe des nuits en proie aux hallucinations ; des terreurs angoissantes le torturent. En juin 1893, il est hospitalisé pour neuf ulcères. Selon Lorrain, c'est pour oublier le grand chagrin d'amour causé par Judith Gautier, qu'il aurait abusé de l'éther : « Vous savez, l'éther, c'est comme un vent frais du matin..., un vent de mer qui souffle dans la poitrine [1]. » Plusieurs fois par an, il est obligé de quitter Paris. Sa plume acerbe et sa réputation scandaleuse, le nombre de ses ennemis, et ses procès en diffamation le contraignent à se retirer à Nice : « Nice, la dernière tombe où l'on cause, la dernière ville où l'on embaume », écrit-il dans l'*Ecole des vieilles femmes*. Il quitte Paris, n'ayant plus la force de se rendre dans les bouges de la rue de Lappe où les apaches dansent entre eux. Depuis la Riviera, Lorrain signe ses articles : « Le cadavre. » Dans une lettre à l'un de ses rares amis, Oscar Méténier, il écrit : « Je me souviens presque avec effroi de ce grand Paris boueux qui m'a pris beaucoup de ma jeunesse, beaucoup de ma santé et de mon honorabilité même ; les sinistres aventures m'apparaissent ridicules et médiocres et je me demande avec pitié : qu'est-ce que je

---

1. Cité par Arnould de Liedekerke, *La Belle Epoque de l'opium*, Editions de la Différence, 1984.

vais faire là-bas ? [...] Je me couche... Et le lendemain,
par la pluie battante, je suis rôdant sur les quais puants
et gluants de saumure, errant de cabaret en cabaret, à
la recherche d'un geste, d'une physionomie, d'un coin
de bouge même qui me rappellent le Paris infâme et
sinistre, dont j'avais la nausée la nuit même, ramené
aux mêmes gémonies par mon vice ancien [1]. »

Même sur la Riviera, il lui est difficile de jouir
d'une retraite discrète, auprès de sa mère qui ne le
quitte plus depuis 1892. Chacune de ses apparitions
est un événement.

Jean Lorrain devient célèbre en province grâce à
deux romans, *Monsieur de Phocas* (1901) et la *Maison
Philibert* (1905). Ce dernier, écrit pour éponger ses dettes, connaît un grand succès, sans toutefois égaler la
Maison Tellier de Maupassant, « l'ennemi d'enfance ».
Les journalistes locaux traquent l'écrivain dont « la
façade tient encore mais l'intérieur est en ruines ». Au
très jeune Francis Carco, qui vient le voir et ambitionne d'être écrivain, il confie : « Rien n'est plus
facile que d'avoir une mauvaise réputation. Mais tu
verras, plus tard, quel mal on a pour la garder. » Les
hommes de lettres de passage lui demandent audience ; les théâtreuses en mal de célébrité cherchent
ses faveurs ; les policiers l'embarquent lorsqu'on le
trouve, à quatre heures du matin, en train de bécoter
deux jeunes marchandes de fleurs sur un banc. Un jour,
à la suite d'une altercation, il gifle sa poissonnière
moustachue avec une anguille ; c'est un véritable pugilat, elle réplique à coups de limande. Le pâtissier de la
place Masséna, Vogade, fera les frais de ses humeurs :
il manque de ruiner son entreprise en faisant courir le
bruit que l'honnête commerçant a la lèpre !

---

1. Jean Lorrain, *Correspondance*, La Baudinière, 1929.

Le 12 juin 1906, Jean Lorrain est de retour à Paris. Il confie à sa mère, dans une de ses dernières lettres : « Ah ! ce Paris ! je le hais. » Quinze jours plus tard, il souffre d'une crise d'hémorroïdes qui le tord de douleur. Tentant de s'administrer un lavement pour soulager ses maux, il est victime d'une perforation du côlon entraînant une hémorragie interne. Le 28 juin, son secrétaire [1] le trouve inanimé dans son cabinet de toilette. Sa mère accourt à son chevet, le veille jusqu'à la dernière seconde. Le 30 juin, comme Tristan Corbière, il meurt dans ses bras. Malgré la haine que lui vouaient les milieux littéraires, plus de cinq cents personnes assistent à ses obsèques. Paul Morand écrit : « Nous devons aimer l'homme pour sa méchanceté tendre et l'absurde naïveté de sa vie. »

Mécislas Golberg, le bohème anarchiste du Quartier latin

En cette nuit de Noël 1891, les rares Parisiens qui arpentent les rues par un froid glacial se demandent si le diable n'est pas à Paris. Un cadavre ambulant hante le Quartier latin. L'incarnation de Satan se meut, semblable à un vautour de jardin zoologique, affublé de vêtements de miséreux. C'est durant la nuit de la nativité, avec cent sous en poche, que Mécislas Golberg, désespéré, malade et chancelant, frappe à la porte de la chambre d'un de ses coreligionnaires polonais. Il deviendra bientôt « l'épique déchet des

---

1. Il l'avait ramassé sur les berges de la Seine, revêtu d'un tricot de marin et d'un pantalon à carreaux. Il était parfois obligé d'aller le chercher au poste de police, parce qu'il avait commis des menus larcins.

ghettos », un mendiant sublime et, à l'égal de Gide, l'un des grands moralistes contemporains, mais surtout la figure d'un paria et celle d'un repoussant martyr. En 1932, dans une lettre à José David, André Gide se souvient de cet être miséreux, qui se disait alcoolique, syphilitique et tuberculeux : « Qui était Mécislas Golberg ? Un réfugié polonais, je crois, d'origine douteuse, de confession incertaine (Juif sans doute), un étrange bohème d'aspect famélique, une sorte d'illuminé de grande intelligence, d'un don littéraire indéniable, ainsi qu'en témoignent ses nombreux écrits, mais d'un grand désordre de vie et de pensée qui laissait à l'état quasi chaotique le plus grand nombre de ses projets, connu de tous les poètes et demi-poètes du Quartier latin... »

Fils de riches commerçants polonais, Mécislas Golberg est né le 21 octobre 1868 à Plock. Deuxième de neuf enfants, il est doué pour les études mais, parce qu'il est juif, est renvoyé de son collège. Ses parents l'envoient étudier la médecine et la littérature à l'université de Genève avec comme professeur Edouard Rod, futur auteur des *Idées Morales du temps présent*, qui aura une grande influence sur Maurice Barrès. Mécislas Golberg se nourrit des aspirations libertaires et nihilistes de son époque. Il est convaincu que la propriété c'est le vol, et l'Etat l'ennemi. Juif exilé, à la dure école de la misère, il souscrit aux idées prolétariennes. Croyant échapper aux humiliations et à la Pologne tsariste, licencié ès sciences sociales de l'université de Genève, Mécislas Golberg, avec quelques sous en poche et connaissant mal la langue française, décide de tenter sa chance à Paris. Il espère trouver une place de journaliste littéraire, et marcher sur les traces de l'idéologie libertaire prônée par Bakounine, Kropotkine ou Elisée Reclus.

Il faut voir errer sur le « Boul' Mich' » ce pauvre clochard mélancolique, avec sa silhouette maigre, son nez disgracieux soutenant un vieux monocle tordu, traînant déjà la jambe et s'arrêtant parfois, plié en deux par une quinte de toux, laissant penser qu'il a contracté la tuberculose. Décidé à ne jamais céder au salariat, il est sans domicile fixe, occupe des grabats sinistres et on ne lui connaît aucune ressource, si ce n'est la pension octroyée par ses parents qui seront bientôt ruinés. Admirateur de la pensée française, il collabore à des petites revues, dont la plupart ne le payent pas, mais grâce auxquelles il parvient à se faire connaître dans les milieux symbolistes et anarchistes. Parce qu'il est hostile à Barrès, on refuse de l'intégrer au groupe de la *Plume*[1] dirigé par Léon Deschamps. Malgré sa laideur qu'on dit repoussante, il entretient une liaison avec une jeune étudiante, Berthe Charrier. La souffrance de n'être qu'un miséreux rejeté, les premiers symptômes de la maladie ou l'admiration pour son frère aîné, officier dans l'armée polonaise, anarchiste et qui vient de se loger une balle dans la tête, le conduisent à tenter de se suicider en avalant du poison. C'est un homme moribond que l'on transporte à l'hôpital Lariboisière et qui va, par miracle, échapper à cette mort souhaitée. Mécislas Golberg, au lendemain de cette tentative, un an après son arrivée à Paris, jouit d'une éphémère célébrité dans le périmètre du Quartier latin. Son état de santé ne lui permet

---

1. A partir de 1889, et durant dix ans, cette revue sociale de littérature, de critique et d'art indépendant, sera l'organe officiel du mouvement symboliste. De grands écrivains tels Paul Verlaine, Laurent Tailhade, Jean Moréas, Charles-Louis Philippe, Louis Dumur, Adolphe Retté y donneront leurs vers ou y publieront leurs premières œuvres. Sur Maurice Barrès, Golberg écrit : « Il a compris que le public est idiot et qu'il peut, en exploitant la bêtise, se créer une vie agréable. Il manque de rigueur [...] c'est une inintelligence intellectuelle ou plutôt la rue littéraire. »

pas de s'éloigner de la rive gauche de la Seine. Le
poète Emmanuel Signoret, qui le soutiendra dans la
misère, le recueille. Golberg collabore à des journaux
anarchistes dont l'un d'entre eux est infiltré par la
police afin de mieux repérer et surveiller les activis-
tes. Accusé d'être un indicateur et un mouchard, il
comparait devant un tribunal anarchiste qui l'inno-
cente. Mais, à cette époque, l'infortuné Mécislas Golberg a d'autres préoccupations : il est désormais père
d'un petit garçon. La mère, Berthe Charrier, a abandonné l'enfant – prénommé aussi Mécislas – aux bons
soins de son géniteur, lequel demeure dans une misère
effroyable. De retour dans son logis d'ouvrier, il a
trouvé le nourrisson sur le perron de sa porte, un
papier épinglé sur son lange. Son appartement se
réduit à une seule pièce qu'éclaire une chandelle posée
sur le sol, avec pour meubles, un matelas et une
commode. Durant quelques mois, il parvient à élever
l'enfant grâce au lait volé dans les étages, en revendi-
quant le statut de fils-père [1]. Prise de remords, la
mère finit par réapparaître et l'on n'entendra jamais
plus parler de l'enfant, jusqu'au fait divers qui sur-
viendra au début des années 1920.

Toujours réfractaire au travail, Mécislas Golberg se
tourne vers le petit peuple de Paris, celui du sous-
prolétariat, des parias, des *Misérables* du père Hugo, de
tous les travailleurs non-professionnels vivants de
petits métiers, et du monde des clochards et des vagabonds auquel il appartient. Il affirme que l'anarchie
doit s'éloigner des discussions trop académiques et
« féconder la foule créatrice et essentiellement libertaire des vagabonds du travail qui sont pour la nouvelle

---

1. Il écrit : « L'enfant est l'accident de l'amour. Seule est forte et digne
d'admiration la femme voulant vivre toutes ses responsabilités et suivre son
chemin sans entraves, le supprime ou l'abandonne. »

économie ce qu'est l'électricité pour la physique [1] ». Il fonde un organe à leur intention, *Sur le Trimard*, qu'il rédige, entre deux fièvres, sur son lit de misère en s'adressant à « ceux qui crèvent aujourd'hui de faim, les sans-travail qui produisent dans trois ou quatre mois de travail, plus de travail utile que ceux qui turbinent toute l'année ». Après quelques numéros, c'est l'échec, comme l'a démontré André Salmon dans la *Terreur noire* : « *Sur le Trimard* a crevé rapidement pour n'avoir jamais été lu que par des intellectuels capables de se poser des questions du genre social [...] singulièrement moins nombreux que ne voulut la légende. » Malgré plusieurs tentatives afin de relancer le journal, qui deviendra un organe en faveur de la défense de Dreyfus, cette nouvelle déconvenue se conjugue avec un arrêté d'expulsion pris à son encontre, sur les instances de la police russe. Mécislas Golberg se réfugie à Londres en janvier 1897. Il connaît une déchéance pire que celle vécue à Paris, et exerce ces petits métiers glorifiés dans *Sur le Trimard*. Il est marchand de café ambulant. André Salmon a narré cet épisode dans ses *Souvenirs sans fin* : « Son appareil sur le dos, et à la main un petit lot de tasses réunies par quelque lien, Mécislas Golberg, poète et philosophe, se traînait par les rues de Londres en criant sa marchandise, offrant aux passants gelés sa boisson chaude. Le commerce marchait plus ou

---

1. Bakounine voyait déjà dans ces déshérités les forces vives de cette révolution qu'il appelait de ses vœux : « Cette chair à gouvernement éternelle, cette grande canaille populaire qui, étant à peu près vierge de toute civilisation bourgeoise, porte en son sein, dans ses passions, dans ses instincts, dans ses aspirations, dans toutes les nécessités et les misères de sa position collective, tous les germes du socialisme de l'avenir, et qui seule est assez puissante aujourd'hui pour inaugurer et faire triompher la Révolution Sociale. » Citation tirée de l'ouvrage de Pierre Aubery sur Mécislas Golberg, spécialiste de l'œuvre de cet « anarchiste et décadent ».

moins. Mais les pauvres gosses n'ayant pour se distraire pas beaucoup mieux que les ressources de la
méchanceté, de la cruauté, les gosses errants si nombreux dans les rues de Londres, avaient tôt fait de
repérer cette gueule de Juif malade avec sa chaudière à
café sur le dos. [...] Et le plaisir pervers des chers
petits voyous à qui les plaisirs sont mesurés et dont
c'est un devoir d'apprendre vite à se moquer de la vie,
s'amenant sournoisement derrière Mécislas, derrière
le poète et philosophe. Ils s'amenaient sournoisement,
doucement, ricanant de ce ricanement terrible propre
aux pauvres contents de se venger de tout, fût-ce sur
un autre pauvre ; et ils ouvraient le petit robinet de
l'appareil encombrant, et alors le café brûlant coulait
sur les maigres fesses de Mécislas Golberg, poète et
philosophe. » C'est durant cet horrible séjour à Londres que sa tuberculose s'aggrave.

Dans les mois qui suivent, la vie de Mécislas Golberg se résume à une longue série d'errances dans
plusieurs pays européens, dont il connaîtra les geôles
et des démêlés sans fin avec la police. En décembre
1897, il peut, grâce à un permis de séjour temporaire,
rentrer à Paris. La condition requise est le renonce-
ment à la vie politique, ce qui est lui est impossible à
cause de sa promesse de lutter contre les injustices et
son dégoût pour les parlementaires dégénérés et les
bourgeois. La France est plongée dans les multiples
rebondissements de l'affaire Dreyfus. La destinée de
Mécislas Golberg est mêlée à l'antisémitisme. En
1898, après un nouveau séjour à la Santé, il est victime d'une seconde menace d'expulsion et écrit à
Zola, en lui demandant de présider une réunion
d'étudiants en faveur de Dreyfus : « Juif errant ! Juif
errant ! Me voilà obligé de porter les fardeaux des
crimes imaginaires d'un peuple. » Son engagement

pour la réhabilitation du capitaine déchu, sert de prétexte aux autorités pour reconduire l'arrêté d'expulsion. Il se réfugie en Belgique, où il plaide en faveur
d'un autre exilé, Emile Zola, qui mène en Angleterre,
sous de fausses identités, une vie de dilettante. On
doit à Mécislas Golberg d'avoir été à l'origine du lien
entre les dreyfusards belges et français, et d'être
l'initiateur du *Livre d'Hommage des lettres françaises à
Emile Zola*. Bientôt, les milieux intellectuels français
s'émeuvent d'une telle injustice à l'encontre de celui
que les milieux d'extrême droite dénoncent dans des
textes insultants. Le jeune avocat Anatole de Monzie –
futur ministre de la IIIe République – défend Golberg
en parvenant à lui obtenir un sursis. Cette accalmie lui
permet de publier un recueil de nouvelles et de poèmes en prose, *Vers l'Amour*. Un comité s'érige en sa
faveur : le « Comité Golberg », groupant des mécènes
sous la présidence de Paul Adam, dans lequel on
compte Emile Bourdelle (qui réalisera son buste),
André Gide, Jean Lorrain, Maurice Magre, Anatole de
Monzie, Maurice Maeterlinck, André Rouveyre, Laurent Tailhade ; autant de grands noms qui parrainent et
financent, en admirateurs sincères, ses *Cahiers*, et son
œuvre en phase de devenir estimable. Mais la maladie
qui commence à le ronger l'entraîne vers de nouveaux
périples, d'hôpitaux en sanatoriums, toujours en sursis
d'une nouvelle expulsion.

En 1903, Mécislas Golberg – devenu critique d'art
– se lie d'amitié avec le jeune Apollinaire sur lequel il
a une forte influence, comme le souligne André
Rouveyre : « La plupart des théories qu'Apollinaire a
répandues, et qui ont fait fortune avec tant de bruit et
d'excitation dévergondées, notamment sur les bases
propres de l'expression dans la déformation et la
spiritualisation des lignes et les plans sont de Golberg.

Il a fixé nettement tout cela et le développait encore autour de Matisse, lorsqu'il mourut [1]... » Les plus grands spécialistes, dont Pierre Cabanne, ont vu dans les écrits de *La Morale des lignes*, datant de 1904, et publiés après sa mort en 1908, un texte prémonitoire et la prescience du cubisme : « L'art est l'annotation fidèle des proportions géométriques d'un objet et de leur rapport avec une harmonie ou une émotion [...] Il y a des hommes à cercles et des hommes à carrés. Il y a des visions de têtes, de bras, d'articulations, qui semblent sorties du livre immortel d'Euclide. Il faudrait indiquer, en art, déformations primordiales, matérialités et formes. »

A la fin de l'année 1907, phtisique au dernier degré, Mécislas Golberg, toujours ardent défenseur des chiffonniers et des mendigots, précurseur du bolchevisme, se sait condamné. Le 7 décembre, il écrit : « Malgré moi je reviens vers l'idée stupide, superstitieuse. C'est mon tour. La fatalité muette jusqu'à ce jour donne des avertissements et trace son menu... Que nous sommes miséreux. Les plus misérables parmi les gueux de la vie. Nous mendions à la norme, à la superstition, à l'art, un peu de vie. Nous sommes entièrement au hasard. Plus joueurs que ceux qui jouent à Monte-Carlo nous jetons nos rêves sur le tapis et nous construisons nos rêves fous. Nous sommes à l'inconnu qui guette notre vie [2]. » Au seuil de la mort, il parvient à réunir ses dernières forces et rédige son faire-part de décès qu'il envoie à quelques proches. A cette époque le « Comité Golberg » n'existe plus, et peu se déplaçaient pour lui rendre visite au sanatorium.

---

1. André Rouveyre, *Mercure de France*, 15 avril 1922.
2. *Feuillets du Journal du malade*, Pierre Aubery, *op. cit.*

*
* *

Qu'advient-il du fils de Mécislas Golberg ? La santé aussi précaire de l'enfant le conduit à abandonner les études et exercer des petits métiers. Il commet des petits larcins qui le conduisent plusieurs fois en prison. Vient alors le tragique fait divers de l'attaque du rapide Paris-Marseille, le 25 juillet 1921. Chargé de faire le guet, Mécislas Charrier est le complice de deux criminels qui dévalisent un wagon de première classe. Un jeune polytechnicien tente de s'interposer. Il est abattu. Une fois le signal d'alarme tiré, les trois bandits s'évaporent dans la nature. Les auteurs du meurtre sont retrouvés à Paris à la terrasse d'un café. Au cours d'une fusillade avec la police, les deux malfrats sont tués, ainsi qu'un inspecteur. De son côté, Mécislas Charrier est arrêté en possession d'une forte somme d'argent et les preuves de sa participation à l'attaque. Le procès s'ouvre le 28 avril 1922, et la personnalité du père est évoquée à la barre. Depuis plusieurs semaines, une virulente campagne de presse présente Mécislas Charrier comme le fils naturel de l'indigne Mécislas Golberg. Dans l'*Action française*, on salit la mémoire du père, en rappelant qu'il ne fut qu'un « épouvantable Hébreu [...] un judéo polonais, un de ces individus d'intellectualité malsaine que quelques niais du Quartier latin et d'ailleurs prennent au sérieux et que les sentines de l'étranger déversent chez nous ».

Bien qu'il ne soit pas le meurtrier, l'issue du procès ne fait aucun doute. La morgue de Mécislas Charrier attire les foudres du Président, quand il lui lance :

« Ma tête, bourgeois... Je vous défie de la prendre ! »

Mécislas Charrier va donc expier les fautes imaginaires de ce père dont il ne connaît rien, mais dont il se réclame. Le 3 août 1922, à quatre heures du matin, chantant *L'Internationale*, le fils de Mécislas Golberg se rend vers l'échafaud. Au moment où le couperet s'abat, il a le temps de crier : « Vive l'Anarchie ! » Il sera le dernier anarchiste condamné à la peine capitale.

Alfred Jarry, l'Ubu roi

Durant l'année scolaire 1888-1889, Félix Frédéric Hébert est professeur de physique au lycée de Rennes. Jugé pitoyable par sa hiérarchie, homme glabre au physique ingrat, il est incapable de faire preuve d'autorité face à ses élèves. Son cours n'est qu'un chahut indescriptible, et le professeur en est réduit aux fleurs pour tenter de rétablir un semblant de discipline, punissant toujours ceux qui sont innocents. Surnommé par ses élèves « Père Eb », « Hébon », « Père Ebé », « Ebance », « Ebouille », deux frères, les Morin, imaginent un spectacle de marionnettes où le professeur serait mis en scène dans une farce comique, frisant le ridicule, qui s'intitulerait le *Polonais*[1]. La pièce, anarchisante, dont le manuscrit original est perdu, est jouée chez leurs auteurs, et dans l'assistance on compte la fille du professeur. Alfred Jarry, jeune étudiant, confectionne le décor des marionnettes, appelé « Théâtre des Phynances ». Il vient d'entrer en classe de première.

---

1. Le Père Ebé devient roi de Pologne, instaurant dans son royaume un régime de terreur, assassinant ses rivaux et réduisant à l'esclavage les paysans. Le roi de Pologne – personnage grotesque – finira par être déposé de son trône.

Né à Laval le 8 septembre 1873, Alfred Jarry vit dans une famille bourgeoise. Titulaire de sept premiers prix en classe de seconde, à l'exception de celui de physique, il tente, après s'être installé à Paris en 1891, le concours de l'Ecole normale supérieure. Il échoue une première fois et s'inscrit au lycée Henri IV, en classe de rhétorique supérieure, en suivant les cours très prisés de Bergson. Quatre victoires au concours de l'*Echo de Paris illustré,* dont Marcel Schwob est le directeur du supplément littéraire, n'effacent pas ses trois échecs au concours d'entrée à l'Ecole normale supérieure. Alfred Jarry, très doué pour les lettres, se fait un nom dans les milieux littéraires du Quartier latin. On l'admet dans le cercle du *Mercure de France.* En 1894, il devient le protégé du très influent Remy de Gourmont, avec lequel il fonde une revue d'estampes, l'*Ymagier.* Grâce à lui, il publie un conte et un poème dans le *Mercure de France,* puis son premier livre *Les Minutes de sable mémorial,* qui séduira moins d'une centaine de lecteurs. Ce premier élan littéraire est brisé par le service militaire. N'ayant pas l'argent pour s'y soustraire, après treize mois de tentatives infructueuses, il parvient à se faire réformer [1]. Durant cette période, il apprend la mort de son père [2] dont il touche — en

---

1. La veille de son conseil de révision, pour être réformé, il avale un litre de teinture de Lyon. Ses cheveux en garderont, à jamais, des reflets verdâtres. Il est quand même incorporé. Il sera réformé pour imbécillité précoce – quand on lui ordonne de balayer la cour, il demande dans quel sens – et lithiase biliaire chronique. L'absorption d'importantes quantités d'acide picrique l'avait conduit au Val-de-Grâce.

2. Il semble qu'il ait eu peu d'affection pour l'auteur de ses jours : « Notre père était un bougre dénué d'importance, ce qu'on appelle un bien brave homme. Il a fait certainement notre sœur aînée, une fille 1830 aimant à mettre des rubans dans les cheveux, mais il ne doit pas être pour grand-chose dans la confection de notre précieuse personne. » Rachilde, *Alfred Jarry, ou le Surmâle des lettres,* 1928.

compagnie de sa sœur – un confortable héritage qui va être très vite dilapidé.

De retour à Paris au début de l'année 1896, Alfred Jarry décide de se consacrer à sa carrière littéraire, qu'il va très vite mettre en péril par l'une de ses nouvelles facéties. Berthe de Courrière est l'égérie de son mentor, Remy de Gourmont. Cette demi-mondaine s'est déjà glissée dans le lit du général Boulanger et a inspiré le sculpteur Clésinger pour le buste de Marianne. Elle est dépourvue d'ascendance noble, mais s'octroie une particule. Cette nympho-mane, bien connue dans le monde des lettres, affec-tionne les messes noires et entretient plusieurs liaisons avec des ecclésiastiques. Elle aurait inspiré Huysmans pour le personnage de Madame Chantelouve dans *Là-Bas*. Férue d'occultisme, à moitié folle et d'apparence masculine – elle chausse du 42 –, Rachilde lui fait croire qu'Alfred Jarry est amoureux d'elle. Dès lors, « la vieille dame », comme on la surnomme dans le cénacle du *Mercure de France*, ne cesse de le harceler, lui adressant des lettres enflammées auxquelles il ne répond pas, car jamais on ne lui connaîtra la moindre liaison avec une femme [1]. Il repousse donc avec pu-gnacité ses avances. Un jour, elle change cinq fois de robes devant lui et, face à son manque de réaction, lui dit : « J'ai des robes fendues sur le côté afin qu'on aperçoive dessous mes caleçons jaunes, et il suffit de défaire une seule agrafe pour que s'évanouisse toute la robe [2]. » Peine perdue ; Alfred Jarry est insensible au charme animal de cette nouvelle Berthe aux grands

---

1. Pas plus qu'avec un homme bien que soit évoquée l'éventualité d'une relation avec Léon-Paul Fargue. Dans le *Surmâle*, il écrit : « L'amour est un acte sans importance, puisqu'on peut le faire indéfiniment. »

2. Alfred Jarry, *L'Amour en visites*, *Œuvres Complètes*, Gallimard, La Pléiade, 1972.

pieds. Vexée, elle se plaint à Remy de Gourmont qui prend son parti. Il se fâche avec Jarry qui vient de la ridiculiser dans un conte où, publiant les lettres qu'il a reçues, elle est traitée de « vieux dromadaire » et son courtisan, Remy de Gourmont, de « vieux daim [1] ». Dès lors, Jarry perd la précieuse amitié de l'auteur du *Livre des Masques* et son puissant réseau d'influence. C'est un coup fatal à sa carrière. Toutes les portes se ferment. A partir de 1898, malgré l'amitié de Rachilde et Valette, plus aucun article de Jarry ne paraît dans le *Mercure de France*, et il se tourne vers la *Revue Blanche*, qui connaît une baisse importante de ses abonnés.

Bientôt, Alfred Jarry se trouve dans un affreux dénuement. Il soufre de malnutrition et d'une surconsommation d'alcool. Il alterne les cuillerées de soupe avec celles d'absinthe, d'encre, et de drogues diverses. Le brillant élève du lycée de Rennes vit dans une bohème qu'André Billy qualifie d'extrême : « Alfred Jarry reste le type de ces écrivains légendaires et anecdotiques dont les excentricités souvent pitoyables jalonnent l'histoire littéraire du XIXe siècle. Il a été, non le dernier, mais un des derniers en date de la série. Avec lui, le genre culmine, la bohème marque son point extrême [2]. » Pris de passion pour le vélocipède, il se balade en costume de cycliste, toujours chaussé d'espadrilles, été comme hiver. Invité à une opérette, parce qu'il n'a pas les moyens de se payer une chemise, il peint un nœud papillon sur une large feuille blanche qu'il glisse dans sa veste ; après avoir bataillé avec l'ouvreur, méfiant, qui a voulu lui refuser l'entrée, il est renvoyé vers les places les plus éloignées.

---

1. Qui est, selon Jarry, le masculin de « vieille dame ». Source : Charles Dantzig, *Remy de Gourmont*, Grasset, 2008.
2. André Billy, *L'Epoque Contemporaine 1900-1930*, Tallandier, 1956.

Dès que le spectacle commence, il se lève et lance à l'auditoire : « C'est un scandale ! Comment peut-on laisser rentrer dans cette salle les spectateurs des trois premiers rangs, qui dérangent tout le monde avec leurs instruments de musique ? » Un jour de deuil, alors qu'il suit le cortège, Octave Mirbeau fait remarquer à Alfred Jarry que son pantalon n'est pas très convenable ; il lui répond : « Oh ! Nous en avons de plus sales [1]... » A l'enterrement de Mallarmé, n'ayant pas de chaussures, il emprunte les bottines jaunes de Rachilde en faisant sensation. Imitant Baudelaire qui se teignit un jour les cheveux en vert, Jarry, qui empeste l'alcool et l'éther, se barbouille dans la même couleur le visage et les mains. Gâchant toutes ses chances, il est invité par le richissime propriétaire du journal *Le Matin*. Alors que le domestique remplit les verres, Alfred Jarry brandit le sien en proposant à l'hôte généreux et attentionné de les entrechoquer. Comme celui-ci lui fait remarquer que ce geste est réservé aux gens du commun, Jarry lui répond, comme toujours au mode impersonnel lorsqu'il parle de lui : « Mais c'est bien ainsi que nous l'entendons ! »

Après avoir été expulsé de son appartement du boulevard Saint-Germain, il habite rue Cassette, au numéro sept, dans un demi-étage dont les propriétaires ont coupé le logement en deux – dans le sens de la hauteur – pour tirer encore plus de profit de leur bien. La seule condition requise étant de trouver des locataires de petite taille. C'est un affreux logis, que Jarry appelle « la Grande Chasublerie », où des empreintes de doigts sanglants courent sur les murs des couloirs. Lorsqu'on frappe à la porte de l'appartement de Jarry, au « deuxième et demi », elle s'ouvre sur sa

---

1. Cité par Hubert Juin, *Les Ecrivains de l'avant-siècle*, Seghers, 1972.

poitrine. Il ne faut pas rentrer trop vite au risque d'être scalpé et, si l'on est trop grand, on doit marcher en se courbant. On peut découvrir la célèbre toile du compatriote d'Alfred Jarry – le Lavallois Henri Rousseau auprès duquel il a un temps trouvé refuge – qui l'a peint en compagnie d'un caméléon et d'un perroquet. Il a découpé son visage, comme s'il voulait à jamais faire disparaître son image [1]. Alfred Jarry, qui mesure un mètre soixante, tient à peine debout dans cette pièce unique, éclairée par un vasistas et dans laquelle il vit au milieu de la saleté et d'un capharnaüm immonde, entouré d'objets religieux et de hiboux qu'il nourrit de viande pourrie. Sur la cheminée trône un imposant phallus en plâtre et, lorsqu'on lui demande s'il s'agit d'un moulage, il répond que c'est une réduction. Rachilde a donné un précieux témoignage de cet Alfred Jarry, que tout le monde appellera bientôt « Père Ubu » : « Il vivait comme un reclus, dormant le jour après avoir passé des nuits à boire et à étourdir ses camarades par les récits les plus contradictoires, mélangeant, comme en son propre verre, les mixtures les moins faites pour s'accorder entre elles... Il poussait la mystification jusqu'à se mystifier lui-même [2]... »

*
* *

Son heure de gloire, précédant une longue descente aux enfers, Alfred Jarry la connaît sur les planches du Théâtre de l'Œuvre. Au cours de l'année 1895 – alors qu'il est encore admis aux « mardis » de Rachilde – il

---

1. Cette peinture a dû être détruite, ou réduite en cendres un soir de grand froid.
2. Rachilde, *op. cit.*

a lu, dans l'hilarité générale, de courts extraits d'une pièce de théâtre mettant en scène les aventures burlesques du personnage peu gâté par la nature, inventé par les frères Morin au lycée de Rennes. Le 11 juin 1896, les éditions du Mercure de France publient le texte de Jarry, remanié, comportant de nombreuses versions. C'est l'inattendu retour du « Père Ebé » rebaptisé pour la circonstance en « Père Ubu ». *Ubu roi* et *Ubu cocu* voient le jour sur les planches à la fin de l'année 1896, et marqueront un point de rupture entre le classicisme et le théâtre d'avant-garde, dont Jarry est l'initiateur. Sans *Ubu roi*, il n'y aurait pas eu les *Mamelles de Tirésias* d'Apollinaire et le surréalisme. La presse, qui a éreinté le texte audacieux, attend la première, dont on dit qu'elle va causer un tel scandale qu'elle n'ira même pas jusqu'à son terme. Le Tout-Paris a tenu à assister à cette représentation anarchiste et antimilitariste, très houleuse dans le contexte de l'affaire Dreyfus. Comme Victor Hugo pour la bataille d'*Hernani*, Alfred Jarry a tout prévu. Par peur du fiasco, ses amis ont pour mission, lorsque la salle conspue, d'applaudir à tout rompre, ou si le contraire se produit – ce qui paraît peu probable – de provoquer le charivari en proférant d'effroyables malédictions ! Willy, qui est présent lors de la première, se souvient d'un Jean de Tinan « partagé entre deux courants d'opinions violemment antithétiques, qui s'ingéniait à les concilier en applaudissant à grand fracas tout en sifflant comme un merle [1] ». L'auteur orchestre une campagne de publicité qui lui assure, dès le premier soir, une salle pleine. Les spectateurs ignorent alors que, dès les premières secondes, ils vont recevoir une magistrale insulte. Jarry, qui cultive

---

1. *Souvenirs littéraires... et autres*, Editions Montaigne, 1925.

le goût de la provocation, sait que la pièce se transformera en un affrontement direct avec le public. Il monte sur la scène et observe la salle de son regard de chouette, annonçant aux spectateurs déjà chauffés à blanc, qu'il a procédé à de nombreuses coupures souhaitées par les acteurs. Puis le rideau tombe durant d'interminables minutes, s'ouvrant enfin sur un décor représentant, à droite comme à gauche, une forêt et, au centre, un petit décor de salon avec une pendule et une cheminée. Un acteur, camouflé en Père Ubu avec sa grosse tête piriforme en carton, s'avance vers le public suffoqué et lance la déformation du mot de Cambronne : MERDRE! Un concert de huées fuse, couvert par les applaudissements attendus. Un spectateur – Tristan Bernard – se lève en criant MANGRE! Le critique Francisque Sarcey l'imite en déclarant : « Je ne tolérerai pas qu'on se moque de moi davantage! », et se retire; Courteline se met à hurler : « Vous ne voyez pas que l'auteur se fout de nous! »; derrière lui une spectatrice lui lance « Vieux con! ». Alors, au fil des scènes, les « merdre » fusent : « Merdre de bougre »; « Bougre de merdre »; « Chouxfleurs à la merdre »; « Grosse merdre »; « Cornegidouille! Ouvrez, de par ma merdre »; « Ah voilà le sabre à merdre »; « Jo tou tue au moyen du croc à merdre et du couteau à figure »; « Gare au croc à merdre!!! »; « Sac à merdre ». Cette avalanche de « merdre » fait dire à Oscar Wilde, présent dans la salle et qui n'a rien compris : « L'essentiel de la pièce consistait en ce que tous les personnages se disaient "merde", pendant les cinq actes, apparemment sans raison [1]. » Dans son *Journal*, Jules Renard prophétise : « S'il n'écrit pas demain qu'il s'est moqué de nous, il

---

1. Lettre citée par Patrick Besnier, *Alfred Jarry*, Plon, 1990.

ne s'en relèvera pas. »

Une fois calmée ou lassée d'entendre « merdre », l'autre partie de la salle qui n'est pas hostile à l'auteur, parvient à discerner, dans un chahut indescriptible, ces répliques dont certaines – un sommet d'irrévérence – sont de l'invention de Jarry :

« J'ai changé le gouvernement et j'ai fait mettre dans le journal qu'on paierait deux fois tous les impôts et trois fois ceux qui pourront être désignés ultérieurement. Avec ce système j'aurai vite fait fortune, alors je tuerai tout le monde et je m'en irai. »

« Sabre à finances, corne de gidouille, madame la financière, j'ai des oreilles pour parler et vous une bouche pour m'entendre. »

Dans l'assistance, un homme s'estime lésé et le fait savoir, c'est Charles Morin, l'inventeur du Père Ubu et de son célèbre « Merdre ! ». Aujourd'hui colonel d'artillerie, il dénonce le plagiat. Jarry, qui l'avait rencontré plusieurs années auparavant, lui avait fait part de son souhait de ressusciter le personnage de leur adolescence. Morin l'avait mis en garde : « Il n'y a pas de quoi être fier d'avoir fait de pareilles âneries [1]. » Henri de Régnier a bien pressenti ce que sera désormais l'avenir de l'écrivain incarné à jamais en Père Ubu : « Jarry, dès lors, ne fut plus que le Père Ubu... Parfois, il essaie de redevenir Alfred Jarry. Il écrit *L'Amour en visite*, *L'Amour Absolu*, le *Surmâle*, mais ces publications n'excitent plus l'attention. »

Voilà donc Jarry célèbre, mais une célébrité qui ne lui rapportera pas d'argent, car la pièce sera jouée deux fois au Théâtre de l'Œuvre et connaîtra maints déboires en province. Les livres qu'il publie se vendent à quelques centaines d'exemplaires et c'est avec

---

1. Denis Boissier, *op. cit.*

difficulté qu'il place des articles ou des contes dans les rares journaux ou revues qui veulent encore de lui. Cette célébrité, Jarry la doit avant tout à ses multiples frasques qui en font un personnage peu recommandable. Alfred Jarry fait peur. Il porte un pistolet dont il ne se sépare jamais, et dont il fait usage à la moindre occasion. Chez lui, il tire sur les araignées qui courent sur le mur, sans détériorer les toiles, « parce que ça fait joli ». Lors de leurs nombreuses promenades nocturnes, Apollinaire l'a vu dégainer son arme parce qu'un passant lui demande sa direction, le faire reculer de cinq pas, le mettre en joue et accéder à son souhait. Un jour, c'est dans un café qu'il se lève et, incommodé par la fumée de la pipe de son voisin, vise le fourneau de bruyère, la balle allant se loger derrière le bar en brisant tous les verres sur sa trajectoire. A la Closerie des Lilas, voulant engager la conversation avec sa voisine, il tire dans un miroir face à lui et se retourne vers la femme terrifiée : « Maintenant que la glace est brisée, causons. » Si par malheur l'omnibus est surchargé, il fait de la place en tirant en l'air. Au cirque Bostock, sur l'hippodrome de la rue Caulaincourt, Jarry et Apollinaire assistent à une séance de dressage. Pressentant que le dompteur, inexpérimenté, est en train de courir un grave danger face à la bête récalcitrante, le Père Ubu dégaine avec la rapidité d'un cowboy et vise le lion, qu'il aurait abattu si Apollinaire et une ouvreuse n'étaient pas intervenus. Excédé par Manolo, qu'il juge trop sobre dans un banquet d'ivrognes, il tire sur lui à balles réelles. Elles se logent toutes dans le plafond. Lors d'une soirée du *Mercure de France* à la Taverne du Panthéon, c'est le poète belge Christian Beck qui est mis en joue par Jarry, ivre d'absinthe, et qui se moque de son bégaiement : « Et main te nant nous allons tu der le pe tit

Beck [1]. » Au moment d'appuyer sur la détente, quelqu'un baisse le commutateur, et le coup part dans le
noir. Par chance, l'arme est chargée à blanc ; seul un
voisin se plaint d'avoir reçu la bourre dans l'œil !
Certaines fois, on frôle le drame. Alors qu'il réside
dans une bicoque de bois jouxtant la maison de campagne de Rachilde, il monte sur le toit pour dégom-
mer les pommes de la voisine. Les enfants qui jouent
sous l'arbre manquent d'être blessés. Quand la voisine, furibarde, hurle à Jarry :

« Arrêtez, misérable ! vous allez tuer mes enfants ! »

Il répond :

« Ce n'est pas grave, Madame, nous vous en ferons
d'autres. »

A la mort de Jarry, c'est Picasso [2] qui va hériter de
son revolver. Il en fera le même usage pour se débarrasser des fâcheux qui l'importunent, tentant de
percer les secrets des *Demoiselles d'Avignon*.

Depuis plusieurs mois, Jarry a quitté la capitale
pour vivre à la campagne. Il habite dans un réduit,
surnommé le Tripode, qu'il s'est construit au bord de
la Seine. Au moins deux fois par an, les crues du
fleuve submergent d'eau boueuse la masure. Cela ne
l'empêche pas de travailler et, impuissant, il assiste,
juché sur sa table qui lui sert de lit, à la montée des
eaux. Il a suspendu au plafond sa bicyclette, son bien
le plus précieux, pour éviter que les rats ne lui dévo-
rent les pneumatiques. Au Tripode, le désordre est le
même qu'à la Grande Chasublerie et il confie au vent
le soin de faire le ménage. Dans son havre de paix, il

---

1. Hubert Juin, *op. cit.*
2. Malgré l'admiration que portait Picasso à Alfred Jarry, qui voyait en lui
l'un des théoriciens du cubisme, les deux hommes ne se sont jamais rencontrés.
Ce sont les affabulations de Max Jacob qui ont induit les biographes de Picasso en erreur. On pense qu'Apollinaire avait subtilisé l'arme à Jarry pour l'offrir à Picasso

mène une vie plus paisible. Il accompagne le facteur à bicyclette et la pêche à la ligne devient son sport favori. Il joue au billard avec le garde champêtre, travaille un peu, mais finit toujours par s'ennuyer de Paris et de ses nuits d'ivresse.

Lorsqu'il retourne auprès de ses compagnons de bohème, c'est pour y mener une existence de débauche, comme l'a écrit Apollinaire : « Ces débauches de l'intelligence où les sentiments n'ont pas de part, la Renaissance seule permit qu'on s'y livrât, et Jarry, par un miracle, a été le dernier de ses débauchés sublimes. » Au printemps 1906, Alfred Jarry est atteint de tuberculose et rejoint sa sœur à Laval. C'est l'alcoolisme et la malnutrition qui le font le plus souffrir. Durant le premier trimestre de cette année 1906, on estime qu'il a englouti plus de mille litres de vin ! Dans la *Revue Blanche*, il écrit : « Quand ne sera-t-il plus besoin de rappeler que les antialcooliques sont des malades en proie à ce poison, l'eau, si dissolvant et corrosif qu'on l'a choisi entre toutes les substances pour les ablutions et les lessives, et qu'une goutte versée dans un liquide pur, l'absinthe par exemple, le trouble ? » Déjà, à l'âge de quatre ans Alfred Jarry avait, en compagnie d'une amie, vidé l'intégralité d'une bouteille. Tous deux avaient fini ivres morts pendant que leurs mamans parlaient de toilettes. Selon Rachilde : « Il avalait deux litres de vin blanc et trois Pernod entre l'heure de son lever et celle du déjeuner ; puis des alcools à table, du café accompagné de marc en guise de digestif, plusieurs apéritifs avant le dîner ; avant de se mettre au lit, il calait son estomac avec une dose de Pernod, une dose de vinaigre et une pointe d'encre [1]. »

Une telle existence de bohème, de privation de

---

1. Dan Franck, *Bohèmes*, Calmann-Lévy, 1998.

nourriture et de soûlerie permanente, ne peut que
mener Jarry à la mort. Lors d'un nouveau séjour chez
sa sœur, qui note les dernières pages de son roman, la
Dragonne, il croit sa dernière heure venue. Il dicte son
testament le 26 mai 1906 à un notaire, alors que son
médecin lui laisse encore deux jours de répit. Jarry
appelle un prêtre à son chevet. Il reçoit l'extrême-
onction et écrit à Rachilde : « Là-dessus, le Père Ubu,
qui n'a pas volé son repos, va essayer de dormir. Il
croit que le cerveau, dans la décomposition, fonctionne au-delà de la mort et que ce sont ses rêves qui
sont le paradis. Le Père Ubu, ceci sous condition – il
voudrait tant revenir au Tripode – va peut-être dormir pour toujours [1]. »

Deux jours plus tard, Alfred Jarry est rétabli. Il ouvre la lettre qu'il compte envoyer à Rachilde et rajoute un post-scriptum pour l'informer qu'il est
sauvé. L'accalmie est de courte durée. De retour à
Paris, des fièvres le torturent et le maintiennent alité,
privé de soins, de nourriture, et assailli par ses créanciers. Malgré de nouveaux projets éditoriaux, il en est
réduit à recopier ses manuscrits qui ne trouvent pas
preneur chez les amateurs d'autographes. Jarry a faim.
Jarry a froid, et une nouvelle fois il se sent mourir. Il
prévient ses amis de la date imminente de sa mort et
veut conserver un soupçon d'optimisme avec ses
éditeurs. Il écrit à Thadée Natanson pour lui emprun-
ter un demi-louis, parce qu'un entier, ce serait ex-
cessif. Inquiet, Valette envisage de le faire hospitaliser
et se rend rue Cassette. Jarry, à bout de forces, est
incapable d'ouvrir. On appelle un serrurier et l'on
découvre un spectacle insoutenable. Le Père Ubu est
allongé sur le sol, entre deux bouteilles vides et une

1. Patrick Besnier, *op. cit.*

autre qui lui sert de bougeoir. Transporté à l'hôpital de la Charité, il est pris en charge. C'est déjà trop tard. Il passe les deux premiers jours dans le calme, et demande un cure-dent. Le 1ᵉʳ novembre 1907, le Père Ubu pousse son dernier « Merdre ». L'autopsie révèle, en sus d'une intoxication éthylique chronique des viscères, une méningite tuberculeuse qui sera la véritable cause de sa mort. La dernière farce d'Alfred Jarry sera de mourir à la date qu'il s'est lui-même fixée !

Le surlendemain, il est enterré au cimetière de Bagneux. Apollinaire écrit : « Nous étions une cinquantaine à suivre son convoi. Les visages n'étaient pas très tristes, et seuls Fagus, Thadée Natanson et Octave Mirbeau avaient un tout petit peu l'air funèbre. Cependant, tout le monde sentait vivement la disparition du grand écrivain et du charmant garçon que fut Jarry. Mais il y a des morts qui se déplorent autrement que par les larmes [1]. »

Puis on oublie Jarry. A la fin des années 1930, ses amis qui s'étaient promis de renouveler la concession trentenaire n'en font rien. Ses restes iront grossir la foule des anonymes de la fosse commune.

Charles-Louis Philippe, le petit poète des égouts

Né le 4 août 1874 à Cérilly, dans l'Allier, Charles-Louis Philippe est fils de sabotier. Durant son enfance, il a vécu l'apprentissage de la douleur. Très tôt, il est passionné par l'école et l'enseignement de la langue

---

1. Cité par André Billy, *op. cit.*

française. A cinq ans, avec des cahiers de sa composition sous le bras, il fait mine d'aller en classe. L'année suivante, il s'échappe de la maison pour tenter d'assister à un cours de français, d'où il est renvoyé. Agé de sept ans, maladif, sensible, malingre, il souffre d'une carie du maxillaire mal soignée et qui laisse sur son visage les marques d'une disgrâce physique. Cette dernière, conjuguée à une importante myopie et une taille en dessous de la normale, sont autant de prétextes pour ses camarades de classe, les surveillants et certains de ses professeurs, pour se moquer de lui. Pendant longtemps, un coin de la cour du lycée de Montluçon, où l'enfant s'isolait en pleurant, garda l'appellation de « trou Philippe ». Titulaire d'une bourse d'études, Charles-Louis Philippe, que le directeur du collège n'aime pas, s'entend répéter qu'il est bien chanceux d'avoir de bons résultats scolaires, sous peine, pauvre et boursier, d'être renvoyé à l'établi paternel pour creuser des sabots. De brimades en humiliations, Charles-Louis Philippe parvient à intégrer l'internat du lycée de Moulins. Son ambition est de devenir général d'artillerie, et il présente le concours à Polytechnique. S'il parvient à passer l'épreuve, son manque d'argent et sa petite taille l'empêchent d'aller plus loin. Son camarade le plus cher est alors Jean Giraudoux [1], le fils du percepteur de la ville. Un médecin complaisant autorise alors le jeune Charles-Louis à venir fureter dans sa bibliothèque. Il y découvre les poèmes de Baudelaire, Théodore de Banville et la prose de Catulle Mendès. Philippe, qui ne se destine pas encore aux lettres,

---

1. C'est Charles-Louis Philippe qui donnera à Jean Giraudoux les premiers et si précieux conseils littéraires. Par la suite, ce dernier lui obtiendra une collaboration au *Matin* mais, dès que Jean Giraudoux quittera la rédaction, Charles-Louis Philippe sera remercié.

entrevoit avec épouvante le spectre de la sortie du
lycée, synonyme de la quête d'un emploi et de la
perspective de la misère matérielle. Sa grand-mère
était mendiante, son père l'était aussi durant sa jeunesse. Charles-Louis Philippe, imaginant comme tant
de Rastignac provinciaux faire fortune à Paris, s'y rend
et passe le concours des Ponts et Chaussées. Il entretient une relation épistolaire avec de jeunes poètes et
écrivains prometteurs comme André Gide, Valery
Larbaud, Léon-Paul Fargue, et d'autres plus célèbres
tels Mallarmé ou René Ghil. Occupant des chambres
répugnantes de saleté, il oscille entre emplois précaires et longues périodes de chômage. En 1896, la
chance lui sourit enfin. Il réussit le concours d'entrée
à la ville de Paris. Affecté à l'enregistrement des
demandes d'autorisation pour l'éclairage au gaz, un
collègue de travail l'introduit dans les cénacles littéraires et, lorsque la revue *l'Enclos* voit le jour, le jeune
homme y fait paraître ses premiers essais. Cette revue
fondée par Louis Lumet est un organe littéraire de
gauche visant à l'éducation populaire. Les relations de
Charles-Louis Philippe lui permettent d'écrire dans
une revue bruxelloise de même aspiration, le *Coq
rouge*. De cette collaboration naîtra sa longue amitié
avec le poète belge Henri Vandeputte [1]. René Ghil
publie ses vers dans l'*Art littéraire* et Mallarmé, dans
son salon, le présente à ses visiteurs comme
« Monsieur Louis Philippe », lui prodiguant conseils et
encouragements. Dans le taudis de son hôtel meublé,
son âme semble perdre l'habitude de l'espoir. Sous le
portrait de Dostoïevski, il reproduit une phrase de
Crime et châtiment : « Celui à qui il a été donné de

---

1. Philippe détestait Laurent Tailhade car ce dernier, voulant se moquer
du patronyme de son ami, avait traduit son nom flamand en « soupir de
garce ».

souffrir davantage, c'est qu'il est digne de souffrir davantage. » Il vit de pain et de fromage et, plus tard, se souvenant de cette période, écrira dans *Charles Blanchard* : « Fais attention à ton morceau de pain mon petit... On met sa main au-dessous de son pain quand on mange. » Il a si froid, qu'il ne peut s'acheter du charbon et, pour écrire, se réfugie dans le salon de correspondances du magasin du Louvre. Sa situation l'entraîne dans les milieux populaires de Paris. Il fréquente les anarchistes à la Taverne du Panthéon. Il est familier des cafés du Quartier latin où il rencontre des êtres exceptionnels avec lesquels il partage la rancune contre les injustices, et la haine des profiteurs de tous bords. Charles-Louis Philippe trouve dans sa souffrance, dans l'incarnation de cette déchéance qui lui soulève le cœur, une source d'inspiration. Sa mutation au service des égouts le fait surnommer, par son chef, « le petit poète des égouts ». Un temps, sa situation matérielle s'améliore et il emménage dans un nouveau logis, plus salubre, avec une belle vue sur la Seine et dans lequel il peut enfin installer ses propres meubles. Il se consacre désormais à sa seule passion, la littérature. Ses premiers livres sont publiés à compte d'auteur, et il s'endette afin de pouvoir en payer l'impression. Il est obligé de couper la moitié de la *Mère et l'enfant* (1900) qui lui revient trop cher et obtient de son éditeur − la *Plume* − que les trois cents exemplaires soient payés en plusieurs mensualités. L'ouvrage sera rétabli dans sa version originale, à sa mort, grâce à André Gide qui fera rééditer le livre.

Lassé, comme Jean de Tinan, « d'aller voir les filles », qu'il fait rire en n'enlevant son lorgnon en aucune circonstance, il se dit qu'il ne peut rester seul plus longtemps : « Cette solitude de Paris est épouvantable. Il me faudrait le soir une femme qui m'aime un peu et que je pourrais caresser. Il y a des moments où la vue d'une jeune femme au bras d'un homme me fait mal comme un coup de couteau. » Ses vœux vont être bientôt exaucés lorsque, le 15 juillet 1898, vers neuf heures du soir, sur le boulevard Sébastopol, il fait une rencontre déterminante. C'est une jolie brune, une de ces beautés populaires, attardée à écouter un chanteur ambulant. Ce quartier de Paris est celui où les filles vénales sont, à certaines heures, plus nombreuses que les passants. Il l'aborde. Elle s'appelle Maria et n'est pas farouche. Fleuriste de profession, elle fait parfois le trottoir. Leur liaison va durer de longs mois. Tentant de la détourner de la galanterie dont elle a décidé de faire son métier, Charles-Louis Philippe vit une relation tumultueuse avec cette grisette, qui finit par lui avouer avoir contracté la syphilis. Il entretient le rêve fou de sortir cette pauvre fille de son misérable milieu. Un drame survient. Une nuit, on frappe à sa porte. Trois individus viennent chercher Maria : un souteneur, sa femme, et un homme armé d'un revolver, une dangereuse crapule surnommée « le Jockey des Halles ». Il est son ancien amant, et vient de sortir de prison. Charles-Louis Philippe ne fait pas le poids. La jeune prostituée est arrachée au modeste employé de bureau. Il tirera de cette mésaventure son ouvrage le plus célèbre : *Bubu de Montparnasse*. Octave Mirbeau, lisant les épreuves, crie tout de suite au chef-d'œuvre. Touchant 300 francs d'avance sur le roman à paraître, Charles-Louis Philippe déclare : « Quelle cuite, ô mon ami ! Pendant huit jours je roulerai dans les tavernes, au milieu des alcools et des rires. Préparez-vous, filles de Paris ! » Le livre paraît en 1901. Dans le roman, Maria est une jeune ouvrière qui sombre dans la prostitu-tion. Elle fournit à Charles-Louis Philippe toute sa ma-

tière. L'ouvrage, jugé très « raide » pour l'époque,
ouvre des voies nouvelles. Les écrivains Charles-
Henry Hirsch et Francis Carco seront les héritiers de
Bubu de Montparnasse. L'auteur, avec tendresse, peint
la déchéance de cette fille traquée par l'ignoble souteneur, Bubu de Montparnasse. C'est un texte qui
restitue avec précision le milieu de la pègre du début
du XX⁰ siècle, celui dont toute la presse fera bientôt
ses gros titres, avec les aventures de « Casque d'or »
et des apaches de Belleville. A la sortie du livre,
Charles-Louis Philippe reçoit une lettre de Maria,
qu'il n'avait plus revue depuis deux ans. Lasse d'être
battue par son « Bubu », elle lui demande sa protection. Toujours aussi pauvre, l'écrivain, ému par le sort
tragique de son héroïne, décide de la libérer de son
esclavage, et réunit une petite somme grâce à la
générosité de ses amis. A la faveur de la nuit, il parvient à la faire partir pour Marseille où elle sera re-
cueillie par le poète Stuart Merrill. Sur place, Maria
fait la connaissance d'un notaire d'Aix et, un an plus
tard, s'embarque pour l'Algérie. Avant de partir, elle
envoie à Charles-Louis Philippe sa photographie
revêtue de cette dédicace : « Souvenir d'amitié de ton
amie reconnaissante... (sic) » Maria Tixier n'échappe
pas longtemps à son destin. Elle se met en ménage
avec un voleur. Après un nouveau séjour à Paris, où
elle reprend son ancienne vie, elle mourra sur les
trottoirs de Buenos Aires.

A la suite de la publication du roman, la situation
matérielle de Charles-Louis Philippe s'améliore enfin.
Hélas, sa vie sentimentale se complique. Un ancien
condisciple du lycée, retrouvé à Paris, lui présente son
amie, Marie-Louise. Obligé, par son emploi, à de
longs et fréquents déplacements, il charge l'écrivain
de tenir compagnie à la fiancée, qui est originaire de

Lyon. Charles-Louis Philippe tombe amoureux de la jeune fille, fort belle, mais d'une nature fantasque et souffrant de troubles psychiatriques. De retour à Lyon, elle simule une grave maladie, faisant croire qu'elle est incapable d'écrire et laisse l'écrivain fou d'inquiétude. Après plusieurs semaines, elle rentre à Paris et Charles-Louis Philippe écrit à ses parents pour lui demander sa main. Huit jours passent et, en guise de réponse, c'est l'ami qui est de retour pour reprendre sa fiancée ! Il lui révèle que Marie-Louise est folle. Tout n'a été que duperie, mensonge ; sa fausse maladie, les fausses lettres, le mariage impossible... Atterré, le pauvre Charles-Louis regarde, les yeux emplis de larmes, cette femme qu'il a tant aimée, descendre l'escalier. Quelques semaines auparavant, il écrivait : « Ma pauvre histoire d'amour continue et me fait souffrir. Il y a une chose terrible pour moi : savoir si cette histoire se terminera par de la vie... ou si, comme toujours, j'en sortirai avec un livre... » Inconsolable, c'est la seconde option à laquelle se résigne Charles-Louis Philippe. En quittant l'écrivain, Marie-Louise a emporté un manuscrit de poèmes inédits. Ils ne seront jamais retrouvés. Un an plus tard, la jeune fille, partie faire fortune comme chanteuse à Moscou, sollicite son ancien amant pour payer le billet de retour. Croyant à un nouveau bonheur possible, il arrive à réunir la somme pour le trajet et attend de ses nouvelles. Jamais plus elle ne donnera signe de vie. Il déménage alors pour un appartement plus vaste, une chambre de célibataire que, pour le moment, plus personne ne vient bouleverser et, Maurice Barrès, sensible à la qualité de sa prose, lui fait obtenir un poste de piqueur de troisième classe dans le VIIe arrondissement. Il contrôle les étalages des boutiquiers et des cafetiers, s'assurant qu'ils ne prennent pas trop de place sur les trottoirs. Cet emploi lui réserve de grandes plages de disponibilités. Philippe continue à travailler, sans se laisser étourdir par le succès de son premier roman. Il apparaît dans des salons et participe, avec assiduité, à la vie littéraire. A l'automne 1902, l'éditeur Fasquelle acquiert le fonds de la *Revue Blanche* mise en faillite. Philippe entre dans cette grande maison parisienne, éditeur de Zola. A partir de 1903, il publie plusieurs romans autobiographiques : *Le Père Perdrix* puis *Marie Donadieu* (1904) et *Croquignole* (1905), l'histoire d'un faux riche qui connaît un revers de fortune et, ne sachant plus que faire, se suicide. Le talent de Charles-Louis Philippe est enfin reconnu. La comtesse de Noailles, grande poétesse, pourtant très éloignée du monde décrit par Philippe, lui adresse une lettre de félicitations. Depuis 1903, chaque année, on le pressent pour ce nouveau prix Goncourt censé réparer les injustices du grand prix de l'Académie française. Le prix en est à sa quatrième édition, et le premier scandale éclate. En décembre 1906, les dix académiciens portent leur choix sur le livre des frères Tharaud, *Dingley l'illustre écrivain*, un mince volume écrit cinq ans plus tôt et remanié pour la circonstance. Dès l'annonce du résultat, l'éditeur, depuis longtemps mis dans la confidence, a entouré les livres de la caractéristique bande rouge. Charles-Louis Philippe s'insurge. C'est à lui que le prix a été promis, et surtout les cinq mille francs qui auraient pu le soulager de sa misère. Dans la presse, il dénonce le caractère improbe du choix : « Ayant compris que le prix Goncourt était une mauvaise plaisanterie, nous avons cru bon de le dire. Et il nous a semblé plus crâne de le dire nous-mêmes que de recourir à des tiers. Nous avons, nous comme les autres, à nous défendre contre une association qui dessert gravement les jeunes romanciers en désignant chaque année, comme le meilleur du pays, un écrivain plus ou moins médiocre, ce qui fait que le public suggestionné, se détourne de tous les autres, à certains desquels, cependant, il aurait peut-être pu s'attacher. » André Gide dénonce à son tour l'injustice et vilipende les confrères, qui ont porté tort au favori de la presse et du monde littéraire. Philippe, porté par Valery Larbaud, André Gide, Maurice Barrès, Léon-Paul Fargue, Paul Claudel, Max Jacob, est devenu, au fil des ans, celui qui ne cesse de friser l'obtention du précieux sésame : « Ils m'ont donné si souvent le prix Goncourt du temps que leur académie n'existait pas... » Les tirages de ses romans — assez faibles pour l'époque — ne suffisent plus à le faire vivre. Le gentil Charles-Louis Philippe qui, hier encore, agenouillé dans le caniveau, l'*Humanité* froissé entre ses mains, priait pour que le lendemain un de ses contes puisse paraître, ne se remettra pas de cette nouvelle épreuve.

Novembre 1909, dans les griffes d'une nouvelle maîtresse, Charles-Louis Philippe est attablé devant une douzaine d'huîtres. Cette dernière insiste : « Pourquoi n'en manges-tu pas ? » Après plusieurs refus, il finit par céder, ignorant que cette « gourmandise » va lui être fatale. Début décembre, il ressent une forte fièvre et des courbatures. Le médecin diagnostique une simple grippe. Quelques jours plus tard, son état empire. Elie Faure, un de ses amis médecin, est appelé d'urgence. Nouveau diagnostic : fièvre typhoïde ne nécessitant pas de transport à l'hôpital. On croit, à tort, qu'il peut être soigné chez lui par des bains d'eau tiède. Problème. Il n'y a pas d'eau dans l'appartement et l'on est obligé de monter les seaux d'eau froide depuis la loge du concierge. Le 14 décembre, son état ne cesse d'empirer. Elie Faure décide son hospitalisation. Ses amis sont prévenus. André Gide accourt. Sa mère, veuve depuis deux ans, fait le pénible voyage depuis Cérilly. La maladie, qui semblait bénigne, gagne du terrain et il avoisine, à présent, les 41° de température. Le nouveau diagnostic est sans appel, c'est une méningite fulgurante qui est la conséquence de la syphilis contractée lors de sa liaison avec Maria. Il ne lui reste plus que quelques jours à vivre. Le médecin tente de le maintenir à l'aide de piqûres de spartéine et d'huile camphrée, mais l'organisme de réagit plus. Dans un dernier sursaut, il ajuste son monocle et s'écrie, le masque de la mort sur son visage : « C'est beau ! C'est beau ! » Sa mère, dont Paul Léautaud met en doute l'authenticité des sentiments, le veille en répétant sans cesse : « Pauvre petit bon sujet... » L'agonie dure de longues heures et Charles-Louis Philippe s'éteint le 21 décembre 1909, à 9 heures du soir. Paul Léautaud, qui a appris la nouvelle au *Mercure de France*, après avoir rencontré André Gide en larmes, se rend à la Maison de Santé et fait un portrait émouvant du disparu dans son *Journal Littéraire*, daté du 22 décembre 1909. Le sculpteur Bourdelle réalise son masque mortuaire, qui sera inauguré le 25 septembre 1911 au cimetière de Cérilly. La dépouille du petit poète des humbles est transportée dans sa ville natale et la cérémonie, où assistent les plus fidèles amis qui ont fait le voyage depuis Paris, se déroule dans l'indifférence générale de la population. Ayant raté sa correspondance, Léon-Paul Fargue arrive à la fin de la cérémonie. Il avait pu convaincre un employé d'accrocher un wagon de première classe à un train de marchandises, ce qui lui avait permis de se rendre aux obsèques. C'est sur la tombe de l'infortuné Philippe que Fargue et Valery Larbaud vont nouer leur grande amitié.

Charles-Louis Philippe, que la religion ne passionnait guère — « Il n'est pas nécessaire d'étudier la question. Je sais, les yeux fermés, que ce sont les pauvres qui ont raison » —, est inhumé le 24 décembre 1909, et nombreux sont ceux qui pleurent celui qui écrivit : « Je suis le premier d'une race de pauvres à être entré dans le monde des lettres. »

Paul-Jean Toulet, l'horloger de l'âme

Paul-Jean Toulet est né à Pau, le 5 juin 1867, dans ce « Béarn aux belles pierres », que refuse de quitter Francis Jammes, l'autre poète du cru. Sa mère meurt en couches et, comme Gérard de Nerval, il en souffrira sa vie entière. Confié aux deux tantes maternelles, l'enfant est éduqué par des femmes, dans le souvenir de cette morte qui l'accompagne et qui sera l'inspiratrice de ses vers et de sa prose naissante. L'élève Paul-Jean Toulet, surnommé « Péji », est brillant, malgré quelques extravagances avec ses professeurs [1]. Il fait l'école buissonnière, change plusieurs fois d'établissements. Un de ses professeurs le remarque, décelant en lui un enfant prodige, doué en français, lui prédisant un grand avenir dans les lettres, envoyant l'un de ses devoirs à un maître de l'Ecole normale. L'adolescent, aux racines créoles et à l'âme vagabonde, quitte le Béarn à l'âge de dix-huit ans pour un long périple qui le mène sur l'île Maurice, le pays de ses ancêtres. Pendant trois ans, auprès de son père remarié, il mène l'existence vide et douce-

---

1. Il avait caché un encrier dans le chapeau d'un de ses maîtres.

reuse d'un jeune homme mondain, riche et désœuvré. On le rencontre aux courses de chevaux, au théâtre, dans les bals et dans les soirées. Il perd de fortes sommes d'argent au baccarat, l'esprit alangui par l'abus de ganja. Plus tard, on le retrouve à Alger où il étudie le droit et connaît ses premiers chagrins d'amour. Toulet, reconnaissable à son béret basque dont il ne se sépare jamais, fait ses premiers pas en littérature et dans le journalisme sous le couvert de pseudonymes. Retournant en métropole en novembre 1889, il continue son existence oisive et bourgeoise. L'abus d'alcool et de femmes, sa passion pour les voyages, le contraignent à vendre la demeure maternelle. Malgré l'attrait des pays lointains, l'appel du Béarn le ramène toujours vers le berceau de son enfance. Lorsque Toulet fait part à son ami Paul Lafond de son souhait de quitter Pau pour tenter sa chance à Paris, il s'en inquiète : « C'est un garçon insupportable, mais qui connaît beaucoup de choses et écrit à merveille. J'ai peur qu'il ne réussisse pas, car son talent a quelque chose de déconcertant que n'aime pas le grand public [1]. » Le dandy béarnais a déjà publié des poèmes dans la *Revue Blanche*. Paris va lui procurer une nouvelle source d'inspiration et favoriser l'éclosion d'un talent que, de son vivant, peu vont reconnaître. A plus de trente ans, Paul-Jean Toulet arrive en pleine affaire Dreyfus [2]. Certain de faire fortune —

---

1. Jacques Dyssord, *L'Aventure de Paul-Jean Toulet, gentilhomme de lettres*, Grasset, 1928.
2. Dans *Trente ans de Quartier latin*, Albalat écrit : « Aimant à étonner et à confondre, il affichait un catholicisme insultant, qui allait jusqu'à la plus insolente apologie de l'Inquisition. » A cette époque Paul-Jean Toulet est anti-dreyfusard. Lorsque Charles-Henry Hirsch, de confession juive, publiera une critique élogieuse des vers de Toulet dans le *Mercure de France*, ce dernier écrit à Willy : « Willy, est-il vrai que nous fûmes antisémites ? Depuis j'ai cru comprendre que c'était une théorie de niais, — surtout en tant que théorie, — et aujourd'hui je pense que c'est une opinion criminelle car C.H. Hirsch a cité

après avoir dilapidé les trois quarts de celle léguée par
sa famille –, il se met au travail. Il lui faut quelques
semaines pour écrire un premier roman, dont l'action
se déroule au Second Empire. Le 19 septembre 1898,
Paul-Jean Toulet signe un contrat d'édition pour
Monsieur du Paur, homme public. L'échec est cuisant ;
quelques dizaines d'exemplaires vendus. Blessé par ce
revers, premier d'une longue série, et des critiques
défavorables, Toulet se rend à Londres où il rencontre
Arthur Machen. Il traduit en français son roman, *Le
Grand Dieu Pan,* ce qui lui vaut un début d'estime.
Maurice Maeterlinck lui rend hommage et Laurent
Tailhade, le 9 juillet 1901, écrit dans le *Français* : « Le
livre de M. Arthur Machen a la bonne fortune d'être
mis en un langage français par un maître en cet art, M.
Paul-Jean Toulet, dont un pamphlet trop peu connu,
"M. du Paur, homme public" a sa place marquée entre
les chefs-d'œuvre d'humour et d'ironie, fort au-
dessus de M. Graindorge et pas très loin de Gulliver. »
Apaisé par ce demi-succès, Paul-Jean Toulet fait paraître, en 1902, le *Mariage de don Quichotte.* Encore un
échec. Pour Toulet, c'est injuste. On ne cesse de louer
son talent dans les chroniques régulières qu'il donne,
sous un pseudonyme, depuis 1899 à la *Vie parisienne* ou à
d'autres revues. Il offre au lecteur des pensées, des
contes ou des chroniques mondaines. Il est d'une ironie
cruelle et d'une misanthropie étincelante contre cette
bohème distinguée de la rive droite, à laquelle il
appartient et dont il peint les mœurs plutôt légères.

Il a pour ami Maurice Sailland, plus connu sous le
pseudonyme de Curnonsky, avec lequel il partage un
appartement. Ensemble, ils signent plusieurs ouvrages

---

mes vers dans le *Mercure.* Ça fait toujours plaisir de se sentir protégé. » Henri
Martineau, *Paul-Jean Toulet Collaborateur de Willy,* Le Divan, 1957.

sous le pseudonyme de Perdiccas, le *Bréviaire des courtisanes* (1899), le *Métier d'amant* (1900) et *Demi-veuve* en 1905. Les deux hommes sont devenus inséparables. On les rencontre sur les deux rives de la Seine, dans les tripots du Quartier latin, les cabarets de Montmartre, les théâtres, ou jusque dans les fumeries d'opium d'Hanoï[1]. Cédant à la mode de cette drogue en vogue dans les milieux littéraires, ils partagent les ivresses des volutes de la fumée bleue, et la détestation de se coucher tôt, arguant que « Paris peut appartenir à ceux qui se lèvent tard ». Il est hasardeux d'aller tambouriner à la porte des deux compères avant cinq heures de l'après-midi ou six heures les soirs d'hiver. Très vite, Paul-Jean Toulet ne recevra plus qu'au lit ses proches amis : Charles Maurras, Léon Daudet, Henri de Régnier ou Edmond Jaloux. Il ne quittera sa chambre que pour se rendre le mardi au Bar de la Paix ou au sous-sol de l'Elysée Palace, et le jeudi chez Claude Debussy. Dans les milieux littéraires, Toulet apparaît comme un personnage en décalage avec son époque. Il a l'aspect d'un dandy, des faux airs de Vélasquez, la chevelure châtain clair, le visage fin et creusé, une petite barbe blonde et pointue, des yeux bleus de jeune fille, un regard doux et calme. Lorsqu'on lui fait remarquer combien son esprit est remarquable, il rétorque : « Quant à être un causeur plus ou moins brillant, vous savez combien cela dans notre pays est courant et signifie peu de chose. Du vent sur de l'eau, ça fait de jolies arabesques ; mais le courant n'en est pour cela pas plus puissant que l'eau profonde[2]. »

---

1. En 1903, il fait un grand périple en Orient qui l'amène au Tonkin, en Chine, au Japon et en Inde. Il rapporte de fortes quantités d'opium et sombre dans les paradis artificiels de cette « noire idole », selon l'expression de Laurent Tailhade.
2. Henri Martineau, *La Vie de Paul-Jean Toulet*, Le Divan, 1921.

Fuyant les rédactions des journaux, dont les salles lui inspirent des cauchemars, comme ses éditeurs à qui il reproche ses insuccès et les salons [1] mondains, Toulet parvient à subsister grâce à ses articles payés vingt centimes la ligne. Ses contes sont impubliables. Le directeur d'un grand journal s'en ouvre à l'intéressé. Il le renseigne sur le goût de ses lecteurs, et la ligne éditoriale du journal qu'un collaborateur est censé connaître. La réponse de Toulet, déconcertante, lui vaut d'être renvoyé sur-le-champ : « Je n'ai jamais lu et ne lirai jamais ce sale canard ! »

La fortune familiale est épuisée après des nuits au baccarat, à vivre dans un luxe qui lui paraît indispensable, ou à abuser d'alcool et d'opium. Désespéré par ses échecs, Paul-Jean Toulet continue à vivre dans le monde féerique de la bohème des années 1900. A Claude Debussy, il confesse : « Mes affaires ont été fort mauvaises. Elles continuent ; et je les regarde barboter avec une sympathie un peu émoussée. Mais peut-on donner le nom respectable d'affaires à ce ridicule gagne-pain que j'ai choisi, je pense, une année que j'avais trop bu ? » Il ne fréquente plus les grands restaurants et on le rencontre à la pension Laveur de la rue Serpente. Paul-Jean Toulet sombre dans les servitudes et les bassesses de la vie littéraire. Il en est réduit à se tourner vers « l'usine à romans », Henry Gauthier-Villars, dit Willy. Ce personnage mondain, coutumier d'une double vie, a la particularité de n'écrire aucun de ses livres à succès. Surchargé de commandes par ses éditeurs, il déteste prendre la plume et laisse ce soin à une kyrielle de nègres, dont

---

1. Le seul salon qu'il fréquente est celui de Madame Bulteau, surnommée « Toche », qui fut la confidente de Pierre Louÿs, Jean de Tinan et surtout de Toulet dont elle loue le talent. Robert de Montesquiou la surnomme la « Shéhérazade de l'encre bleue ».

le plus célèbre est Colette [1] qui lui a assuré la fortune avec la série des *Claudine*. Avec elle, se plieront à cet exercice ingrat : Marcel Schwob, Pierre Louÿs, Jean de Tinan, Pierre Véber, Roland Dorgelès, Francis Carco, Tristan Bernard et Paul-Jean Toulet assisté de l'inséparable Curnonsky. La technique de Willy, qui se fait passer pour un grand homme de lettres, est bien rodée : après avoir trouvé, emprunté ou volé une idée de roman, il s'adresse à un ami désargenté pour bâtir le synopsis, puis à un second pour le plan, et à un troisième pour la rédaction, et enfin un quatrième voire un cinquième pour retoucher le travail, de sorte que le véritable rédacteur n'éprouve jamais le souhait d'augmenter ses exigences. Dans cette cuisine, chacun est payé en fonction du travail effectué, pas toujours de façon généreuse. Sa roublardise envers ses nègres lui permet de bien gagner sa vie et, grâce à cette technique, il met en chantier jusqu'à trois ou quatre volumes par an, dont l'un finit par bien se vendre. Sous l'enseigne Willy, Toulet a écrit la majeure partie de la *Tournée du petit duc*, qui est rallongé par Curnonsky, et les plus belles pages de *Lélie fumeuse d'opium* [2] dans lequel on se convainc d'y voir la griffe d'un opiomane expérimenté, décrivant avec maîtrise les rites liés à cette drogue, donnant lieu à des orgies saphiques.

Entre-temps, Paul-Jean Toulet a publié *Mon amie Nane*, qu'il a donné en feuilletons à la *Vie Parisienne*, et que son auteur — ne doutant jamais de son talent — considère comme supérieur à *Madame Bovary*...

---

1. Jamais, du vivant de Willy, Colette, divorcée en 1906, ne touchera le moindre droit d'auteur sur la série des *Claudine* qui se vendront à plusieurs centaines de milliers d'exemplaires. Colette reconnaissait que Willy avait pourtant du talent. Il avait juste une « horreur nerveuse du papier vierge ».

2. Toulet collabora à l'*Implacable Siska*, les *Amis de Siska* et *Maugis en ménage*.

Toulet ne peut se résigner à être si peu connu. En juillet 1912, désabusé par ses noctambulismes parisiens, il sent la maladie le gagner. Il écrit à Toche : « Ce doit être délicieux, Toche, de mourir, de sentir la fatigue de la vie fuir par le bout des doigts, comme son sang dans le bain. » Il quitte Paris et décide de ne jamais y revenir. Quand son ami Forain apprend la nouvelle, il s'écrie : « Tant pis pour nous. Tant mieux pour lui. » Sa famille l'oblige à se marier, et il s'installe non loin de sa région natale, à Guéthary dans le Pays basque, puis auprès de sa sœur qui le loge au château de la Rafette : « Ma famille, fatiguée de me soigner, m'a marié : il y avait justement à la Rafette une façon de chapelle ou d'oratoire qui n'avait jamais servi à ça, et un père jésuite inoccupé [...] Tout le monde avait l'air satisfait ; il faisait un temps de juin bien agréable ; et les dames ont fort décemment pleuré au petit prêche de circonstance. Moi-même, malgré mon horreur des cérémonies, je n'aurais rien trop dit, si je n'eusse pas été directement en cause, et si on ne m'avait, sous ce prétexte, fait lever à une de ces heures dont on ne voudrait même pas pour mourir. »

C'est à Guéthary que le jeune Francis Carco lui écrit pour lui proposer d'être le chef de file de l'Ecole fantaisiste et de réunir tous ses vers en un seul volume. Il le met en contact avec Tristan Derème, Jean-Marc Bernard, Léon Vérane et Robert de la Vaissière, tous poètes jeunes et enthousiastes. Ensemble, ils forment l'Ecole fantaisiste, autour de Paul-Jean Toulet qui achève les *Contrerimes* : « La fantaisie, c'est de cueillir les roses en sachant qu'elles se fanent et d'en faire une guirlande pour la nouer au ciel gris », dira Maurice Rat. Paul-Jean Toulet accepte la proposition du jeune Carco, mais ne se fait guère d'illusion, doutant de son talent : « Cher Monsieur. Je suis dans mon lit, je n'ai pas de plume ou d'encre plutôt. Excusez ce crayonnage, et moi de vous répéter que si vous mettez un si gros paquet de mes vers dans votre livre ça ne fera plaisir qu'à moi. Bilboquet, ne sachant tirer qu'une seule note de son trombone, assurait que les gens qui aimaient cette note seraient transportés de joie. Mais je n'ai pas observé aujourd'hui que la note Toulet fit sauter personne [1]. » Tenant tous les éditeurs pour des hommes intolérables et des crapules, Toulet n'avait jamais eu le courage d'entreprendre une telle démarche. Francis Carco s'en charge. Il vient de rencontrer à Marseille un personnage singulier, Aurélien Coulanges, qui s'improvise éditeur. Il le convainc de publier les poètes fantaisistes et ils élaborent un plan de cinq volumes de poésies (la Collection des cinq) qui réunirait les plus beaux vers de Pellerin, Jean-Marc Bernard, Toulet, Derème et Carco. Coulanges a un commerce de reconnaissances du mont-de-piété, et c'est derrière un guichet que se traitent les transactions. Paul-Jean Toulet fait preuve d'un enthousiasme mesuré, mais confie à Carco le précieux manuscrit des *Contrerimes*. Il hésite entre plusieurs titres : le *Couchant de la vie* — *Dernières roses* — le *Soulier du lendemain* — la *Main qui remue*. Francis Carco le conforte dans le choix des *Contrerimes*. Hélas, les affaires tournent mal. Les deux premiers titres de la collection, *Au Vent crispé du matin* de Francis Carco et la *Flûte fleurie* de Derème ne se vendent pas, au point que Carco se retrouve dans l'obligation de faire du porte-à-porte. Aurélien Coulanges se fâche et refuse d'éditer les titres suivants. Plus rien ne le sort de son mutisme entêté. Pis encore, il ne restitue pas le manuscrit à Toulet, et ne répond plus aux courriers.

---

1. Francis Carco, *La Bohème et mon cœur*, édition de 1929.

Willy et Henri Martineau proposent de prendre la
suite. Le manuscrit des *Contrerimes* perdu, Toulet en
est très affecté, jurant qu'on ne l'y reprendra plus. Sur
l'insistance de ses amis — il n'a jamais tenu rigueur à
Francis Carco de cette mauvaise aventure — il se remet
au travail et recopie avec la même application les
poèmes. Prévus en souscription pour l'automne 1914,
la guerre contrarie la sortie de l'ouvrage, puis au
lendemain du conflit, une grève dans l'imprimerie
l'ajourne. Jamais, de son vivant, Toulet n'aura en
mains son anthologie. Lorsque la guerre le surprend,
sa santé est déjà précaire. Par élan de patriotisme, il
multiplie les démarches pour s'engager et se plaint
« d'en être réduit à regarder passer les trains ». Dans
son exil béarnais, il est seul. Il passe son temps à
feuilleter les cartes de son atlas de géographie, proje-
tant des voyages qu'il sait ne plus pouvoir faire, écrit
des lettres aux seuls amis qui lui demeurent fidèles, et
surtout à lui-même [1]. Dans un numéro spécial de la
revue le *Divan*, on lui rend un hommage, auquel il
répond : « Merci des choses délicieuses et autres
mensonges que vous m'avez jonchés dessus. Je sup-
pose que la flatterie est la poétique du genre, mais j'ai
d'abord eu le sentiment que vous me faisiez une
plaisanterie de château. Attendez que ce soit votre
tour, et vous verrez si je ne vous compare pas en bloc
à Gongora, au second Isaïe, à Théophile de Viau et à
tous les poètes de Rajpoutana... »
    Comme naguère à Paris, il passe son temps au lit, à
rêver. A cause de la guerre, il est privé de la quantité
d'opium nécessaire à atténuer ses souffrances morales
et physiques. Entre deux verres de porto, il absorbe
des morceaux de sucre imprégnés de laudanum et

---

1. Elles seront réunies en un volume en 1927.

continue à écrire des contes, mettant la touche finale à
La Jeune Fille verte, qui paraîtra à sa mort.

Le 6 septembre 1920, Paul-Jean Toulet succombe à
une hémorragie cérébrale à l'âge de cinquante-trois
ans. Du livre posé sur sa table de chevet, dépasse un
signet sur lequel sont couchés ces derniers vers :

> « *Ce n'est pas drôle de mourir*
> *Et d'aimer tant de choses*
> *La nuit bleue et les matins roses*
> *Le verger plein de glaïeuls roses*
> *Les fruits lents à mûrir* [1]... »

A la fin des années 1920, après le succès de *La Jeune
Fille verte*, on croit que l'influence de Toulet ne fera
que grandir, surpassant celle de Nerval, Verlaine ou
Moréas. Il n'en sera rien. Jamais Toulet, que Jean
Giraudoux surnomma « l'horloger des âmes », ne
connut la gloire, justifiant ces vers de Ronsard :

> « *Avant que l'homme passe outre la rive noire*
> *L'honneur de son travail ne lui est pas donné.* »

Les poètes oubliés de l'entre-deux-siècles

A la fin du siècle, au carrefour de l'Odéon, nul n'a
oublié Ernest Cabaner. Ceux qui l'ont côtoyé, devenus pour la plupart de grands hommes de lettres, se
souviennent d'un personnage singulier. Il logeait dans
la modeste chambre d'un affreux garni, au sein de

---

1. Jacques Dyssord, *op. cit.*

laquelle il abritait ses compagnons de bohème, comme Arthur Rimbaud ou Jean Richepin.

Ernest Cabaner est né à Perpignan [1] le 12 octobre 1833. C'est un prodige du piano. A l'âge de vingt ans, il s'installe à Paris. Ce sera l'un des rares voyages qu'il entreprendra, et quinze ans après son arrivée dans la capitale, il ne s'est toujours pas aventuré hors des fortifs. Dans les premiers temps, il tient le piano d'un beuglant du quartier Saint-Michel, un « caf' conc' » où transpire la bêtise, terrain de chasse favori des créatures vénales. Il gagne le droit de consommer deux bocks et une pièce de cent sous par jour. A la fin de son service, après minuit, il regagne à pied son domicile montmartrois. Noctambule, il fait toujours une halte à la Nouvelle Athènes, le seul cabaret encore ouvert, et passe le reste de la nuit avec des poètes ou peintres sans le sou. Certaines fois, trop loin de Montmartre, il ne rentre même pas chez lui et, à une heure très avancée de la nuit, sonne chez le concierge de n'importe quel immeuble bourgeois en hurlant « Durand ! » Il y a en a toujours un, dans les brumes du sommeil, qui finit par ouvrir et Cabaner se précipite dans les étages pour aller dormir dans les cabinets d'aisances. Si quelqu'un s'y présente, il cède sa place, puis y retourne aussitôt.

C'est dans le salon de Nina de Villard qu'Ernest Cabaner rencontre tous les artistes qui deviendront ses amis. A cause de sa longue barbe, de sa figure pâle et émaciée, de son allure chétive et souffreteuse, Verlaine le compare à « Jésus-Christ après trois ans d'absinthe ». Dans ce groupe, où il fait déjà figure d'ancien, son caractère fantasque amuse [2]. Ses théories

---

1. Ville qui donnera d'autres grands poètes ou écrivains : Pierre Camo, Jean Amade, François Brousse, Robert Rius, Ludovic Massé, André de Richaud...

2. A l'enterrement de son père, qui ne le reconnaîtra qu'en 1852, il porte

un peu folles, ses gaffes, ses farces cocasses, en font un invité de choix et une attraction, lorsqu'il entonne la chanson qui le rendra célèbre, *Le Pâté*. Un jour, chez Léon Daudet, on réclame une de ses compositions. Le Catalan se met au piano, et choisit dans son répertoire le *Merle à la glu* qui commence ainsi :

> « *Merle, merle, joyeux merle,*
> *Ton bec jaune est une fleur,*
> *Ton œil blanc est une perle,*
> *Merle, merle, oiseau siffleur !* »

Le problème, c'est qu'avec la diction de Cabaner, incapable de bien prononcer les « l », le merle se trouve transformé en mot de Cambronne et Madame Daudet se dépêche de refermer le piano sur les doigts de l'infortuné poète : « C'est bien, monsieur Cabaner, nous vous faisons grâce du reste. Nous savons que vous êtes un agréable plaisant [1]. »

Inventeur d'un procédé de musique original [2], associant les notes et les couleurs, il affirme ne connaître que deux grands compositeurs : Bach et lui-même !

---

un chapeau haut de forme et déclare : « C'est mon père qui me l'a prêté pour aller à son enterrement. » Dans les rues de Perpignan, par déférence, tous les passants saluent le corbillard. Rendant chacune des civilités avec le chapeau de feu son père, le lendemain, Ernest Cabaner manifeste son étonnement : « C'est curieux, je ne me croyais pas si connu. Hier, à l'enterrement de mon père, tout le monde me saluait. » Il présentait son père, qu'il a peu connu, comme « un homme du genre de Napoléon Ier, mais en moins bête ». Jean-Jacques Lefrère & Michael Pakenham, *Cabaner, poète au Piano*, L'Echoppe, 1994. (C'est aujourd'hui la seule étude, hélas trop confidentielle, sur ce personnage méconnu qui fut un grand animateur de la vie parisienne.)

1. Jean-Jacques Lefrère & Michael Pakenham, *op. cit.*

2. Cette méthode lui prit dix ans de travail. Après tant d'années, les brouillons de ses compositions atteignirent plus d'un mètre de haut. Un ami lui conseilla de tout résumer, ce qu'il fit sur un seul feuillet dont, par étourderie, il se servit pour allumer sa pipe ! Voilà comment dix ans de travail partirent en fumée.

Il n'aime pas Victor Hugo, qu'il prend pour un rapin, et le fait savoir à son ami Jean Richepin, lequel s'en étonne après lui avoir récité des strophes entières. Ernest Cabaner réplique alors, avec son accent catalan et son zézaiement caractéristique : « Ce n'est qu'un peintre de fleurs ! Je te le répète : ça se comprend tout seul, ça ne s'explique pas, ça se sent ! »

Début mars 1869, Ernest Cabaner et l'un de ses amis, le sculpteur Jean Keck, emménagent [1] au Quartier latin, rue de la Sorbonne. Ernest n'a pour seule ressource que la leçon de piano qu'il donne, et qui lui rapporte trente sous par jour. Il lui est impossible de retrouver un emploi de pianiste dans un café, car il s'évertue à jouer ses propres œuvres. Comme plus tard Max Jacob et Pablo Picasso n'auront qu'un lit à se partager, l'un y dormant la nuit et l'autre le jour, Cabaner et Keck n'ont qu'un costume, qu'ils enfilent à tour de rôle en fonction des sorties de chacun. Le 17 mars, après l'explosion d'une cuve de picrate de potasse dans l'usine de produits chimiques voisine de l'hôtel, celui-ci menace de s'effondrer. Ce jour-là, Ernest Cabaner est en possession du costume. Il est sorti. Jean Keck, qui n'a rien d'autre à se mettre sur la peau, hormis un drap de lit dans lequel il s'enveloppe, se précipite sur le trottoir avant que les étages ne descendent les uns sur les autres. Les deux hommes n'avaient déjà rien, mais ils ont tout perdu. Dans le voisinage, la chaîne de la solidarité leur procure, à l'un comme à l'autre, de nouveaux vêtements. Les deux amis se retrouvent dans une autre chambre, au carre-

---

1. Les déménagements de Cabaner sont parfois comiques, car il lui arrive de quitter son ancien domicile sans savoir où aller. Un jour, il commande une voiture à bras, où il fait entasser tout son mobilier. Aux déménageurs qui lui demandent la direction, il répond : « Mais je ne sais pas, nous allons voir. » Jean-Jacques Lefrère & Michael Pakenham, *op. cit.*

four de l'Odéon, où ils sont rejoints par Jean Richepin et Raoul Ponchon. L'hospitalité de Cabaner pour ses compagnons de misère est sans limite, comme l'a souligné Jean Richepin dans *Braves gens*, en 1886 : « Ce pauvre se plaisait à être généreux envers de plus pauvres que lui. » Il laisse toujours sa porte ouverte et, lorsqu'il rentre chez lui, au milieu de la nuit, son lit est occupé et il ne trouve parfois aucune place pour dormir. Alors, sans bruit, il referme la porte et part en quête d'une gargote pouvant l'abriter pour quelques heures en disant, avec une voix timide : « Il n'y a plus de place chez moi. » Il finit toujours sur le banc d'une gare. Un jour, c'est un ami peintre, poursuivi par les huissiers, qui frappe à sa porte pour lui réclamer un peu d'argent. Il sait qu'il n'a pas assez pour finir le mois, mais il donne un louis en disant : « Tiens, tiens, je ne veux pas être égoïste. » Sur la fin de son existence, Cabaner reçoit un héritage. Sa première action est d'en distribuer la plus grande partie à ses amis qui sont dans la dèche, et le peu qu'il lui reste est consacré à l'achat d'instruments de musique.

Parmi tous ceux que Cabaner a secourus, Arthur Rimbaud occupe une place de choix. Il lui enseigne les rudiments de la musique et l'appelle, avec affection, « Rimbald ». Les mauvaises langues ne tardent pas à jaser sur la nature de la relation entre les deux hommes, et rendre Verlaine jaloux. Un poème circule :

> « *Le divin Cabaner, aux heures d'abandon,*
> *Enfourchait tour à tour Vénus et Cupidon :*
> *Car le Sage, lui-même a sans exclusivisme*
> *Son jour de gougnottage et son jour d'enculisme* [1]. »

---

1. Cité par Claude Jeancolas, *Rimbaud*, Flammarion, Paris, 1999. Il était fiché comme homosexuel à la préfecture de police : « On me signale, parmi les plus fervents adeptes de la "Rosette", un nommé Cabaner, musicien

On ne connaissait à Cabaner aucune relation avec des femmes qu'il considérait comme « des êtres inférieurs et démoniaques ». Dans le milieu des Zutistes, Rimbaud est détesté à cause de ses écarts de conduite. Il n'épargnera pas Cabaner, en se vantant avoir éjaculé dans une tasse de lait qu'il s'apprêtait à boire. L'hiver, pour se rendre chez le pianiste, le poète découpait les carreaux avec un diamant de vitrier, et il ne cessait de répéter : « Il faut tuer Cabaner, il faut tuer Cabaner. » Le pauvre Cabaner, quand il rentrait chez lui, n'avait plus qu'à constater le désordre, et que sa fontaine d'absinthe avait été une nouvelle fois vidée. Il s'en plaignait : « Ce chat malfaisant de Rimbaud est encore revenu ! »

Cabaner est aussi l'ami des peintres qu'il retrouve à Montmartre, et dans le salon de Nina de Villard. En 1876, il croise Cézanne avec une toile sous le bras. Le peintre lui présente *Les Baigneurs au repos*, en l'appuyant contre un mur. Cabaner s'extasie devant le ciel, les arbres, et la fraîcheur du tableau. Cézanne est ému. Il lui tend la peinture, mais comme Cabaner proteste de ne pas avoir d'argent pour la payer, Cézanne s'exclame, heureux d'avoir enfin rencontré un amateur : « Je vous la donne. » Cette toile, Cabaner l'accroche au-dessus de son lit. Lors d'un cambriolage qu'il aura à déplorer, la peinture sera la seule boudée par les malfrats [1].

En 1881, Ernest Cabaner, malade d'une existence

---

excentrique, compositeur toqué, qui doit jouer du piano dans un café chantant, près des Invalides. »

1. A la mort de Cabaner, elle deviendra la propriété du peintre et mécène Gustave Caillebotte (1848-1894) qui, par testament, en fera don au musée du Luxembourg. Elle fera partie des œuvres refusées, au même titre que huit Monet et onze Pissarro. La toile est aujourd'hui aux Etats-Unis, dans la fondation Barnes.

de privations et de la tuberculose, accepte de retourner dans son pays natal, à Amélie-les-bains, dont les eaux sont réputées pour son affection. Sur place, il se retrouve sans argent. Alertés, ses amis peintres, après avoir organisé une vente aux enchères [1] en sa faveur, le sauvent de la misère et l'infortune d'être jeté à la rue. Il revient à Paris, condamné par les médecins. A peine deux mois après cette vente de charité, Ernest Cabaner meurt au 21, rue de Clichy, le 4 août 1881, dans l'ancienne maison de Victor Hugo, qu'il détestait. Le poète George Moore écrira, sur ce personnage légendaire, ces lignes empreintes de vérité : « Cabaner ! Depuis l'origine des temps il y a eu des Cabaner, jusqu'à la fin des temps il y en aura ; ils vivront misérablement, et ils mourront malheureux et ils seront oubliés. »

*
* *

Né en 1872 à Lançon, dans les Bouches-du-Rhône, Emmanuel Signoret est le fils d'un paysan provençal. Il est né pour la poésie, et ne sera jamais capable de gagner sa vie d'une autre manière. Affamé de gloire, il est certain d'être l'égal des plus grands. Dans la préface de la *Souffrance des eaux*, il écrit ces lignes : « Par un lent et sublime effort, j'ai su élever ma pensée jusqu'à la forme immortelle et unique. Ce nouveau travail ne manquera pas de susciter des appréciations enthousiastes. Goethe fit subir à son *Iphigénie* et à son *Torquato Tasso* des transformations presque aussi considérables. »

---

1. Le catalogue de la vente qui présentait des toiles de Cézanne, Degas, Manet, Monet, Pissarro, Renoir, fut préfacé par Zola. Elle rapporta à peine 2 500 francs.

En octobre 1889, à dix-sept ans et demi, c'est au Quartier latin qu'Emmanuel Signoret pose sa valise pleine de livres et de manuscrits, avec en main la lettre de recommandation du poète provençal Joachim Gasquet pour Charles Maurras. Gonflé d'enthousiasme, lorsqu'il se présente au Café Voltaire, Maurras le toise ; personne ne fait attention à lui et l'on se moque des vers qu'il apporte. Paris l'a giflé ; le voilà livré à lui même. Malgré cet échec, il ne tarde pas à nouer des relations avec toute la bohème du quartier. Il fréquente les symbolistes de la *Plume*, le café Procope, se lie d'amitié avec Adolphe Retté, Louis Le Cardonnel, Jean Moréas, et il ne manque jamais une occasion de rendre visite à Verlaine sur son lit d'hôpital. Après un retour à Aix-en-Provence et un voyage en Italie, Emmanuel Signoret retourne à Paris et fonde le *Saint Graal*, une revue dont il est le rédacteur en chef. Le nombre académique de quarante chevaliers est arrêté, et l'on se réunit au premier étage du Café Voltaire. Autour de la table ronde, on trouve, entre autres : Léon Bloy, Louis Le Cardonnel, Anatole France, Maurice Maeterlinck, Stuart Merrill, Frédéric Mistral, Adolphe Retté, Georges Rodenbach, Tolstoï, Paul Verlaine...

Signoret est doué. A l'égal d'un Rimbaud, il est l'archétype du vagabond lyrique et illuminé. Signoret, admiré par Gide, ne tarde pas à susciter des jalousies, et les pires animosités de la part de certains de ses confrères. Il est même accusé de plagiat par André Ibels. A cause de son exaltation à dénoncer les brutalités du capitalisme et son admiration pour Karl Marx, des dissensions apparaissent au sein du groupe de chevaliers. Dévoré par le génie, il ne vit que pour la poésie et n'attache d'importance qu'à la beauté. Avec un orgueil forcené, il est certain d'accéder à la célébrité, pour laquelle il éprouve la plus grande des pas-

sions. Mais il ne saurait ignorer, selon le mot de
Baudelaire, que la seule gloire du poète est d'être soi-
même son héros. Il connaît alors la déception de se
heurter au mépris d'un public imbécile, qui ruine sa
santé déjà faible d'excès, puis de privations. Marqué
par les attaques dont il fait l'objet, Emmanuel Signoret
oublie qu'il a faim, et traverse le quotidien sans le
voir. Adolphe Retté le décrit : « Tandis qu'il traînait,
par les rues, son corps maladif, mal couvert de vêtements sordides. » C'est l'époque où il rencontre au
jardin du Luxembourg, l'apôtre des sans-travail,
Mécislas Golberg, qui deviendra son plus grand ami :
« Mécislas Golberg est un écrivain de génie, un philosophe du premier ordre, le plus grand sociologue qui
ait existé. Par cela même et non point en dehors de
cela, il sera un grand homme d'action. Ses livres de
science agiront comme mes poèmes ont agi... L'homme individuel a été à jamais étudié par Darwin. Golberg qui est son égal créa la biologie de l'homme
social. »

A la fin du siècle, usé par cette vie de bohème,
Emmanuel Signoret se retire à Cannes où il se marie.
Toujours aussi pauvre, il est poursuivi par son propriétaire et des créanciers. Des amis tentent de lui venir
en aide ; une souscription est lancée. Il a contracté une
gastrite ulcéreuse et n'arrive plus à s'alimenter. Loin
de Paris, il agonise dans l'indifférence générale de ses
confrères. Voilà plus d'un mois qu'il ne peut presque
rien avaler. A présent, le poumon droit est touché.
Mécislas Golberg est arrivé à réunir la somme lui
permettant d'aller à son chevet. L'un comme l'autre
se sont toujours soutenus dans la misère et ils se
vouent une admiration mutuelle. Devant la tristesse
de l'anarchiste, Signoret, en lui prenant la main, lui
dit : « Console-toi de partir, cher ami ; moi je reste. »

Eprouvé par une longue agonie, il meurt quelques heures plus tard, le 20 décembre 1900, étouffé par la misère et par l'absence de gloire. Il avait à peine vingt-huit ans [1]. Il se croyait le dernier fils de la race des dieux. Comme l'écrivait Alfred de Vigny dans *Chatterton*, il n'a été que « le martyre perpétuel et la perpétuelle immolation du poète ».

*
* *

Charles Guérin est né à Lunéville, le 29 décembre 1873, dans une grande famille d'industriels. Il sera l'un des rares poètes à ne jamais connaître de difficultés financières. Il se consacre aux arts et aux lettres ; voyage en Allemagne, en Angleterre, en Italie et, entre deux pérégrinations, réside au Quartier latin. Lui aussi jure de conquérir Paris et méprise sa Lorraine natale, béotienne et bourgeoisement ennuyeuse. Quand on s'étonne de son perpétuel besoin d'évasion, il réplique : « Quand vous avez mal aux dents la nuit, vous vous promenez de chambre en chambre, n'est-ce

---

1. Dans cette longue martyrologie des poètes bohèmes du Quartier latin morts trop tôt, il ne faut pas oublier Ephraïm Mikhaël (1866-1890). Né à Toulouse, aussi doué que le sera Emmanuel Signoret, Ephraïm Mikhaël est diplômé de l'école des Chartes. Il compose ses premiers poèmes à l'âge de seize ans, et les publie à dix-huit. Ami de Villiers de l'Isle-Adam, il fréquente les salons de Mallarmé et de Heredia ; Catulle Mendès accepte de collaborer avec lui pour une pièce de théâtre. En 1886, année du symbolisme, Ephraïm Mikhaël crée une revue, la *Pléiade*. De tous les poètes de son temps, il est le plus précoce, atteignant très tôt la perfection. A l'âge de vingt-quatre ans, alors qu'il connaît une gloire précoce, Ephraïm Mikhaël meurt emporté par une tuberculose foudroyante. Victor Hugo voyait en lui « l'espoir de la poésie française ». Il laisse une œuvre, rééditée par ses amis l'année de sa mort : « Il est mort trop tôt, trop tôt pour ceux qui l'aimèrent, trop tôt pour l'art ; mais cet être doux et bon, à qui jamais nous ne connûmes d'inimitiés, était de ceux-là, les justes, à qui Dieu veut épargner les douloureuses luttes, les injures et les haines, les mille tourments qui assaillent notre vie. » (Préface aux œuvres d'Ephraïm Mikhaël – Alphonse Lemerre, 1890.)

pas ? Eh bien, j'ai toujours mal aux dents. » Si Charles-Louis Philippe est « Le petit poète des égouts », Charles Guérin est celui des douleurs, de l'inquiétude de vivre, de l'impossible amour, des déceptions. Il n'a pas encore vingt ans qu'il se sait malade et, sur l'épitaphe de sa première plaquette de vers — *Fleurs de neige* —, il écrit cette phrase tirée de l'*Imitation de Jésus-Christ* : « Tout ce que le monde m'offre ici-bas pour me consoler me pèse. » Son œuvre poétique est le reflet de son existence. Elle n'est que plainte, doute, tourment, souffrance intérieure, physique et morale. Charles Guérin est passionné d'ésotérisme et de kabbale. Il travaille — avec nausée — plus de huit heures par jour, ne cessant de raturer son travail, jamais content de son style. Dans sa chambre de la rue de Rome, il ressent une affreuse solitude et endure les déceptions de ses amours sans lendemain. Sa santé est fragile. Il souffre de rêves inassouvis et de crises de désespoir. Il écrit à Antoine Albalat, l'un de ses compagnons : « Viens me voir. Je suis malade comme un chien. J'ai besoin de voir quelqu'un. » Alors, il retient son invité près de son lit, serrant sa main, comme un crucifix.

Charles Guérin, le *Cœur solitaire*, titre de l'un de ses recueils, n'a que des amis. Sa situation financière lui permet de secourir ceux qui sont dans le besoin. Il collabore au *Mercure de France*, à la *Revue Blanche* et à la *Revue des deux mondes*. Hélas, ses livres ne se vendent pas, malgré les louanges de ses confrères — comme Francis Jammes — qui le placent au premier rang des élégiaques français. Un jour, venu remercier François Coppée pour un article, il a l'idée de s'arrêter chez son éditeur pour s'enquérir de l'état des ventes : à peine trente exemplaires de plus ! Coppée, en complimentant le jeune homme, ajoute avec malice : « Et puis, il y a la question matérielle, qui n'est pas à dédaigner… Je parie que mon article a fait vendre votre livre!» Charles Guérin répond : « Oh! Certainement, maître, toute l'édition!» Sans les subsides de sa famille, Charles Guérin aurait été contraint d'abandonner la littérature et sa vie d'errances, marquée par le sceau de la souffrance.

Très vite, Charles Guérin sent venir la fin et commence à perdre ses forces. Léo Larguier le rencontre avant sa mort : « Je me souviens d'un retour dans la nuit… Nous avions dîné ensemble chez Lapérouse, et nous avions peut-être bu plus qu'il convenait. Il me laissa devant la gare de Sceaux et il descendit vers l'Odéon en touchant de la main chaque barreau de la grille du Luxembourg. Je ne savais pas, ce soir-là, que je regardais ce pur et douloureux poète pour l'éternité!…»

Lors d'un séjour à Saint-Maurice, il souffre d'une congestion cérébrale. Il décide de ne pas rentrer à Paris, mais à Lunéville où il se réfugie dans la paix religieuse. Il compose alors ses derniers vers et classe les manuscrits à paraître. Dix ans plus tôt, il avait écrit dans le *Cœur Solitaire* : « Je vais mourir; il ne faut pas vous attrister. Nous sommes ici-bas des roses de passage.» Charles Guérin expire d'une phtisie, le jour de la Passion, dans le tourment de la foi, la crise morale de l'inquiétude du divin, qui a été le fil conducteur de sa courte existence. Francis Jammes lui rendra cet hommage : « Je jette un regard en arrière et, embrassant la vie de Charles Guérin, je me dis qu'il n'y eut jamais de poète aussi douloureux que lui.»

*
* *

En 1892, Maurice Magre a quinze ans. Il a déjà écrit ses premiers vers et fonde l'Ecole de Toulouse. Trois ans plus tard, avec Rozès de Brousse, Emmanuel Delbousquet, Roger Frêne, Marc Lafargue, Jean Viollis, il crée la revue l'*Effort*, à laquelle collaborent des grandes plumes parisiennes. Fin 1897, il pose sa malle au Quartier latin avec, sous le bras, le manuscrit de la *Chanson des hommes*. A contrario d'Emmanuel Signoret, dont il partage les aspirations sociales et humanitaires, Paris lui réserve le plus digne des accueils. La critique ne ménage pas ses éloges. Le succès immédiat de la *Chanson des hommes* étourdit le poète qui mène une existence mondaine, dîne en ville avec de jolies femmes et fréquente les salons, dont celui de Heredia. Familier du Vachette et de la Taverne du Panthéon, il se lie d'amitié avec Jean de Tinan et, dans une cave de la rue Saint-André-des-Arts, rencontre Apollinaire. Magre aime les femmes, toutes les femmes ; il est même obsédé par elles. Il devient l'amant de l'actrice Cora Laparcerie. Il est doué de la faculté de travailler n'importe où et n'importe comment, aussi bien à la table d'un café que sur un banc de square, dans la foule. Une fois le succès consommé, les jours de détresse commencent à poindre, ces jours où les assiettes sont vides et les dix centimes de l'impériale d'un omnibus deviennent un luxe. Le dramaturge Henry Bataille l'engage comme secrétaire. Il est sauvé. Son œuvre poétique se transforme ; l'homme aux aspirations sociales fouille désormais dans la chair, plonge dans la luxure, et s'avoue tenté par le satanisme. La *Montée aux enfers* prend des accents baudelairiens. Peu avant la guerre, Maurice Magre se marie avec la fille d'un riche banquier new-yorkais. C'est la fin de la bohème. A la fin des années 1910, il fréquente les cercles spirites et les salons où l'on pratique la magie noire. Magre se passionne pour tout ce que Paris compte de spirites, théosophes, anthroposophes, satanistes, magiciens blancs et noirs, rose-croix, martinistes et francs-maçons mystiques. L'occultisme est très en vogue, et c'est accompagné du poète Gabriel de Lautrec, lors d'une visite dans l'un de ces lieux fermés, que la maîtresse de maison lui remet l'ouvrage d'Helena Petrovna Blavatsky : *La Doctrine secrète*. Il est bouleversé. Rompant avec le catholicisme, Magre devient théosophe et se convertit au bouddhisme, qu'il va contribuer à faire connaître en France. Depuis déjà plusieurs années, il a rencontré une nouvelle maîtresse, très exigeante et qui l'accompagnera jusqu'aux derniers instants de son existence tourmentée, l'opium : « L'effet que j'en ressentis fut léger et merveilleux en même temps. Assez léger pour me permettre de le nier, assez merveilleux pour parer de beauté le clair-obscur de la femme et des objets, pour me faire pressentir le monde des choses cachées. » Ce monde de l'invisible va devenir la nouvelle source d'inspiration de ce poète et romancier licencieux. Il est réputé pour avoir l'opium le plus pur de la capitale. Jean Cocteau, André Gide, Louis Laloy, se fournissent auprès de lui. Clara Malraux, dont le mari André fut un temps le secrétaire de Magre, fume en sa compagnie dans sa garçonnière du boulevard Berthier. Ils seront amants. Au début des années 1930, Magre, qui faillit obtenir le Goncourt en 1926 pour la *Luxure de Grenade*, se retire, épuisé par la vie parisienne. Il s'installe sur la Côte d'Azur et, retournant à ses racines, il écrit son ouvrage le plus connu, le *Sang de Toulouse* (1931) qui fait revivre les plus sanglants épisodes de la croisade contre les Albigeois. Magre va faire naître de nombreuses vocations dans la recherche des voies et des origines du catharisme. En

1937, il obtient le grand prix de littérature de l'Académie française pour l'ensemble de son œuvre et est pressenti pour le Nobel l'année suivante. C'est son ami Roger Martin du Gard qui l'obtiendra.

Maurice Magre, le chevalier du Graal, s'éteint dans la paix nirvanique le 11 décembre 1941. Un an auparavant, dans le *Parc des rossignols*, ultime recueil de poèmes, il avait écrit : « Il faut être seul pour contempler la mort. » C'est ainsi qu'il meurt ; seul, et le cœur ivre d'opium.

LA BELLE ÉPOQUE DE LA BOHÈME

LE TEMPS DE MONTMARTRE

Le Chat Noir, cerveau du monde

En 1878, des jeunes gens – la plupart poètes en herbe – se réunissent pour former un club. L'objectif est de permettre aux artistes pauvres et méconnus de se faire connaître du public, et de sensibiliser les étudiants, futurs bourgeois ou ministres, à l'art et la poésie. C'est au premier étage d'une petite salle enfumée d'un café du Quartier latin, à côté des joueurs de manille, qu'ils récitent des vers et font de la musique. Au bout de quelques semaines, le petit cénacle, ayant trouvé refuge rue de Cujas, compte déjà près de deux cents membres. Ce sont les Hydropathes[1], avec à leur tête le poète Emile Goudeau. Dans le milieu, le Périgourdin a connu son heure de gloire après la publication de son premier recueil de vers : *Fleurs du bitume*. Grâce à Goudeau, la bohème ne se cantonne pas à des estaminets lugubres, aux arrière-salles où ne

---

1. C'est après avoir entendu au Bal Bullier une valse viennoise – l'*Hydropathen Walzer* – que Goudeau, très intrigué par l'étymologie de ce mot, ne cesse de s'enquérir auprès de ses camarades du ministère des Finances de sa définition. On le surnomme alors l'Hydropathe : « Quand je fis donner ce nom à la société, je feignis de croire que c'était celui de quelque animal fabuleux qui aurait eu des pattes de cristal : pathen ; hydro : en eau cristallisée. C'était de la fantaisie et l'on s'en amusa. » (Article publié dans le *Matin* du 13 décembre 1899.)

sont admis que les habitués ; elle s'ouvre à un public plus large et se met en scène. Le succès est au rendez-vous. Les bars du Quartier latin sont devenus trop étroits et les rafles de police trop fréquentes. Il faut déménager et trouver un lieu qui pourrait accueillir ce club d'animation bruyante. Emile Goudeau va se diriger vers le « nord » et faire la rencontre d'un génie égal au sien : Rodolphe Salis. Décrit comme un « grand escogriffe roux, maigre et pâle, sanglé jus-qu'au cou dans une redingote de coupe militaire : un véritable reître du XIIᵉ siècle », Salis, né en 1852, est le fils d'un confiseur converti dans la distillation. Il apporte les dernières touches à la décoration de son futur cabaret.

Depuis 1850, avec la pension Denocheau qui s'intitulait « le restaurateur des lettres », fréquentée par Henri Murger, c'est la vogue des cabarets artisti-ques. A Montmartre, la Grand'Pinte et la Nouvelle Athènes ne désemplissent pas. Sur le boulevard de Rochechouart, la Cigale est au numéro 120 et l'Elysée Montmartre au 172. Rodolphe Salis imagine faire for-tune en créant un établissement d'un genre nouveau. Après avoir ouvert un atelier de fabrique d'images religieuses, il n'a pas demandé à la préfecture de police l'autorisation de le transformer en débit de boissons. Il installe un piano, ce qui est interdit car il n'a pas le statut de salle de spectacle. Il n'a pas encore ouvert qu'on le menace déjà de fermeture ; il s'en moque. Il décide de proscrire les jeux de société qu'affectionnent alors les consommateurs, au profit de tours de chants, spectacles d'humoristes et récitations de poèmes. Des peintres pourront exposer leurs toiles et gagner de manière artistique leur soif. On lui prédit un désastre ; ce sera un triomphe.

La décoration surprend. Le cabaret, exigu, se com-

pose de deux salles, dont celle du fond, surnommée
« l'Institut », un petit réduit qui deviendra célèbre. La
décoration est de style Louis XIII. On tend sur les
murs des tapisseries anciennes. Un vieux bahut du
Poitou fait office de caisse, que surmonte un grand
soleil d'or en bois en provenance d'une église. La
cheminée est chargée de pots d'étain et de vaisselle de
cuivre. Plus tard, la devanture arborera un vitrail
représentant un chat noir tenant un bock. L'ouverture
est proche, et Rodolphe Salis ne sait toujours pas
comment appeler son cabaret. Le destin lui donne un
premier coup de pouce, quand le miaulement d'un
petit chat noir se fait enfin entendre derrière les tables
qu'on installe. Le Picard le recueille. Il est si chétif
qu'on décide de l'appeler « Maigriou » et il devient
aussitôt la mascotte du futur cabaret. Le Chat Noir
vient de naître, et avec lui l'un des plus grands chapitres de l'histoire de Paris et de la littérature française.
Le second coup de pouce intervient le matin de
l'ouverture, lorsque le futur « gentilhomme cabaretier » rencontre, à la Grand'Pinte, Emile Goudeau. Il
est orphelin d'un nouveau lieu de rendez-vous pour le
cercle des Hydropathes. Dès le premier soir, le Chat
Noir les accueille et, dans leur mouvance, se veut
l'endroit incontournable du bas Montmartre, qui en
est alors à l'âge des tavernes, à cette époque où les
artistes sont des bandes de chevelus et barbus jusqu'aux yeux.

La centaine d'Hydropathes investit le cabaret en
faisant la renommée de Montmartre et de Rodolphe
Salis. Suivent les Hirsutes, les Incohérents et les
Zutistes. On déserte la rive gauche, on délaisse les
tables de la Source ou du Vachette et l'on s'entasse —
pour les plus fortunés, les autres s'y rendant à pied
— sur l'impériale Pigalle-Halles aux vins. Le trajet

quotidien Quartier latin-Montmartre devient un pèlerinage. Bientôt, pour entrer au Chat Noir, il faut être
introduit, recommandé, porter un nom illustre ou
être accompagné d'un parrain lui-même « chanoi-
riste » de la première heure. Le bruit de soirées mé-
morables court dans le Tout-Paris. Dans la journée, la
première salle est réservée aux consommateurs de
passage — qui ne sont pas les bienvenus — et dès la
tombée de la nuit, les artistes s'agglutinent dans celle
du fond, « l'Institut », baptisée ainsi car on ne peut y
tenir à plus de quarante. C'est l'antre du Chat Noir où
l'on se bat pour être admis. C'est un coin dantesque
au sein duquel les esprits s'échauffent et où il règne un
incroyable charivari, dans le tumulte de discussions
teintées d'espérances les plus folles, de projets mirifi-
ques, de chansons, de poèmes, où Salis encourage à
dire des vers en poussant cette joyeuse compagnie à
consommer plus que de raison, sans jamais faire
cadeau du moindre verre. La renommée des soirées
du Chat Noir attire la jeunesse dorée, la grosse finance
et la politique nantie, les femmes de la haute aristocratie et de la bourgeoisie. Parmi les habitués, on
compte Verlaine qui se lamente d'avoir vu Rimbaud
« partir pour les Egyptes », Emile Zola, Victor Hugo,
Paul Signac, Garibaldi, Alphonse Allais, Léon Bloy et
de nombreux hommes politiques de tous bords. On y
trouve aussi des inconnus qui deviendront célèbres.
Aristide Bruant y fait ses débuts avec ce costume dont
il ne se départira jamais : veston et pantalon de velours
noir, chemise de flanelle rouge, bottes d'égoutier et
un large feutre. Albert Samain récite les premiers
verts du *Jardin de l'Infante*, Rollinat ses *Névroses*. Peintres, chansonniers, apprentis poètes, élèves de Cen-
trale, musiciens iconoclastes, anarchistes, futurs académiciens s'y coudoient dans l'allégresse, la fantaisie,

l'éloquence bouffonne et la virtuosité d'un Salis qui est un exploiteur. Willette, qui a donné au Chat Noir sa plus célèbre toile, *Parce Domine*, peinte en une nuit, sans esquisse, et à la faveur d'une lampe à pétrole, s'en plaindra : « Voilà donc votre reconnaissance pour les quatre années que j'ai passées à vous donner pour le Chat Noir, le meilleur de mon cœur et de ma cervelle. Pauvre et débutant, honteux d'un passé absurde, vous êtes venu à mon atelier me demander, au nom de la camaraderie d'école, ma collaboration à votre jeune journal dont la rédaction se faisait dans notre petit cabaret du boulevard de Rochechouart. J'y suis resté quatre ans, vous donnant mes petits pierrots sans aucune rétribution : le *Parce Domine* ne vous a pas coûté cher et j'ai même été chez vous un trop bon client : j'en ai failli perdre la santé et la raison. »

Salis doit sa renommée aux artistes qu'il héberge, et sa revue qu'il prétend faire paraître de manière désintéressée. Le 14 janvier 1882, le *Journal du Chat Noir* voit le jour. Il comptera près de 700 numéros. Pour composer son *Journal*, tiré à plus de 1 000 exemplaires, Salis fait appel à tous les jeunes artistes dans le besoin. C'est pour eux un honneur de figurer dans cette feuille de chou qui est le reflet de l'art, de la chanson, de la poésie, de l'irrévérence, aux frontières de l'anarchie. Le *Chat Noir* ne ménage pas ses attaques contre les étudiants de la rive gauche, brocardés par l'élite intellectuelle de Montmartre qui les considère trop bien vêtus, trop bien peignés, et trop bourgeois. Emile Goudeau est le rédacteur en chef de la revue, et George Auriol, le secrétaire de rédaction. Parmi les collaborateurs de la partie politique, on compte la « Vierge Rouge », Louise Michel, Gambetta — qui n'est pas encore général —, Jules Grévy et le maréchal Mac Mahon. L'originalité du *Journal*, précieuse anthologie de l'esprit français du XIXe siècle, tient dans ses articles d'une grande qualité littéraire, très indépendants et empreints d'un humour grinçant, comme ces trois annonces parues sous la plume de Jules Jouy :

« On demande un nègre, à Médan, pour épousseter, entretenir et repeindre les feuilles d'un arbre ridicule... S'adresser à M. Emile Zola, propriétaire rural.

« On demande, à Médan, un jardinier comptable pour laver, brosser et compter les petits cailloux des allées d'une villa de mauvais goût. S'adresser à M. Emile Zola, parvenu.

« Un monsieur de mœurs équivoques, offre à M. Emile Zola, de lui apprendre l'argot en trente leçons. S'adresser à M. Sac d'os, à la Bastille. »

L'organe du Chat Noir propage les nouvelles les plus saugrenues, dénonce les faits et gestes ridicules d'un haut personnage et n'hésite pas à dévoiler les scandales politiques et les affaires de mœurs. Plusieurs fois traduit devant la justice pour diffamation, Salis sera toujours blanchi.

Devant le succès et l'affluence aux soirées littéraires des « vendredis artistiques », Salis, dont on raconte qu'il lampe jusqu'à soixante bocks par jour, crée les « mercredis ». Le local du 84, boulevard de Rochechouart s'avère trop exigu pour contenir toute la clientèle. La petite terrasse est toujours comble, et l'on sert des consommations sur les bancs du terre-plein du boulevard. Un agrandissement est impérieux ; la boutique de l'horloger voisin semble convenir. Reste à convaincre le commerçant qui refuse les propositions intéressantes de Salis. L'horloger a déclaré la guerre à ce cabaretier qui l'empêche de dormir. Cet homme devient la « tête de Turc » de toute la bande du Chat Noir, qui va lui faire payer très cher sa résistance. Pendant plus de deux mois, on lui mène une vie d'enfer, lui faisant livrer — plusieurs fois par semaine — tous les pots de chambre et autres objets hétéroclites trouvés dans les bazars des alentours. Furieuse, la femme de l'horloger jette les pots de chambre contre la devanture du cabaret, puis des seaux d'eau sur les consommateurs trop bruyants et se fait embarquer par des agents. Un jour, ce sont plus de deux cents ouvriers horlogers qui font le siège de la boutique, attirés par une mystérieuse et alléchante annonce. Une autre fois, vingt garçons de bains honorant une commande, se retrouvent à la même heure à la porte de l'horloger avec vingt baignoires ! Une nuit, Alphonse Allais et d'autres compères couvrent de plusieurs dizaines de couches d'affiches électorales la vitrine du commerçant, lequel refuse encore de céder. Le coup de grâce est asséné lorsqu'un luron de la bande se met à tituber devant la boutique en simulant une cécité imaginaire. L'horloger ne se laisse pas prendre au piège, chasse l'usurpateur, alors qu'une foule complice s'amasse devant sa boutique en le conspuant, jurant de tout détruire chez cette « brute ». Il faut l'intervention de Salis, pour le soustraire à la vindicte populaire. La victime s'en remet à son bourreau, acceptant enfin de lui céder le local.

Si, grâce à Rodolphe Salis, Montmartre devient le « cerveau du monde », le succès du Chat Noir attire une clientèle peu désirable et trop heureuse de fréquenter les artistes et les « rupinos » du cabaret. Salis, qui tolère les « horizontales » mais pas leurs julots, tente de les faire partir en crachant dans leurs bocks et, lorsqu'il flaire un souteneur, un de ces futurs « apaches » — selon l'expression en vogue à partir de 1901 — qui force l'entrée, il le chasse sans ménagement. La guerre est déclarée avec « rixes et périls », selon l'expression de Georges Lorin. Le quartier, mal fréquenté, fourmille de mauvais garçons, hantant les bals de la place Blanche et de l'Elysée Montmartre et qui, furieux de ne pouvoir entrer au Chat Noir, veulent régler son compte à Salis. Une nuit, à la fermeture, après un siège en règle, une bagarre éclate. Le cabaretier est blessé par un coup de couteau mais a le malheur, faisant le moulinet avec un tabouret, de manquer sa cible en tuant l'un de ses garçons de salle. Le drame fait grand bruit. Salis réfute être à l'origine de la mort du jeune homme. Il assure que son employé a été frappé au visage par un marlou. Poursuivi, Salis est acquitté, et paye l'enterrement du garçon. Parce qu'il n'était pas marié, il refuse de porter assistance à sa fiancée. Ce tragique accident précipite le projet de transfert du cabaret dans un lieu plus sûr.

Le mercredi 10 juin 1885, le déménagement le plus pittoresque de l'histoire de Montmartre a lieu en pleine nuit. Les habitants de la rue Victor Massé découvrent, médusés, un cortège éclairé par des torches avec, à sa tête, deux Suisses en habit, suivis par quatre hallebardiers portant le *Parce Domine* de Willette, et le grand ordonnateur de cette esbroufe, Rodolphe Salis, revêtu d'un costume de préfet de première classe. L'agent du quartier n'ose intervenir car il croit la manifestation autorisée. Un sonneur de cloches fait dévier les attelages et arrêter les passants. Les bannières sont déployées devant une foule d'amis, de consommateurs et de badauds. Une fanfare se charge de réveiller tout le voisinage. Le Chat Noir vient de prendre, en grande pompe, ses nouveaux quartiers dans l'ancien et très vaste hôtel particulier du peintre Alfred Stevens. Arrivé à destination, Salis fait un discours, brise son épée et fait une entrée triomphale dans les lieux. Ce second Chat Noir, bien plus imposant que le premier par le nombre de pièces à la disposition des consommateurs, comptant deux étages, va attirer une clientèle encore plus nombreuse et cosmopolite. En grand aristocrate de la drôlerie, Salis inaugure une nouvelle formule qui sera reprise par Aristide Bruant. Recevant la clientèle huppée le vendredi, il la flatte sur le perron, en les gratifiant de « Vos Seigneuries » ou « Vos Altesses électorales ». Il arbore, selon les cas, rubans ou rosette de la Légion d'honneur pour être l'égal de ses convives et, une fois assis à vil prix, il les invective et les brocarde dans l'hilarité générale. Pour s'enrichir encore plus vite, il force ses clients les plus huppés à boire en leur manquant de respect : « Bourgeois stupides, qui m'écoutez avec les yeux étonnés d'un chat accroupi sur la cendre ou d'une vache qui regarde passer un train, buvez ma trop bonne bière que je ne vous fais pas payer assez cher, ou je vous fous dehors ! Vous n'êtes venus ici que pour être stupéfiés autant que vous le méritez. C'est-à-dire incommensurablement. Imbéciles notoires que vous êtes, videz vos poches, vous en aurez pour votre argent, et pour la première fois de ma vie je ne serai pas ingrat ! Car je vous donnerai autant de coups de pied au cul qu'il vous en faudra pour faire de vous des êtres intelligents. »

L'installation soulève une vague de protestations dans tout le quartier, peuplé de marchands d'habits, de reconnaissances du mont-de-piété et de proxénètes. Un temps embarrassé par l'étendue de son local, Salis envisage de louer le premier étage à un photographe. Deux de ses amis, Henri Somm et Henri Rivière, lui proposent alors une idée géniale : installer un guignol et, préfigurant le cinéma, un théâtre d'ombres à la fois satirique, humoristique, mystique, le tout dans la tradition de l'ancien Chat Noir. Cette heureuse initiative va faire la fortune de Salis, qui continue à exploiter les artistes avec un sang-froid de négrier. Lors de la première représentation – où toute la presse parisienne est conviée –, le succès est au-delà de ses espérances. Au départ, les personnages sont manœuvrés par les artistes eux-mêmes, qui bientôt céderont la place à des machinistes professionnels. Le théâtre d'ombres devient l'événement le plus artistique du Tout-Paris et Salis donne, chaque année, une première devant la presse. Il y a foule à chacune de ses représentations. On se régale des boniments funambulesques de Salis et de ses compères, entrecoupés de chansons satiriques, rempart contre la bêtise ambiante de la classe politique et de la bourgeoisie. Pendant qu'au premier étage le théâtre fonctionne, le rez-de-chaussée est plein. Le spectacle s'institutionnalise, devient aussi célèbre que le bal du Moulin-Rouge. De plus en plus élaboré, il offre des scènes de lumières et des effets de couleurs derrière des vitraux dessinés par Willette. On y joue *l'Epopée* de Caran d'Ache où l'auteur, bonapartiste, fait montre de son talent et de sa passion pour l'Empereur, en ressuscitant ses campagnes victorieuses. A la fin de chaque représentation, la salle s'emballe et crie « Vive l'Empereur », ce qui provoque des protestations et l'émoi de la préfecture de police. Suivent *De Cythère à Montmartre* de Henri Somm et, en 1888, *La Nuit des temps* de Robida, où vingt ans avant les débuts de l'aviation, l'auteur imagine de grands oiseaux de fer se battant et bombardant Paris. On rie beaucoup, croyant que de telles choses ne seront jamais possibles.

Homme d'esprit, Salis, désireux de se moquer du général Boulanger, se présente aux élections législatives de 1889 sous la bannière des « revendications littéraires, artistiques et sociales » avec le programme de la séparation de Montmartre et Paris. Les électeurs découvrent cette affiche : « Electeurs, on vous trompe. Depuis deux ans, un imposteur abusant d'une vague ressemblance physique, se fait passer pour le général Boulanger. Or, le général Boulanger, c'est moi. Mon programme ? Il est simple : la révision de la Constitution tous les trois mois. Je déclare donc que je prendrai pour miennes toutes les voix qui se porteront sur le nom du général Boulanger. Et, si je suis élu, je ne conseille pas à l'individu en question d'affronter en même temps que moi le seuil du Parlement. Electeurs aux urnes, et pas d'abstention. Rodolphe Salis, directeur du Chat Noir, Seigneur de Chatnoirville-en-Vexin. » Loin d'être vexé, le véritable général Boulanger assistera à une représentation du théâtre d'ombres. L'exemple de Salis sera imité quelques années plus tard par un autre plaisantin, se présentant dans le IXe arrondissement avec comme programme électoral l'abolition de la bureaucratie et la surélévation de Paris à la hauteur de Montmartre !

De 1886 à 1894, le théâtre d'ombres fait les beaux jours du Chat Noir de Salis, mais pas celle des artistes qu'il continue à exploiter. Il acquiert une propriété en province, le manoir de Naintré à « Chatnoirville-en-Vexin », et part en tournée avec toute son équipe dans la France entière, et à l'étranger. Durant de longues périodes, l'établissement est fermé et le public parisien se disperse vers de nouveaux cabarets imitant la recette de Salis. La revue du Chat Noir, paraissant toujours chaque samedi, se vide de son essence intellectuelle, la majorité des collaborateurs cédant aux charmes de la rive gauche, pays des éditeurs. Un des adeptes de la première heure, Emile Goudeau, est parti, tentant sans succès de fonder un cabaret similaire : le Chat Botté.

En 1895, menacé d'expulsion pour fin de bail, la

revue et le cabaret sont cédés à une société qui s'avère incapable de faire fructifier le fonds de commerce. Le Chat Noir déprime, s'essouffle, avec une concurrence de plus en plus rude aux alentours. Aristide Bruant a repris l'ancien Chat Noir, celui du boulevard de Rochechouart pour y fonder le Mirliton ; c'est devenu l'établissement à la mode, où le bourgeois vient se faire engueuler. Rodolphe Salis est en proie à de graves problèmes de santé. Il ferme son cabaret. Son médecin lui interdit de reprendre toute activité, mais il brave ses avertissements, vend tous les meubles du Chat Noir et part en tournée. C'est durant l'une d'elles, qu'à Angers, il tombe malade, le 14 mars 1897. Transporté dans le manoir de « Chatnoirville-en-Vexin », tous les soins prodigués ne peuvent le ramener à la vie. Le 19 mars, Rodolphe Salis s'éteint dans sa propriété, succombant à des années d'abus de « limonade » ou, selon les mauvaises langues, d'avoir fait trop bonne chère de « choucroute et d'argent ». Il rend son dernier soupir, après avoir tout donné à son cabaret, toujours préoccupé de sauver son porte-monnaie au détriment des artistes qu'il a néanmoins permis d'exister. L'un d'entre eux — Jules Jouy — meurt deux jours avant Salis. Quelques années auparavant, il avait manqué se tuer en tombant des escaliers du second Chat Noir. Ayant subi les railleries du patron, il lui avait lancé : « Tu as tort de souhaiter ma mort ; tu mourras vingt-quatre heures après moi ! » La malédiction de Jules Jouy a donc laissé à Salis vingt-quatre heures de plus de répit.

Rodolphe Salis, bonimenteur, mystificateur et un peu fumiste, a eu raison de déclarer un jour : « Dieu a créé le monde. Napoléon a créé la Légion d'honneur. Moi, j'ai fait Montmartre. »

Le Lapin Agile, coffre-fort de l'éternité

A la fin du XIXe siècle, au coin de la rue des Saules et de la rue Saint-Vincent, Léon et Fernande Salz acquièrent une maisonnette d'un étage, construite en 1795, qu'ombrage un acacia et dont l'appellation poétique − A ma Campagne − rappelle à ceux qui la fréquentent, l'âme bucolique du quartier. A la tombée de la nuit, les amoureux escaladent le mur du petit cimetière situé face à l'échoppe pour chiper, sur les tombes, les bouquets de roses. La rue Saint-Vincent n'est alors qu'un petit sentier bordé de jardins potagers et d'un épais mur de soutènement. Les époux Salz, espérant tirer profit de la publicité créée autour d'un crime [1], changent l'enseigne et baptisent le débit de boissons : Au Cabaret des Assassins. A l'intérieur, tout rappelle les méfaits du meurtrier qui n'aurait pas agi seul. Les murs sont recouverts de gravures évoquant les scènes du carnage. Parmi elles, une toile représente la tête tranchée de l'assassin. Elle sera rachetée par Courteline. Hélas, l'entreprise n'est pas aussi prospère que l'espérait son propriétaire, sous-chef de bureau à la mairie de Montmartre. L'échoppe n'attire que les ivrognes qui, jour et nuit, frappent à la

---

1. Exécuté le 19 janvier 1870, Jean-Baptiste Troppmann est reconnu coupable d'un des crimes les plus monstrueux de la fin du XIXe siècle. Deux mois plus tôt, à Pantin, pour un mobile cupide, le meurtrier s'est acharné sur une famille entière − huit personnes dont cinq enfants et une femme enceinte de six mois −, certains étranglés, d'autres égorgés ou lardés de coups de couteau et achevés à l'aide d'une pioche.

porte. Les époux Salz subissent la présence de voyous des quartiers de la Goutte-d'Or ou de Belleville. A la tombée de la nuit, quelques gigolettes, échappées du bal du Moulin de la Galette, s'y réfugient et, accoudées au piano, fredonnent le refrain de chansons tristes, pendant qu'à l'extérieur les mauvais garçons jouent du couteau. Les artistes, qui feront plus tard la réputation de l'établissement, rechignent à s'y aventurer, peu enclins à coudoyer ces « apaches » que l'on dit prêts à déterrer la hache de guerre dès que l'on s'approche trop près d'une de leur protégée.

Lassés de ne pouvoir fumer le calumet de la paix avec tous les arsouilles qui entachent la réputation du cabaret, les époux Salz finissent par céder la gérance à une ancienne danseuse de quadrille du Moulin-Rouge, Adèle Ducerf. Cette dernière, au contraire de sa collègue la Goulue [1], a su mettre de l'argent de côté afin de se lancer dans l'aventure. Habituée aux manières de ces mauvais garçons, Adèle finit par rétablir l'ordre et, chaque soir, ceux qui se proclament artistes poussent la porte. Même si on y chante à tue-tête — « Adèle ! T'es belle ! J'en pince pour tes gros nichons... » — l'ambiance est plus sereine. Louis Alexandre Gosset de Guines, plus connu sous le pseudonyme d'André Gill, ami de Verlaine et de Rimbaud, a peint sur la façade du cabaret un lapin bondissant d'une casserole, une bouteille de vin accrochée à la patte. Pour tous les habitants du quartier et les nombreux habitués, cette enseigne c'est le « Lapin à Gill » ! Le raccourci est vite trouvé, le cabaret s'appellera désormais « Au Lapin Agile ». Nous sommes

---

1. Louise Weber, dite la « Goulue », finira sa vie dans la misère et dans la solitude d'un taudis de Saint-Ouen. Elle avait quitté le cabaret pour une baraque à la Foire du Trône, dont Toulouse-Lautrec avait réalisé les panneaux, qui sont aujourd'hui au musée d'Orsay.

en 1886, Adèle a réussi son pari : les voyous se sont assagis et l'endroit devient à la mode. Il connaît sa première heure de gloire à l'époque du Chat Noir, lorsque Rodolphe Salis et toute sa compagnie montent du bas de la rue Lepic, Suisses et hallebardiers en tête, pour tenir leur dîner hebdomadaire surnommé « La Soupe et le Bœuf ». La réputation du Lapin dépasse les barrières des fortifs et de la place Blanche. On y rencontre Georges Clemenceau alors jeune médecin, les humoristes, caricaturistes et poètes qui officient sur le boulevard de Rochechouart : Alphonse Allais, Mac-Nab, Vincent Hyspa, Théophile Steinlen, Adolphe Willette, Jehan Rictus, Jean Richepin, Maurice Rollinat, Charles Cros, Caran d'Ache, et ceux qui n'hésitent pas à faire, à pied, le voyage depuis la rive gauche : Paul Verlaine, Albert Samain et Villiers de l'Isle-Adam. S'y rend aussi le propriétaire du Mirliton, Aristide Bruant, un ancien du Chat Noir qui a élu domicile non loin de là, rue Cortot, et dont la destinée sera bientôt liée à l'avenir du cabaret, qu'il achètera pour le sauver d'une destruction programmée.

En 1902, Adèle décide d'ouvrir un restaurant rue Norvins. Elle cède la gérance du Lapin à une autre femme de caractère, Berthe Serbource, une Bourguignonne que vient d'épouser l'ancien cabaretier du Zut, Frédéric Gérard que tout le monde, à Montmartre surnomme « le père Frédé ». Un temps marchande de légumes, Berthe est une ancienne blanchisseuse, qui se souvient de Nini-Patte-en-l'Air et de la Goulue, en train de danser le cancan dans son magasin en venant chercher leur linge. Vont alors commencer les plus grandes heures du Lapin.

Les peintres de Montmartre, alors méconnus, assurent la décoration des lieux. On y trouve, entre autres, l'autoportrait de Picasso en Arlequin, des

aquarelles de Delaw, des dessins de Willette et
d'André Gill, un bas-relief hindou, un Apollon accor-
dant sa lyre, que rejoindront plus tard des toiles
d'Utrillo et des dessins de Dignimont. Autant de
trésors que Frédé considère sans valeur marchande,
n'étant à ses yeux que de simples cadeaux offerts par
des copains. Tous les soirs, la salle est comble. Certains jours, l'air devient irrespirable : dans une atmosphère feutrée voulue par les tenanciers, les relents de
cuisine et de toutes sortes d'alcools, combinés avec la
lourde fumée des pipes, des cigarettes et du haschich,
noircissent le plafond. Un grand Christ en plâtre,
œuvre du sculpteur Wasley, étend ses bras désespérés ; sa tête s'affaisse, croulant sous les manteaux des
consommateurs qui ne semblent pas être dérangés par
la petite ménagerie entretenue par les tenanciers, et
qui divague dans le cabaret en toute liberté [1].

Berthe, dont la générosité s'ébruite peu à peu chez
tous les paresseux, ratés, poètes et rapins faméliques
de la Butte et des alentours, est une excellente cuisinière. Un « Bonsoir Berthe » plus appuyé que d'ordinaire signifie qu'on a l'estomac dans les talons.
Alors, en cachette de Frédé, elle glisse un morceau de
pain dans la poche, une goutte de café quand dehors il
fait trop froid et, surtout, une parole réconfortante,
ce qu'évoquera Francis Carco : « Nous avions l'air

---

1. L'âne de Frédé, mascotte du Lapin, va devenir célèbre dans le monde
de l'art, à la suite d'une mystification orchestrée par Roland Dorgelès. Le
futur auteur des *Croix de bois*, imagine de placer un pinceau sur la queue de
l'âne que l'on stimule en lui présentant des carottes. La satisfaction de l'animal
se traduit par un gribouillage qui est exposé au salon des Indépendants sous le
titre : *Et le soleil se coucha sur l'Adriatique* par le peintre italien Joachim-Raphaël
Boronali (anagramme d'Aliboron). Le tableau est acheté 500 francs par un
riche amateur, et les critiques saluent les talents du peintre, assurant que celui-
ci a un tempérament confus mais doué d'une grande maîtrise ! Il faut la publication du constat d'huissier prouvant que le véritable auteur n'est qu'un âne,
pour qu'elles veuillent admettre leur erreur !

d'apparitions mais cela ne nous ôtait pas l'appétit. Des fronts luisaient, des mains fébriles se tendaient, tout à coup, pour agripper les plats et les bouteilles qui, comme par miracle, se trouvaient vides en un instant. "Honneur à Berthe!" clamions-nous, la bouche pleine. »

Dès qu'il s'empare des rênes du Lapin, Frédé y apporte sa touche personnelle, qui avait déjà contribué au succès du Zut. Sa joie de vivre, son sens de la fête, son amour de l'art et des artistes dans la mouise ou des libertaires, éternels fauchés, contribuent à donner ses lettres de noblesse à ce cabaret. L'hospitalité de Frédé devient célèbre dans le milieu. Sur la porte, est écrit en lettres blanches : « Le premier devoir d'un homme, c'est d'avoir un bon estomac. » Le problème est de remplir cet estomac quand on est sans le sou. Sans toutefois l'acculer à la faillite, en l'échange d'une chanson, d'un poème ou d'une croûte, Frédé pourvoit aux besoins d'un grand nombre d'artistes et, tous les soirs, la « bohème montmartroise » s'installe autour de la grande table, au centre de la pièce. Il a belle allure le père Frédé, depuis qu'il s'est laissé pousser une longue barbe blanche qui le fait ressembler à Homère ou à Robinson Crusoé. Le personnage est haut en couleur : hiver comme été, de jour comme de nuit, dehors comme dedans, on le rencontre toujours coiffé d'un large chapeau à la « Bruant », enfoncé par-dessus un foulard rouge de bandit corse. La taille sanglée par une grosse ceinture de cuir, il enfourne son tricot de laine rouge dans un ample pantalon de velours gris à grosses côtes. Les soirs de grand froid, la pipe au coin des lèvres, il s'installe près du feu et se met à clamer, guitare à la main : « Faisons un peu d'art. » On sert alors la spécialité de la maison, la « combine », mélange de Pernod, de grenadine, de guignolet, de kirsch, auquel on ajoute une cerise à l'eau-de-vie. C'est l'heure de la veillée dont certaines demeureront célèbres. Frédé chantonne les plus belles strophes de Ronsard ou le *Temps des cerises*. On chante beaucoup au Lapin Agile : goualantes des rues, romances tristes qui font sourire les voyous et pleurer les pierreuses, refrains marseillais, couplets des bataillonnaires d'Afrique, ballades bretonnes. A la fin du récital, on fait la quête pour les artistes dans la misère qui s'inquiètent du lieu où ils vont pouvoir dormir ce soir. Lorsqu'on ne chante pas, au Lapin, on y versifie. Un soir d'hiver, un homme qui semble perdu, est entré ruisselant de cette pluie qui a découragé tous les habitués. C'est Charles Dullin, qui se met à réciter de sa voix pathétique et plaintive le « Chant de la pluie », puis des poèmes de Laforgue, Baudelaire, Rollinat qui, dans sa bouche, soupirent sa misère. On s'est tu. Dullin se rassoit sous les bravos. Un camarade fait la quête pour celui qui n'a pas d'autre moyen d'existence ; Berthe lui glisse un morceau de pain. L'infortuné Dullin, qui est habitué aux railleries des bonnes lui jetant deux sous pour le faire taire quand il récite ses vers dans les cours d'immeubles, réchauffe son âme au feu de ces instants, qui font la magie du Lapin. Dans l'assistance, Robert d'Humières, le directeur du Théâtre des Arts l'approche : « Vous avez beaucoup de talent, mon ami. Venez me voir demain. Je crois que j'ai un rôle pour vous. » Dullin est sauvé [1]. Il ne sera pas le seul car des poètes, chansonniers et futurs romanciers s'y produiront pendant plusieurs décennies en connaissant des fortunes diverses. André Salmon, secrétaire de Paul Fort à *Vers et Prose*, vient y

---

1. Dernier né d'une famille de dix-neuf enfants, Charles Dullin (1885-1949), après une brillante carrière de dramaturge, deviendra directeur de théâtre, acteur de cinéma et professeur, comptant Jean Marais parmi ses élèves.

chanter, avec son accent faubourien, les ballades des boulevards; Max Jacob récite sa « Langouste atmosphérique »; Gaston Couté sa « Chanson d'un gars qu'a mal tourné »; Girieud « Les Cagoles »; Jules Depaquit « Jack in the box », sur une musique d'Erik Satie; Pierre Mac Orlan des chansons des Bat' d'Af [1] de Gabès à Tatahouine et de Gafsa à Médénine; Apollinaire esthétise et découvre les peintres cubistes; Picasso s'installe à la terrasse, à l'ombre de l'acacia, en compagnie de ses chiens; Utrillo, que des agents viennent de passer à tabac, déjà trop ivre, vient quémander un dernier verre en l'échange d'une croûte. Seul Dufy refuse de s'y laisser entraîner, préférant économiser pour s'acheter une place de concert. La liste est longue, et nombreux sont ceux qui ont tenté leur chance, sans avoir la bonne étoile d'un Dullin. Au Lapin, on rencontre des paresseux — les seuls qui payent — qui s'y rendent pour reprendre en chœur les refrains des autres et faire un peu de chahut : des dessinateurs sans emploi, des garçons bouchers lassés de leur travail, des apprentis rapins chassés de leurs familles et d'autres qui n'ont jamais tenu un pinceau. Il ne faut pas brosser un tableau trop idyllique du Lapin d'avant-guerre. Il y a des nuits de détresse et d'affreux abandons. Les veillées peuvent être tragiques, lorsque les voyous décident de venir troubler la fête. Les femmes sont souvent la cause des bagarres, car elles trouvent refuge dans les lieux en espérant échapper à leurs julots. Frédé a fort à faire avec les gouapes qui traînent dans son cabaret. Depuis l'altercation du Zut [2], il est en permanence sur ses gardes et

---

1. Abréviation des bataillons d'Afrique, qui étaient des régiments disciplinaires.
2. Frédé, avant la gérance du Lapin, avait tenu ce cabaret en haut de la Butte. Un soir, il fut obligé de se barricader après avoir subi les assauts d'une

flaire les indices permettant de prévenir toute bagarre.
Ces messieurs — qui ont souvent la haine des artistes —
pénètrent en force au Lapin, les lames de rasoir ou le
« feu » à la main. Tout est prétexte : un jeune
homme, ayant découvert le livret d'une pièce de
Racine sous une table, se met à recopier des vers, et
quelques marlous s'imaginent que c'est un indicateur
de la police en train de prendre des notes. Il est roué
de coups. Le poète Henri Valbel est reconnu par un
voyou avec lequel il a déjà eu une altercation à la
sortie du bal du Moulin de la Galette. Il le serre contre
le comptoir, en lui mettant son rasoir sur la gorge.
Valbel ne se démonte pas, fouille dans le tiroir et
s'empare du revolver de Frédé qui, chantant dans
l'autre salle, ne s'aperçoit de rien. Il tire et abat son
agresseur dans une indifférence quasi générale. D'autres affaires se soldent à coups de tire-bouchon dans le
ventre, et tout l'équipage du Lapin se retrouve, cité
comme témoin, en correctionnelle. Une nuit de cafard, le Lapin subit les assauts d'une bande. On ferme
les volets. Pas moins de cinquante coups de feu sont
tirés et c'est Lolotte, la servante, qui a la lourde
responsabilité de recharger les revolvers. Frédé, en
état de légitime défense, est obligé de tuer et comparait au tribunal, redingote et sabots aux pieds, sous les
applaudissements, avec pour avocat Max Jacob qui
plaide en sa faveur avec une grande éloquence. Victor
dit Totor, l'un des trois fils de Frédé, aura moins de
chance. Nul ne saura jamais pourquoi, alors qu'il rend

---

bande de près d'une centaine d'individus armés. Le siège dura toute la nuit,
faisant fuir les îlotiers de la place du Tertre. Au petit matin, un peloton de
gendarmerie délivra les pensionnaires du cabaret parmi lesquels se trouvaient
Léon-Paul Fargue, Pierre Mac Orlan, Manolo et Picasso. La préfecture de
police donna l'ordre de fermer le cabaret, soupçonné d'être un repaire
d'anarchistes. Il fut détruit, avec les inestimables fresques peintes par Picasso.

la monnaie au comptoir, un homme décharge son pistolet sur lui à bout portant. Lolotte est blessée. Au lendemain du meurtre, le bruit circule que Totor aurait été un chef de bande de la Goutte d'Or. Frédé, qui a reçu des menaces, connaît l'assassin. Il se tait. Il semble que ce soit un habitué, car la chienne n'a pas bougé. Quelques semaines plus tard, l'assassin revient sur les lieux de son crime impuni et, cette fois, la chienne se met à grogner. Frédé la fait taire sans ménagement. Carco sera témoin de la scène : « Une gêne abominable s'empara de chacun. L'individu se leva, alla prendre place auprès du cabaretier et, à la fin, lui tendit sa guitare. Frédé voulut sortir. L'autre le retint et, comme il aimait particulièrement un refrain sentimental, il obligea le vieux à chanter. Si l'histoire n'est pas vraie, elle mériterait de l'être car elle reflète les sentiments qui régnaient sur la Butte avant la guerre. »

Puis éclate la guerre – « la Grande » – et, au Lapin, l'euphorie des premières heures a laissé place à la désolation. Frédé voit partir tous ses amis et ses clients. Nombreux sont ceux qui ne reviendront pas. Le cabaret est transformé en cantine à soldats, où l'on raconte les véritables nouvelles du front, pas celles que la presse – victime d'une implacable censure – distille. Ceux qui reviennent de permission donnent des mauvaises nouvelles d'amis blessés ou morts. Aristide Bruant pleure son fils unique, capitaine fauché dans une action de bravoure à la tête de sa compagnie. Plus que jamais, dans ces années sombres, le Lapin devient un refuge pour tous ceux qui souffrent des affres d'un conflit qui n'en finit plus. C'est le moment que choisit Bruant pour céder – pour une somme modique – le cabaret au fils de Frédé, Paulo, assurant ainsi la pérennité du doux caboulot.

Les lendemains de guerre s'avèrent plus difficiles pour la colonie des artistes de Montmartre. La majeure partie d'entre eux a déserté la Butte pour un nouveau pôle culturel, Montparnasse, qui devient le berceau de l'art moderne. Ceux qui ont survécu à l'enfer des tranchées, ont du mal à reconnaître leur Montmartre des grandes années 1890-1910. Les vieilles bicoques, qui résistèrent à la « grosse Bertha », ne peuvent plus rien face à la folie des spéculateurs immobiliers de l'après-guerre, attirés par les récits épiques d'un temps où tout n'était que fête. Mais ce temps est révolu et les architectes, « les vandales » comme les nomme Paul Yaki, se mettent à l'œuvre et détruisent tout ce que la Butte compte encore comme petites merveilles : les jardinets, les bicoques du Maquis, les ruelles romantiques disparaissent au profit de grands immeubles. Le cerisier de la rue Norvins, qui annonçait le printemps, a perdu toutes ses feuilles, et la fontaine de la rue de l'Abreuvoir, où tant de rapins s'arrêtaient pour y faire un brin de causette, a cessé de couler. Les vieux moulins ont été démembrés afin de permettre aux automobiles de s'engouffrer dans de larges avenues. Lorsqu'il contourna la première fois la place Pigalle, le tramway à vapeur effraya tous les chevaux, si bien que, devenus comme fous, ils allèrent se réfugier dans les boutiques. Les taxis, dans leur tonnerre mécanique, ont remplacé les omnibus à chevaux dont seuls des équilibristes savaient conduire les attelages de déménageurs ou corbillards jusqu'en en haut de la Butte. L'esprit de la Butte est mort, le bas Montmartre devient la capitale du sexe, du vice et de toutes les drogues, alors qu'apparaissent les premières boîtes de nuit – repaires des touristes en mal de sensations – puis les commerces qui ouvrent les uns après les autres, marchands de souvenirs et bars à la mode. Dans l'immédiate après-guerre, le Lapin a bien du mal à retrouver son ancienne clientèle, laquelle, désœuvrée, déserte Montmartre. Mais la magie renaît, comme en témoigne le livre de bord où s'alignent, entre autres, les signatures d'Apollinaire, Léon Blum, Carco, Clemenceau, Courteline, Curnonsky, Maurice Dekobra, Delaw, Depaquit, Dorgelès, Paul Fort, Max Jacob, Picasso, Poulbot, Jehan Rictus, André Salmon, Warnod, Willette... Rudyard Kipling et Charlie Chaplin ont signé ce livre lors de leur passage dans le cabaret. Dans les années 1950, ce sont Georges Brassens, Annie Girardot, Mouloudji qui y font leur début. Un peu plus tard, Claude Nougaro déclare : « Le Lapin Agile, c'est le coffre-fort de l'éternité. » Il est loin ce temps où l'on refoulait les bourgeois à l'entrée, préférant la compagnie des artistes sans le sou. Frédé a vendu pour une bouchée de pain à Rolf de Maré [1], la toile que lui avait offert Picasso, l'*Arlequin*, faisant au passage la plus mauvaise affaire de sa vie. A présent, les riches automobiles, qui parviennent à grimper sur la Butte, s'arrêtent au coin de la rue des Saules. En descendent des élégantes qui espèrent retrouver en ces lieux l'esprit d'antan.

Puis vient ce jour de 1938 où s'éteint, à l'âge de soixante-dix-huit ans, le père Frédé. Il repose dans le cercueil installé sur la grande table, celle sur laquelle Carco et ses compagnons étaient montés tant de fois pour pousser leur goualante. La presse n'a pas encore annoncé la nouvelle que tous les voisins, d'humbles gens, des inconnus, se pressent à la porte du cabaret pour dire un dernier adieu à Frédé qui, jusqu'au dernier moment, a lutté contre la mort en chantant ses

---

1. En 1918, il vendit au directeur des Ballets Suédois la toile 5000 francs, ce qui lui paraissait astronomique. Elle en valait dix fois plus!

vieilles rengaines : « Ma Femme est morte », « Il
vente », « Nini peau de chien » et « Merde pour la
reine d'Angleterre ». Séparé de Berthe, il se sait
condamné, et a refusé d'aller se reposer à la campagne, à Saint-Cyr-sur-Morin : « La campagne ? J'y
suis, à la campagne... J'ai qu'à regarder d'ici les
feuilles des arbres ! » Sa campagne, c'est le Lapin où
on le voyait appuyé sur son bâton ou assis à l'ombre
du vieil acacia avec son brûle-gueule dont il aspirait
de profondes bouffées. Maintenant qu'il est mort,
tous demeurent interdits. En passant devant la bière,
d'aucuns se souviennent des temps héroïques et,
prononçant une courte oraison, sortent du cabaret,
les larmes aux yeux, en racontant une dernière anecdote. La plupart des anciens amis n'ont pu être prévenus. Autour de Carco et de Paulo, d'autres veillent le
mort pendant toute la nuit, repoussant les touristes
qui ne comprennent pas pourquoi le cabaret est fermé
et sussurent : « Le Dab est mort ! Faites pas tant de
bruit ! »

Le Bateau-Lavoir au temps de Picasso

Le Bateau-Lavoir est construit sur les ruines d'une
guinguette qui s'était effondrée, le Poirier sans pa-
reil [1]. A l'origine manufacture de pianos vers les années 1860, il appartient à un entrepreneur, Sébastien

---

1. L'hôtel du Poirier, construit sur un ancien bal populaire, faisait face à la
guinguette. C'était l'un des hôtels les plus minables de la Butte. Recueillant
toutes les « épaves » de Montmartre, il fut détruit en 1934, à la suite d'une
explosion de gaz, causée par deux amants désespérés qui avaient voulu mettre
fin à leur jour.

Maillard, venu à Paris certain d'y faire fortune avec son brevet de volets métalliques à lames horizontales. Le poète Max Jacob, voyant un jour sécher du linge à une fenêtre, lui aurait donné comme surnom la « Maison du trappeur », car elle est ouverte à tous les vents et ressemble aux bateaux à aubes voguant sur le Mississippi. La concierge, la bienveillante Madame Coudray, qui a toujours un bol de soupe pour les plus affamés, indique aux visiteurs comment ne pas se perdre dans ce dédale de couloirs, menant aux différents petits ateliers cachés dans la carcasse de bois. C'est un labyrinthe dans lequel il faut descendre un escalier pour se rendre aux étages ! C'est dans cet assemblage disparate de poutres et de planches, que prennent place, au début du XXe siècle, dix petits ateliers dans lesquels essayent de cohabiter une faune de peintres, de poètes, et d'anarchistes qui sont sous la surveillance de la police. L'intimité n'existe pas au Bateau-Lavoir. Il suffit qu'éclate une scène de ménage — et elles sont fréquentes chez les artistes — pour que Modigliani, ivre, se mette à chanter, les chiens de Picasso hurler à la mort — faisant pleurer Dolly, la petite fille de Van Dongen —, Pierre Mac Orlan ôter les journaux qui lui servent de couverture pour jouer de la trompette, couvrant à peine les soupirs d'amour des locataires du sous-sol, dont on ne sait pas s'il s'agit de ceux du troisième.

A la fin du mois de juin 1901, Max Jacob, qui n'est pas encore poète, mais espère vivre de sa plume en officiant comme critique d'art, pousse la porte de la galerie d'Ambroise Vollard, rue Laffitte. Y sont exposées une soixantaine de toiles d'un jeune peintre âgé de dix-neuf ans, Pablo Picasso. A la vue des tableaux, Max est émerveillé par la fougue, l'éclat des couleurs et la personnalité qui se dégage de chacune

des compositions. Picasso peint la nuit à la lueur d'une
bougie et il dort toute la journée. Il est intrépide
d'oser frapper à sa porte avant quatre ou cinq heures
de l'après-midi. Max laisse à Ambroise Vollard une
carte de visite présentant les titres ronflants de
« critique d'art et licencié en droit » avec, au dos, un
message enthousiaste. Quelques jours plus tard, le
premier « manager » de Picasso, Mañach, invite le
critique à rendre visite au peintre qui habite un modeste atelier au 130 ter, boulevard de Clichy [1]. Malgré
la tenue qu'arbore Max Jacob — monocle, chapeau
haut de forme, jaquette et gants blancs —, il est ac-
cueilli les bras tendus par l'Espagnol connaissant à
peine le français. Mais à vingt ans, la langue n'est pas
une barrière et, entre les deux hommes, l'amitié
devient réciproque. Max est invité à admirer de
nouvelles toiles et partager, en compagnie d'une
dizaine d'autres Espagnols, tous assis par terre, le plat
de flageolets qui mijote sur une lampe à alcool et une
mauvaise bouteille de vin. Le destin des deux hommes
vient d'être à jamais scellé et, dans la longue nuit,
après que tous les Espagnols sont partis, ils continuent
à communiquer par gestes. Le lendemain, toute
l'équipe se transporte chez le poète, quai aux Fleurs.
Picasso peint le portrait de Max sur une toile, hélas
bientôt recouverte : « Je lui lus la nuit entière, non
pas des articles de critique d'art, certes, mais les
poèmes que je m'amusais à griffonner depuis mon
enfance en dehors de mes ratures et Picasso pleurait et
me serrait dans ses bras en me disant que j'étais le seul

---

1. C'est dans cet appartement que son ami Casagemas passe sa dernière
nuit le 16 février 1901, avant de convoquer tous ses amis — excepté Picasso
retenu à Madrid — dans un restaurant. Par dépit amoureux, il se tire une balle
dans la tempe droite. Cette tragédie va marquer Picasso, qui se mettra à
peindre en bleu.

poète français de l'époque. [...] C'est à ce mot-là que je dois toute ma carrière [1]. »

Au début de l'année 1902, Picasso retourne dans sa famille à Barcelone. La misère rapprochera bientôt les deux hommes, qui se quittent à regret.

De retour à Paris, avec trente-cinq pesetas en poche, Picasso a si faim qu'il en est réduit à voler un morceau de pain et quelques sous se trouvant sur la table de la canfouine piteuse de l'un de ses amis. Ses toiles de la période bleue ne rencontrent pas la faveur du public, et les derniers subsides de l'exposition Vollard se sont envolés. Loin de Montmartre, il est dans une misère humiliante, le conduisant à dormir par terre, dans la chambre qu'il partage avec Rocarol, un compagnon d'infortune. Pour survivre, il effectue des travaux « alimentaires », exécute un pastel qu'il roule sous son bras et – traversant Paris sous la neige – le présente à la galeriste Berthe Weill [2], laquelle prétextant ne pas avoir d'argent, le renvoie en gardant

---

1. John Richardson, *Vie de Picasso*, 1991.
2. C'était une toute petite femme de caractère, souvent bourrue, affublée d'une terrible myopie, d'un teint blafard, d'une voix rocailleuse. Lorsqu'on pénétrait dans son échoppe, on était surpris de voir les toiles encore humides, suspendues par des pinces à linge de blanchisseuse sur des fils tendus le long de la pièce. Elle avait choisi de laisser la place aux jeunes et n'exposait que des peintres inconnus qui vivaient dans les ateliers des alentours, reclus dans la misère. Les quelques clients qui s'aventuraient devant sa vitrine en repartaient, horrifiés, s'écriant · « C'est certainement un c... qui a fait ça. C'est certainement un c... qui l'achètera. » Elle déclara à Modigliani : « Vous reviendrez quand vous saurez peindre ! » En 1917, elle organisa la première exposition des nus de Modigliani, qui firent scandale à cause des « poils ». Elle passa la nuit au poste de police. Dans son réduit de six mètres carrés, en trente ans de carrière, elle exposa Derain, Dufy, Kisling, Lautrec, Matisse, Pascin qu'elle adorait, Utrillo, Odilon Redon, Van Dongen, Vlaminck. Contrairement à certains de ses confrères, jamais elle n'escroqua un seul artiste et refusa même de payer, en 1915, cinq francs une toile d'Utrillo, sous prétexte qu'il était ivre et qu'elle n'avait pas le cœur à abuser de la situation. En 1946, alors qu'elle se trouvait dans un extrême dénuement, une vente à son profit fut organisée par la majorité des peintres qu'elle avait naguère secourus.

l'œuvre, qui se rajoute aux anciennes toiles dont elle se plaint avoir du mal à se débarrasser. Comme elle le relate dans ses souvenirs, l'Espagnol l'effraye : « Je vends bien de-ci, de-là, quelques Picasso, dessins ou peintures, mais je ne puis arriver à subvenir à ses besoins, et j'en suis navrée, car il m'en veut ; ses yeux me font peur et il en abuse ! Pour tenir, il faut que j'achète un peu à tous ; avec un seul, cela ne serait pas possible ; comment le lui faire comprendre ? » Picasso refuse de comprendre. Un jour, il débarque dans sa galerie en déposant l'ancien revolver d'Alfred Jarry sur une table. Il demande, dans un mauvais français, à être payé. Terrorisée, elle s'exécute en sortant un billet de cent francs caché dans un pli de sa jupe, jurant qu'on ne l'y reprendra plus [1] !

Logeant pour cinq francs par semaine à l'hôtel du Maroc, rue de Seine — séjour qu'il considère comme le pire de son existence —, Picasso travaille, dépourvu de chandelle, sur des chutes de papiers. Il dort sur le plancher, et d'autres Espagnols ne cessent de tambouriner à sa porte en quête d'orgies, le traitant d'homosexuel. C'est à cette période que, le trouvant amaigri, grelottant et pâle, Max Jacob — guère plus riche que lui — court lui acheter des frites puis l'accueille dans sa chambre de bonne du boulevard Voltaire. Leur premier repas pris en commun est fait d'un poisson pourri et d'une saucisse avariée. Debout, Max Jacob récite des vers de Vigny. Picasso pleure. Ce jour-là, les deux hommes furent prêts à se jeter par la fenêtre.

Occupant, pour les besoins du peintre, un emploi de magasinier chez son cousin Gompel, chez qui il

---

1. Picasso confessera avoir jeté dans une bouche d'égout un tableau que Berthe Weill refusait d'acheter.

place le tableau de Picasso représentant Bibi la purée [1], il lui fait découvrir les hauts lieux de la nuit. On a souvent écrit que les relations entre les deux hommes, vivant d'espoir et d'illusions, furent très intimes. Max Jacob, éternel tourmenté, l'œil pervers derrière son monocle, se qualifiait volontiers de « sodomite sans joie... mais avec ardeur ». Pour autant, les mœurs du poète ne sont pas partagées par Picasso, et l'amour que lui témoigna Max Jacob fut fraternel. Il appelle Picasso « mon petit », aspirant à être son mentor et, malgré sa misère, il est d'une générosité sans limite. André Salmon lui rendit hommage : « Max Jacob, le premier qui trembla d'espérance en découvrant Picasso. » Sans l'intervention salutaire du poète, sacrifiant son œuvre poétique et ses propres talents de peintre, Picasso aurait sombré dans le découragement, comme en témoigne la souffrance transpirant dans ses toiles. La légende raconte que, pour se chauffer, les deux hommes eurent pour dernier recours de brûler une grande quantité de ces précieuses toiles de la « période bleue », dont personne ne voulait et dont la vente d'une seule permettrait, de nos jours, d'acheter plusieurs châteaux.

A compter du printemps 1904, c'est au Bateau-Lavoir que l'on retrouve Picasso. Il n'habite plus avec Max Jacob, lequel n'est jamais très loin, résidant à quelques mètres, rue Ravignan, dans un sinistre puits à cafards et à ordures, avant de pouvoir se loger dans cette immense carcasse de bois surnommée ainsi parce que — selon André Salmon — ses craquements rappellent aux résidents parfois terrifiés les résonances des

---

1. Personnage emblématique de la bohème. Il se vantait d'avoir été l'amant de Verlaine. Il fut son secrétaire et son compagnon de beuverie. Il inspira des peintres, des poètes et des écrivains. Vivant une existence de clochard, il était surnommé « le roi de la bohème ».

coques de bateaux. L'été, c'est la fournaise. Picasso, qui peint la nuit et balade une lampe à pétrole sur sa toile pour en percevoir les détails, passe ses journées nu. L'hiver, il y fait si froid que le thé gèle au fond des tasses. Le Bateau-Lavoir n'est pas peuplé que de rapins et de poètes. Un paysan détient au sein du bâtiment une sorte de resserre. A l'entrée, il affiche sa profession en grosses lettres émaillées sur une plaque de cuivre : Sorieul Cultivateur. Il y habite avec son fils, un ivrogne qui officie comme homme sandwich et pour lequel il ne cesse de besogner. Sorieul entrepose, à la belle saison, des bottes de radis ou de carottes et, en hiver, étale des sacs de moules éventrés qu'il nettoie dans le seul point d'eau du couloir, en bas d'un escalier, jouxtant les toilettes devant lesquelles on fait la queue pour remplir les brocs. Au Bateau-Lavoir, il est fréquent de rencontrer « Pt'it Louis », un jeune délinquant qui sert de modèle à plusieurs peintres. Il passe ses nuits dans des endroits louches, tout comme son pendant féminin, « Linda la bouquetière », qui servira de modèle à Modigliani, Picasso et Van Dongen, une de ces gamines de la place du Tertre, qui se prostituent aux abords du Moulin-Rouge en vendant des fleurs. L'un et l'autre, à la fleur de l'âge, connaîtront des destins tragiques, la dernière mourant de froid sur la place Ravignan [1], à deux pas de la fontaine gelée.

Si Picasso est contraint d'habiter au Bateau-Lavoir, campement d'artistes dans la mouise, c'est parce que les loyers y sont modestes. Dans les premiers temps, il partage sa chambre avec des compatriotes. L'un de ses amis espagnols s'est attribué le seul lit disponible,

---

1. Aujourd'hui Place Emile Goudeau, le fondateur des Hydropathes. Le père Ravignan était le confesseur de Napoléon III.

contraignant Picasso de dormir sur un tapis avec l'un de ses coreligionnaires gitan. Le bâtiment, délabré, est dangereux. Son histoire est émaillée de nombreux drames, au nombre desquels on compte la chute mortelle d'un peintre allemand qui, voulant rendre service à la concierge, entreprit de débarrasser le toit du rez-de-chaussée d'une épaisse couche de neige. Par imprudence, il posa le pied sur une verrière et disparut dans un conduit de ventilation, sorte d'oubliette, en allant s'écraser trois étages plus bas et en se brisant les reins. Le feu aurait pu le réduire en cendres de nombreuses fois avec le rata oublié sur de vieilles lampes à pétrole, et l'on ne compte plus le nombre de locataires qui auraient pu mourir d'asphyxie et n'eurent la vie sauve qu'à la présence d'esprit d'avoir jeté le vieux poêle en fonte rouillé, qui tirait mal, par la fenêtre. La concierge habite la maison à côté, ce qui permet aux artistes dans l'indigence, incapables de payer le loyer, de procéder à la faveur de la nuit, à des déménagements à la « cloche de bois ». Madame Coudray est une femme débonnaire, distribuant la soupe aux plus malheureux. C'est elle, selon leur mine, qui flaire les marchands ou les créanciers. Ayant une parfaite connaissance du Bateau-Lavoir, elle dévale les escaliers branlants et sonores, se glisse dans les étroits couloirs faits d'appentis suant la misère, se précipitant le plus souvent chez Picasso qu'elle a pris en affection [1]. Il habite au sous-sol, et cognant à la porte de l'atelier d'où s'exhale une odeur de pisse de chien, de mégots et de térébenthine, elle lui hurle : « M'sieur Picasso ! Levez-vous vite ! C'est du sérieux. »

Trop bleue et angoissante, la peinture de Picasso

---

1. C'est elle qui lui prêtera les 20 francs nécessaires à son voyage en Hollande.

est délaissée par les marchands. Elle ne trouve alors aucun amateur, parce qu'elle exprime cette période durant laquelle Montmartre crève de faim. Elle va bientôt virer au rose, avec les représentations des saltimbanques et des arlequins. Picasso est désormais heureux car, en août 1904, à deux pas du Bateau-Lavoir, il a fait la rencontre d'une jeune femme âgée de vingt ans, Fernande Olivier. Elle aussi habite au Bateau-Lavoir. Gamine des faubourgs, exerçant la profession de modèle, elle se dépêche de traverser la place Ravignan, alors que l'orage commence à gronder. Picasso lui barre la route en l'empêchant de passer et en lui tendant un jeune chaton. Les rires fusent. Le charme opère. L'invitation à accepter l'animal se transforme en visite de l'atelier. Picasso sort de plusieurs liaisons avec des prostituées ou des modèles, dont la dernière avec une dénommée Madeleine qu'il a contrainte à avorter. Dans ses souvenirs − *Picasso et ses amis* [1] − Fernande Olivier se rappelle la magie de ces premiers instants : « J'étais, disait-on, la santé, la jeunesse même, grande, pleine de vie, de tous les espoirs de bonheur, confiante, enfin vivant d'illusions. Parfait contraste avec lui. On dit que les contraires s'attirent. Il faut bien le croire. [...] Ce rayonnement, ce feu intérieur que l'on sentait en lui, dégageait une sorte de magnétisme à quoi je ne résistai pas. Et quand il désira me connaître, je le voulus aussi. »

---

1. Un livre que le peintre tentera, en 1933, de faire interdire car − selon lui − il présente une atteinte à la vie privée. Il sera obligé de reconnaître, qu'hormis quelques omissions, le portrait, souvent acerbe, brossé par Fernande Olivier est irréprochable. L'ouvrage aurait été en partie écrit par Paul Léautaud, auteur de la préface ou peut-être par Max Jacob. Un second livre de confessions plus intimes devait paraître mais Picasso, en l'échange d'un million d'anciens francs de l'époque, parvint à convaincre Fernande Olivier de l'oublier. *Souvenirs intimes* paraîtra en 1988, plus de vingt ans après la mort de Fernande.

Malgré un premier mariage raté, à l'âge de dix-sept ans, durant lequel elle fut battue et violée, Fernande, dont la grande passion est d'acquérir les parfums les plus coûteux, accepte de se mettre en ménage avec Pablo Picasso. Elle restera auprès de lui quatre ans. De son côté, Max Jacob, comprenant que ce n'est pas une amourette de passage, affiche une mine sombre. Fernande Olivier s'en souvient : « Max Jacob se croyait toujours persécuté, surtout par les femmes de ses amis, par celles-là mêmes qui l'aimaient le mieux. Quand il discutait avec une femme, il faisait preuve d'une telle mauvaise foi que cela se terminait souvent violemment. Il disparaissait alors pour quelque temps. » A cette époque, Max Jacob n'a pas saisi que son rival auprès de Picasso n'est pas Fernande Olivier, mais un autre poète qui vient de faire son apparition sur la Butte : Guillaume Apollinaire.

Cette bohème insouciante dans laquelle le couple a vécu fut, pour Picasso, la meilleure période de son existence. C'est le temps où il dresse la chienne à voler des chapelets de boudins sur les étals des charcutiers, où il est contraint de piller les poubelles pour trouver de la nourriture pour ses nombreux animaux, où il se vante d'entretenir dans son atelier une colonie de punaises si voraces, qu'elles s'attaquent au fer. Le temps où parfois, Pablo et Fernande n'ont même plus de souliers et empruntent ceux des voisins. Pour cette raison, Fernande restera même jusqu'à six semaines sans sortir de l'atelier. C'est encore le temps où, faute d'argent pour manger, Fernande commande le déjeuner au pâtissier de la rue des Abbesses et, lorsque celui-ci vient demander des comptes, intime au jeune commis de laisser son colis sur le palier, prétextant qu'elle est nue et qu'elle ne peut ouvrir. Le temps où la belle Fernande use de ses charmes avec l'Auvergnat de la rue d'Orchampt, s'enveloppant juste d'un châle, parvenant toujours à obtenir un crédit sur le précieux charbon, quand celui-ci, troublé, finit par oublier la dette en poussant des soupirs mélancoliques. Le temps où Pablo n'a d'autre habit que sa salopette bleue, lui donnant l'allure d'un pompier, d'où déborde une hideuse chemise rouge à pois blancs que Fernande lui a déniché au marché Saint-Pierre, pour moins d'un franc. Le temps où Fernande, dès que Pablo a vendu une toile, fait scandale en achetant un flacon de parfum pour la somme astronomique de quatre-vingts francs. Le temps où le couple traverse tout Paris pour se rendre à Montparnasse, dans une gargote qui accorde un crédit plus large aux artistes que les cafés de la place du Tertre. Le temps où le bon Paco Durio [1], ému par le dénuement du couple, dépose devant la porte une boîte de sardines ou un panier garni. Le temps où n'ayant plus un sou pour acheter un tube de blanc, Picasso parvient à honorer la commande d'Eugène Soulié [2] et peint un bouquet de fleurs sans la moindre touche de blanc. Le temps où, fou de jalousie, Pablo enferme Fernande dans l'atelier qu'elle ne

---

1. Venu en aide à Manolo qu'il hébergeait, il en fit les frais puisque ce dernier, lors d'une absence de Paco Durio, vendit ses fringues, une partie de ses meubles et surtout plusieurs toiles de Gauguin, le tout pour une somme modique.
2. Commençant sa carrière comme lutteur de foire, il avait installé une boutique de matelassier au coin de la rue des Martyrs. Sa principale clientèle était composée d'artistes qui lui laissaient des ardoises. Il se lança alors dans le négoce de tableaux dont il se moquait. En 1901, supplié par Max Jacob, il acheta des dessins de Picasso qui se négociaient alors dix centimes pièce et une gouache pour trois francs. C'est chez lui que le collectionneur allemand Wilhelm Uhde acquit, pour à peine dix francs, le *Nu de femme dans une chambre bleue*. Chez Soulié, qu'on disait toujours ivre, capable d'ingurgiter cinquante apéritifs par jour, les matelas étaient remisés à l'arrière de la boutique, et les toiles posées à même le sol, sur le trottoir, à la merci des chiens, des caprices de la météo, des rats ou des voleurs. Il mourut en 1909, rongé par l'alcool, et victime d'une grave dépression suite à une affaire de paris illégaux et surtout une sale histoire de mœurs, mettant en scène des notables et des enfants.

quitte plus durant de très longues semaines, se contentant des livres empruntés à la bibliothèque municipale
et des litres de thé ; le temps du bonheur de vivre,
dans ces heures de luttes, fait de plaisirs modestes.
Un jour, Leo Stein et sa sœur, Gertrude, après avoir
écumé la plupart des marchands de la Butte, se rendent
chez Picasso. Ces deux amateurs et mécènes américains
s'intéressent à l'art moderne et acquièrent de nombreuses toiles de Cézanne et Matisse, dont la cote ne cesse
de grimper. Eblouis par le génie de Picasso, qu'ils surnomment « le petit Napoléon », ils achètent pour huit
cents francs de toiles, somme considérable pour l'époque, et invitent le couple à se rendre dans leur appartement du 27, rue de Fleurus, qui va devenir l'un des
plus grands phalanstères de l'art moderne, et plus tard
le lieu de rendez-vous de toute l'intelligentsia américaine. C'est à cet endroit que Picasso va rencontrer
Matisse, pour lequel il éprouve une vive admiration
qui se transformera, au fil du temps, en saine rivalité.
Picasso commence enfin à gagner de l'argent. Vollard achète, pour deux mille francs, l'ensemble des
toiles de la période rose. De son côté, Fernande dépense sans compter, en particulier dans l'achat de
chapeaux dont elle raffole, quitte à se nourrir d'une
tranche de pain agrémentée de quelques rondelles de
saucisson. Les Stein sont admis dans le cercle très
restreint des proches de Picasso, et ce dernier entreprend de faire le portrait de Gertrude. Au moins
quatre-vingt-dix séances de poses seront nécessaires.
Au bout de la dernière, Picasso se met à vociférer :
« Je ne peux plus vous voir quand je vous regarde. » Il
efface aussitôt la tête, prépare ses bagages et quitte le
Bateau-Lavoir pour quelque temps. En compagnie de
Fernande, ils se rendent en Espagne. De retour au
Bateau-Lavoir, Picasso va s'atteler à une nouvelle toile

qui demeurera l'une de ses plus célèbres, les *Demoiselles d'Avignon*. C'est dans cet amas de bicoques assem-
blées, dans un modeste atelier, qu'est né un mouvement initié par le génie du peintre : le cubisme.
Jamais une Ecole ne suscitera autant de passions dans
le monde de l'art, autant de haines et autant de folies,
allant jusqu'à provoquer des suicides. Son origine
demeure très incertaine. D'après Francis Carco, c'est
à la suite d'une idée lumineuse de Max Jacob que
Picasso, voulant se moquer d'une maîtresse acariâtre,
aurait griffonné son visage en forme de losange sur le
coin d'une feuille et il écrit, dans son livre de souvenirs très controversé, *De Montmartre au Quartier Latin* :
« Ce losange amusa beaucoup Max et, pour parfaire la
ressemblance, il compliqua les choses et provoqua la
découverte du cube. » La principale intéressée, Fernande Olivier, affirme qu'à la suite de leur voyage en
Aragon, à Gosol, Picasso aurait conçu de faire ressembler le paysage à une assiette, puis à des cubes
combinés de manière arbitraire. D'autres, plus fantaisistes, comme André Utter, revendiquent la paternité
du mouvement. A la base, un portrait de Princet,
représentant sa femme, composé de losanges et de
cubes vides et c'est Utter, trempant son doigt dans
une tasse de café, qui aurait inventé le cubisme en y
rajoutant des zones d'ombres. L'autre théorie, a priori
la plus vraisemblable, prend naissance chez Matisse qui
a invité Picasso à dîner. Le doyen des fauves – dont on
dit que sa peinture rend fou et qu'il est plus dangereux
que l'absinthe – est l'un des rares possesseurs de
plusieurs statuettes d'art nègre. Picasso aurait eu une
révélation foudroyante. Il tient dans ses mains une
statuette toute la soirée, et passe la nuit à crayonner
des visages de femmes avec un seul œil au milieu du
front qu'il décline ensuite avec quatre oreilles, un cou

carré et une bouche en forme de losange. C'est ainsi que serait née cette esthétique nouvelle de la quatrième dimension. Enfin, une dernière version laisse entendre que Picasso aurait été inspiré par un tableau représentant le frère de Max Jacob, peint par un artiste africain. Celui que sur la Butte on appelle « l'explorateur », parce qu'il vit aux colonies, est rentré de Dakar avec un tableau singulier. Les boutons de sa tunique ne pouvant rentrer sur la toile, l'artiste les avait disposés autour de la tête du frère de Max. C'est la première expression de la dissociation des objets. Picasso s'en serait inspiré. Quant au terme cubisme, il serait de l'invention de Matisse qui, s'extasiant devant une série de collages de Braque, se serait exclamé : « Que de cubes ! C'est du cubisme !... »

Picasso devient l'homme des plus grands défis, un chef d'Ecole tout désigné et, avec son œuvre maîtresse, fait figure de grand initiateur. Dans cette mouvance, Georges Braque, Fernand Léger et André Derain prennent le train en marche. Max Jacob écrit : « Picasso est bien de tous les moteurs le promoteur du mouvement perpétuel. Qu'il soit élu le premier et sans consort. A Braque, une couronne ! Elle est en météorite. » De son côté, Apollinaire, ébloui, s'investit théoricien et se charge de faire la promotion dans le Tout-Paris [1]. Jamais Picasso n'exposera son tableau le plus célèbre, qui sera pour la première fois montré au public seize ans plus tard, au salon des Indépendants [2]. A l'époque des premiers scandales, il estime qu'il est encore inachevé

---

1. Il n'en sera guère récompensé car, lors de l'épisode du vol de la Joconde qui conduira le poète, soupçonné, à effectuer six jours de prison, Picasso, interrogé par le juge, dira « connaître très vaguement celui à qui il doit ses premiers succès ».

2. Par l'intermédiaire d'André Breton et Louis Aragon, il sera vendu au couturier Jacques Doucet 25 000 francs, en 1922.

et, ayant entendu beaucoup trop de méchancetés, refuse de le vendre, même à un jeune Allemand pourtant
ébloui, qui deviendra un jour son marchand, D.H.
Kahnweiler, parvenant toutefois à acquérir les esquisses
préparatoires. Rares sont ceux qui ont pu approcher la
toile, et déjà les critiques fusent, surtout parmi les
coreligionnaires de Picasso, qui expriment avant tout
leur jalousie. Ce n'est pas le cubisme qui est en cause,
mais le peintre lui-même, dont la plupart des soi-disant
amis convoitent sa compagne, la belle Fernande. Alors,
au Bateau-Lavoir, les initiés sont autorisés à défiler
devant l'attraction : les *Demoiselles d'Avignon* qu'Apollinaire surnomme le *Bordel philosophique*. Dans le dos du
peintre on rigole, en croyant qu'il a voulu peindre la
quatrième dimension. Le critique d'art Félix Fénéon,
tapant sur l'épaule de Pablo, déclare : « C'est intéres-
sant, vous devriez essayer la caricature ! » Certains,
comme Derain, prophétisent que Picasso est si désespéré que bientôt il va se pendre derrière son tableau ;
d'autres écrivent « Est-il vrai que Picasso soit devenu
fou ? » ou « Son tableau, c'est une entreprise désespé-
rée ! » ; « Quelle perte pour l'art français ». Braque
l'attrape par le bras et, furibard, lui lance : « Malgré
tes explications, ta peinture c'est comme si tu voulais
nous faire manger de l'étoupe, ou boire du pétrole
pour cracher du feu » ; Matisse crie à la fumisterie et
jure de « laver l'affront » ; les Stein se désolent devant
ce « gâchis épouvantable », et Manolo [1] ne mâche pas
ses mots envers son compatriote :

---

1. Picasso lui a dit un jour : « Toi, aucun peloton ne t'exécutera jamais,
parce que tu les ferais trop rire. » Les frasques de Manolo sont célèbres.
Toujours désargenté, un jour, il invite Max Jacob dans un grand restaurant. Au
moment du digestif, sachant qu'il n'a rien en poche, Manolo appelle le maître
d'hôtel, en criant dans le restaurant : « L'addition et les agents ! » Par peur du
scandale, le patron du restaurant les mettra à la porte de manière discrète.

« Jé n'aime pas ça...

— Perqué que tou n'aimes pas ça ?

— Figure-toi que tou vas chercher des parents à la gare et qué tou les vois arriver avec des gueules commé ça... Tou né serais pas content, hé ? »

Depuis, c'est la guerre. Picasso, toujours propriétaire du revolver qu'Alfred Jarry a utilisé pour mettre en joue Manolo, est obligé de s'en servir pour faire fuir des peintres allemands désireux de voler ses secrets. De son côté, Fernande est victime des railleries du voisinage. La bande à Picasso, cercle très restreint des amis qui lui sont encore fidèles, s'isole afin d'éviter tout contact avec les autres, « les impurs ». Ils se réunissent chez Azon, rue des Trois-Frères, où l'on mange pour 90 centimes et qui devient le quartier général des cubistes. Parmi eux, les dissensions sont visibles. Fernande a une haine farouche pour la compagne d'Apollinaire, Marie Laurencin [1], jamais acceptée, mais à peine tolérée. Max Jacob, de son côté, ne cesse de se plaindre de Fernande qui paresse toute la journée et, dès que l'argent commence à entrer, se lance dans de somptuaires dépenses.

Un événement tragique va contraindre Picasso à quitter le Bateau-Lavoir. Le peintre, qui n'a pas échappé à la mode de l'opium, s'est procuré tout le matériel nécessaire. Fernande Olivier, dans ses souvenirs, a raconté les inoubliables soirées à tirer sur le « bambou merveilleux » : « Les amis, plus ou moins nombreux mais fidèles, installés sur des nattes, connurent là des heures charmantes et pleines d'intelligence, de subtilité. On buvait du thé froid avec du

---

1. Que Jacques-Emile Blanche surnommait : « La Pierrette et le pot au lait du cubisme. »

citron. On parlait, on était heureux ; tout devenait beau, noble ; on aimait l'humanité entière, dans la lumière savamment atténuée de la grosse lampe à pétrole, seul moyen d'éclairage de la maison. Quelquefois, la flamme éteinte, seule la veilleuse de la lampe à opium éclairait de ses lueurs furtives quelques visages fatigués [1]... » Parmi ces visages, un locataire du Bateau-Lavoir, le peintre Wiegels, se pend à l'espagnolette de sa fenêtre. C'est Picasso qui découvre le corps sans vie. Marqué, il jette sa pipe à opium. Très superstitieux, cet événement le conduit à quitter au plus tôt le Bateau-Lavoir : « J'ai ressenti très fort cette mort de Wiegels. Le Bateau-Lavoir avait perdu son innocence de couveuse de peintres. » Terrible signe du destin, c'est dans le même atelier où Wiegels s'était pendu qu'en 1934, un autre peintre, Jacques Vaillant, héros de la Première Guerre mondiale, se loge une balle dans la tête, après avoir fait le bilan d'une vie consacrée à l'amour de son art et qu'il jugeait ratée.

En septembre 1909, Picasso déménage pour un immeuble bourgeois du boulevard de Clichy. Les *Demoiselles d'Avignon* est roulé comme un sépulcre jusqu'à sa résurrection, quinze ans plus tard. Pour Picasso, c'est surtout la fin de la bohème montmartroise, car on le surprend à cacher des liasses de billets de cent francs dans le revers de sa veste. Enfin, comme le souligne Fernande Olivier : « Voici donc Picasso installé boulevard de Clichy. Il travaille dans un atelier bien aéré où l'on n'entre pas sans sa permission, où l'on ne doit toucher à rien, où l'on doit comme toujours respecter un désordre qui ne fut jamais, loin de là, un de ces désordres savants, cha-

---

1. Fernande Olivier, *Picasso et ses amis, op. cit.*

toyants et flatteurs. Il prend ses repas dans une salle à manger aux vieux meubles d'acajou, servi par une bonne en tablier blanc. Il dort dans une chambre faite pour le repos, dans un lit bas aux lourdes barres carrées de cuivre. » Quel contraste avec l'atelier du Bateau-Lavoir en ce temps, pas si lointain, où la vie quotidienne tenait du miracle.

Le Bateau-Lavoir a flotté sur l'océan de l'art moderne. De nombreux locataires se sont succédé dans ses ateliers. Juan Gris, arrivé de Madrid avec 16 francs en poche, y vivra des heures très sombres lorsque, atteint d'une grave pleurésie, ses proches devront tendre un linge au-dessus de son lit, afin que les jours de pluie, l'eau ruisselant en permanence de la verrière, n'aggrave encore plus son cas.

Amarré depuis plus d'un siècle au sommet de la Butte, son équipage le plus célèbre s'est, pour la plupart d'entre eux, embarqué vers de plus luxueuses croisières. Il va bientôt rompre son mouillage et sombrer de façon tragique, dans les flammes, cinq mois après qu'André Malraux, le 1ᵉʳ décembre 1969, l'a classé monument historique. Picasso en fut très attristé, car c'est dans cet amas de cendres qu'il avait connu la seule gloire qui lui importait : « Quand Uhde venait du fond de l'Allemagne pour voir mes peintures, quand des jeunes peintres de tous les pays m'apportaient ce qu'ils faisaient, me demandaient des conseils, quand je n'avais jamais le sou, là j'étais célèbre, j'étais un peintre, pas une bête curieuse [1] ! »

Fin 1909, Picasso quitte Fernande après avoir rencontré un nouvel amour. Au lendemain de leur rupture, cette dernière posera pour d'autres peintres, puis exercera de nombreux petits métiers – caissière

---

1. André Malraux, *La Tête d'obsidienne*, Paris, Gallimard, 1974.

dans une boucherie, monitrice d'enfant, tireuse de cartes – avant de se retrouver dans un complet dé-nuement. Dans les années 1960, c'est l'une de ses amies qui interviendra auprès de Picasso, devenu châtelain, pour qu'il n'oublie pas celle qui fut sa première inspiratrice.

En mars 1944, Max Jacob meurt dans des condi-tions affreuses au camp de Drancy. Sa dépouille demeure exposée durant de longues heures sur un gra-bat, devant lequel les bourreaux ricanent. Quelques jours plus tôt, déjà mourant, il en avait appelé à Picasso pour qu'il use de toute son influence afin d'être au plus tôt libéré. Ce dernier aurait déclaré : « Ça n'est pas la peine de faire quoi que ce soit. Max est un ange. Il n'a pas besoin de nous pour s'envoler de sa prison... »

L'incroyable banquet du Douanier Rousseau

A la fin de l'année 1908, l'agitation règne au Ba-teau-Lavoir, dans l'atelier de Picasso. Pour l'occasion, les *Demoiselles d'Avignon* sont emballées et remisées. Un banquet est organisé en l'honneur d'un peintre inconnu, mais dont l'Espagnol se targue d'avoir fait la découverte [1]. Il lui a confessé : « Toi et moi, nous sommes les deux plus grands peintres du monde. Toi dans le genre égyptien, moi dans le genre moderne. » Le personnage habite Montparnasse, et on le sur-nomme le « Douanier Rousseau », bien qu'il n'ait jamais occupé cette fonction. Naguère, il avait servi à

---

1. Ce qui est inexact car bien avant lui Wilhelm Uhde et Robert Delaunay célébraient son talent.

l'octroi de Paris comme commis de deuxième classe, modeste gabelou employé au contrôle des marchandises entrant dans la capitale, à l'époque où cette taxe était encore en vigueur. L'homme a aujourd'hui soixante-quatre ans. Il est né à Laval – tout comme Alfred Jarry – en 1844. A la suite de menus larcins commis chez un notaire, il s'engage dans l'armée, séjour durant lequel il se vante d'avoir effectué la campagne du Mexique pour soutenir l'empereur Maximilien, en commandant une troupe de soldats. En réalité, il fut saxophoniste et jamais il ne tira le moindre coup de fusil. Son existence est alors émaillée de deuils tragiques. Il perd sa première épouse, Clémence Boitard, en 1888, puis sa seconde, Joséphine Nourry, en 1903, et jusqu'en 1910, cinq de ses six enfants. Cet homme éprouvé, mais qui garde candeur et ingénuité, quitte son emploi en 1893 pour se consacrer à la peinture. Depuis 1886, grâce à Paul Signac, il expose au salon des Indépendants. Il est tourné en dérision à cause de la naïveté et de l'innocence son art. Seul Alfred Jarry, de trente ans son cadet et qui lui a donné son surnom, l'admire sans réserve. A partir de 1893, il assure sa promotion et le présente dans le cercle du *Mercure de France*. Après Ubu Roi, le Douanier Rousseau est la seconde farce de Jarry. Quelques critiques d'art se risquent à le soutenir, faisant parfois montre d'ironie. Louis Vauxcelles écrit que « le plus ignare et inculte des êtres peut être un artiste doué ».

La vie que mène Henri Rousseau est celle d'un homme modeste qui lutte – avec ses cent francs de retraite mensuels – pour élever sa famille. Il espère vivre avec plus de décence grâce à sa peinture dans laquelle il a une confiance démesurée. Il est certain de son génie, avec une naïveté frisant l'angélisme. Dans son quartier, il règle ses petites dettes en échange de toiles. Il offre ses services au boucher ou au boulanger, en leur proposant de faire leur portrait pour une somme bien inférieure à celle d'un tirage argentique ou d'être, pour quelques francs couvrant à peine l'achat de la toile et des couleurs, le peintre de leurs grandes occasions : baptême, mariage, communions... Il donne des cours de violon, de dessin, et les seuls élèves qu'on lui connaît sont âgés de soixante-douze et quatre-vingts ans. Soucieux du moindre détail, sa technique, dont tout le monde se moque [1], est d'une rare complexité car il peint d'abord le paysage et y ajoute la perspective ensuite. Après avoir pris les mesures précises de son sujet, il reporte, à la suite de savants calculs, les dimensions sur sa toile à l'échelle très exacte, allant jusqu'à surseoir à l'exécution finale d'une œuvre, au prétexte qu'il souhaite y ajouter des œillets, et comme ce n'est pas la saison, il convient d'attendre. Maurice de Vlaminck écrit qu'il ressemble à un enfant de cinq ans : « Il y a des gens qui dans la vie font la pirouette, retombent sur le nez, sur le dos... Lui, restait inattaqué par les vices, les laideurs ou les sottises : il retombait sur ses pieds ; c'était un pur ! Aux Indépendants, il déambulait devant sa toile, vêtu d'un vieux pardessus, aux anges, ne voyant pas que les gens se marraient ! »

Cette naïveté, qui a conduit des malandrins à abuser de sa gentillesse, le sauvera le jour où il sera impliqué dans une mauvaise histoire de chèque sans provision. Pour avoir rendu service à l'une de ses lointaines connaissances et prêté son nom à un brigand qui envisageait de détourner de fortes sommes, il est

---

1. Apollinaire remisa très longtemps son portrait — *La Muse inspirant le Poète* — dans une cave, après que le Tout-Paris l'eut tourné en dérision.

traduit devant une cour d'assises. Après un mois de préventive et libéré pour la Saint-Sylvestre, il apitoie le juge par la précarité de sa situation familiale. Son procès est mal engagé. L'avocat général refuse d'être dupe, et n'imagine pas que le prévenu puisse être aussi bête. Il encourt jusqu'à vingt ans de bagne. C'est sans compter sur la maladresse et la candeur du Douanier Rousseau, dont les réponses déconcertantes, et toujours inattendues, font rire la salle à en perdre le souffle. Aux injonctions du président : « Accusé, levez-vous », suit ce dialogue :

« A votre disposition, mon juge !

— Reconnaissez-vous les faits qui vous sont imputés ?

— Euh oui ! mon juge !

— Appelez-moi Monsieur le président !

— Eh ben, oui, mon président ! C'est-à-dire... Je vous ai expliqué l'histoire. Moi, les affaires de crédit, je n'y connais rien. J'ai seulement voulu rendre service... Et maintenant, j'ai mon tableau au Salon à faire. Un tableau de deux mètres carrés, mon président. Et qui ira bien chercher dans les deux mois de travail, vu la composition. »

Malgré l'hilarité générale de la salle, et les aveux complets du faussaire qui a entraîné Rousseau dans cette sombre affaire, l'avocat général continue à réclamer, pour ce dernier, la peine maximale. Rousseau s'insurge :

« Mais mon juge, je suis père de famille, moi, un homme d'honneur... décoré et tout, qui n'ai jamais pensé qu'à la grandeur de la France dont je suis l'un des fils les plus illustres. Tout le monde vous le dira ! Si j'étais condamné, ce ne serait pas pour moi une injustice, ce serait pour l'art une perte. »

Son avocat, confiant en l'issue du verdict, renchérit :

« Eh bien messieurs, rendez Rousseau à l'art, rendez-lui cet être exceptionnel, vous n'avez pas le droit de condamner un primitif [1] ! »

Il présente alors avec fierté la dernière toile du peintre, qu'il vient d'exécuter en profitant de ses premiers jours de liberté : la cour d'assises transportée dans la jungle, paysage exotique dans lequel chacun des protagonistes est représenté en singe, et à sa place exacte dans la salle d'audience ! Les jurés sont juchés sur des cocotiers et l'avocat de la défense nanti d'oranges, avec lesquelles il bombarde le ministère public « d'arguments massue ». C'est à l'avocat général qu'est destinée cette toile, « pour le remercier par avance ! » Nouvelle séance de fous rires. A la fin de la plaidoirie de son avocat, le Douanier Rousseau lui lance d'un ton vindicatif : « Maintenant que tu as fini, je peux m'en aller ! » A l'énoncé du verdict — deux ans de prison avec sursis — Rousseau recommence ses facéties, le président du tribunal s'emportant que le peintre lui propose, pour le remercier, de s'installer chez lui afin de faire le « portrait de sa dame ».

Mais le Douanier Rousseau a désormais un admirateur en la personne de Pablo Picasso. Au début de l'année 1908, de passage chez un brocanteur de la Butte, l'Espagnol acquiert pour cinq francs une de ses toiles, le *Portrait de Clémence*. Désireux de rencontrer ce personnage dont la presse a parlé à la suite du procès, il se transporte chez le gentil Douanier à Montparnasse. Il est accompagné par Robert et Sonia Delaunay, Georges Duhamel, Max Jacob, Jules Romains et Apollinaire, déjà conquis par la niaiserie légendaire du personnage. Ils vont être conviés à une

---

1. Sources : Jeanine Warnod, *Le Bateau-Lavoir*.

soirée qu'André Breton aurait pu qualifier de surréaliste, et à laquelle sont conviés les commerçants du quartier. Toute la société est invitée à reprendre des chansons grivoises, accompagnée au violon par le maître des lieux, et à réciter des poèmes d'une imbécillité rarement atteinte. Grâce à Picasso, le Douanier va connaître son heure de gloire dans le milieu des peintres de Montmartre, et l'on décide de lui rendre son invitation sous la forme d'un fastueux banquet en son honneur. A-t-on voulu se moquer d'un simple d'esprit ? Nombreux mettent en doute la sincérité de Picasso, et le banquet qui va suivre est considéré comme un événement sans précédent, et d'une intensité burlesque jamais atteinte.

Le jour convenu, l'atelier de Picasso est vidé. Ceux de ses voisins, Juan Gris et Jacques Vaillant, sont réquisitionnés. De très longues heures ont été nécessaires à la préparation des embellissements. Des feuillages ornent les poutres, allant jusqu'à garnir le plafond ; on a érigé un trône, composé d'une caisse sur laquelle est posée une chaise, censée recevoir le peintre que l'on célèbre. Des drapeaux et lampions s'étirent des quatre côtés de la pièce, dont les murs sont couverts de masques d'art nègre. Le portrait, peint par Rousseau et acquis par Picasso, est mis en valeur sur un chevalet, grâce à un entourage de crêpes et de tissus et, clou du spectacle à venir, une large banderole est suspendue au-dessus du trône, sur laquelle on peut lire : « Honneur à Rousseau. » Pour ce repas devant recevoir la trentaine de convives qui ont tous cotisé à la hauteur de leurs moyens, plusieurs planches de grandes dimensions reposent sur des tréteaux et, comme la vaisselle est insuffisante, on fait appel à Azon, le cantinier des artistes dans la dèche, qui accepte d'en prêter la plus grande partie.

Le rendez-vous a été fixé à six heures du soir, mais un problème survient : Félix Potin, à qui l'on a confié la réalisation du plat de résistance, a consigné dans son carnet de commande la livraison au surlendemain. A l'heure prévue, rien n'est prêt ! C'est sans compter sur l'adresse de Fernande Olivier à récupérer ce genre de situation périlleuse. En un tournemain, après que la bande à Picasso a mené une « expédition » chez tous les commerçants du quartier encore ouverts, un gigantesque plat de riz à la valencienne est confectionné. Les pâtisseries raflées chez tous les pâtissiers de la Butte sont disposées sur le canapé de l'atelier de Juan Gris, transformé en vestiaire ; détail qui aura de l'importance. Le repas n'étant pas encore prêt, il faut faire patienter la plupart des invités, lesquels se retrouvent, dans une ambiance joyeuse et plutôt arrosée, au bar Fauvet, en bas de la rue. Au bout de deux heures, avec une évidente difficulté, toute la compagnie peine à se transporter au Bateau-Lavoir, au sommet du raidillon de la rue Ravignan. C'est alors que commence la série de balourdises qui vont faire la légende du banquet. Déjà ivre, Marie Laurencin chancelle en allant s'écraser sur le canapé de pâtisseries. Elle se retrouve recouverte de crème et de confiture. Au comique de la scène, s'ajoute le grotesque de la jeune femme qui entreprend, toute joyeuse, de partager son oint poisseux en enlaçant chaque invité. On retient Fernande qui menace de l'étriper. Cette séance de barbouillage n'est pas du goût d'Apollinaire qui vient d'entrer, accompagné par le Douanier Rousseau, une canne à la main gauche, et son violon dans la droite. Eclate alors une violente dispute, qui conduit le poète à renvoyer aussitôt sa muse, laquelle, selon l'expression du cafetier qui la trouva assise sur le trottoir, « roula » jusqu'au bas de la rue...

Après ce premier incident, on peut enfin accueillir le Douanier comme un homme digne de son rang. Introduit par Apollinaire, qui vient d'aller chercher le peintre en fiacre, il apparaît, le visage rayonnant de fierté, les yeux rougis de larmes et marqué par l'émotion. On le place dans le trône prévu à sa gloire. Il va y passer la soirée entière, n'osant plus en bouger, alors que le candélabre placé au-dessus de lui déverse peu à peu un amoncellement de cire chaude. On a raconté que l'homme, stoïque, n'osa se plaindre, si bien qu'au bout de longues heures, un chapeau de cire brûlante aurait recouvert son crâne endolori. Le Douanier, trop heureux de la fête organisée en son honneur, a apporté son violon, et c'est lui qui, jouant un répertoire de sa composition, anime le bal dans une joyeuse cacophonie, accompagné par l'accordéon de Braque. Pendant ce temps André Salmon et Jacques Vaillant jouent un mauvais tour à Gertrude Stein. Ces derniers, ayant mâché du savon, ont simulé, en se roulant par terre, une crise de delirium tremens. La pauvre Américaine, horrifiée, quitte les lieux avec précipitation. Salmon est si ivre que par mégarde on l'enferme dans un débarras de l'atelier, et on le retrouvera, le lendemain, dans la même posture, grâce à ses ronflements.

A la fin de la soirée, le Douanier, habitué à boire de l'eau à peine rougie par un peu de vin, est aussi ivre que Salmon. Il est hissé, somnolant, dans un fiacre qui le raccompagne à Montparnasse. Ce qui devait être une simple farce, se transforma en panégyrique et contribua, à la suite d'un élan de sympathie, à faire reconnaître le talent de ce peintre. Cette renommée, il n'en retirera pas les bénéfices de son vivant. Derain se plaint de ne voir dans cette mascarade que « le triomphe des cons ». On a dit que Picasso a voulu se moquer de

Rousseau. Il éprouve pourtant de l'admiration pour cet homme d'une naïveté touchante : « Ce qui me gênait un peu chez lui, c'est qu'il était un grand peintre avec la volonté acharnée d'en être un très mauvais. Je savais faire ce qu'il réussissait, ses feuillages, mais je n'aurais jamais eu la simplicité de peindre Apollinaire et Marie Laurencin avec un double-décimètre et de leur faire ces extraordinaires têtes d'abrutis [1]. »

Après avoir vécu son heure de gloire, le Douanier est désormais rassuré sur son talent. Dégrisé, il se rend chez son marchand de tableaux, Ambroise Vollard, avec sa dernière toile. Il veut un certificat prouvant qu'il a fait de grands progrès ! Car le Douanier envisage de se remarier. Un obstacle majeur s'oppose toutefois à cette union : les parents refusent de donner la main de leur fille à un peintre bohème, et de surcroît si âgé ! Voilà pourquoi il sollicite Vollard et l'appui d'Apollinaire, qui se chargent de rédiger des témoignages de bonne moralité et affirment sur l'honneur combien ses progrès sont fulgurants. Rien n'y fait. Le père de la belle, âgé de quatre-vingt-trois ans, demeure inflexible et la dulcinée, pourtant âgée de cinquante-neuf ans, ne pourra se marier avec l'élu de son cœur. Cet échec sentimental va le marquer et il confessera à Fernande Olivier : « C'est à mon âge qu'on a le plus besoin de se réchauffer le cœur et de savoir qu'on ne mourra pas tout seul, mais que peut-être un autre vieux cœur vous aidera à passer de l'autre côté. Il ne faut pas se moquer des vieux qui se remarient ; on a besoin d'attendre, près d'un être qui vous est cher, la mort qu'on sent toute proche. » Dans la foulée, il va subir un nouvel écueil avec une jeune artiste russe, Marie Vassilieff – de plus de quarante ans

---

1. Jacques Perry, *Yo Picasso*.

sa cadette – qu'il demandera en mariage et qui, bien sûr, refusera. Quelques mois plus tard, le 2 septembre 1910, il meurt à l'hôpital des suites d'une gangrène à la jambe, à cause d'une plaie mal soignée. Rares sont les acteurs du fameux banquet qui sont présents aux obsèques ; les avis de décès sont arrivés trop tard. A peine sept personnes, dont Paul Signac et Apollinaire, accompagnent le corbillard jusqu'à sa dernière demeure, qui est la fosse commune. Deux ans plus tard, Apollinaire fait transférer sa dépouille et graver sur sa pierre tombale un poème en son honneur [1].

En 1918, un marchand de renom, Paul Rosenberg, se présente au domicile de Courteline. Celui-ci avait jadis acquis deux toiles du Douanier Rousseau, pour les afficher en bonne place dans son « musée des horreurs », une salle qui était réservée, selon ses dires, « comme un témoignage de ce temps et pour montrer jusqu'où peut aller la bêtise humaine ». Rosenberg voit les deux Rousseau, et propose à Courteline de les acquérir. Celui-ci lui répond : « Vous voulez rire ? Pour la faible somme que vous me donneriez, car de cela vous ne pourriez m'offrir qu'une faible somme, je ne veux pas me séparer de cette collection qui prouve à quel degré [2]... » Courteline n'a pas le temps de terminer sa phrase, que déjà Rosenberg fait une offre à dix mille francs ! L'écrivain, qui n'aime guère qu'on se moque de lui, raccompagne le « plaisantin » jusqu'à la porte : « Non vous n'allez pas faire cela. Si vous êtes aussi stupide que l'auteur de cette torchonnerie, (sic) je ne suis pas homme à abuser de vous. »

---

1. En 1930, cette dépouille faillit connaître un singulier destin. Un forain voulut l'acquérir pour l'exposer dans les foires, aux côtés d'autres phénomènes comme la femme tronc et les frères siamois. Elle fut transférée dans sa ville natale en 1942.

2. Sources : Michel Georges-Michel, *De Renoir à Picasso*.

Comme Rosenberg se fait encore plus insistant, plaçant entre ses mains des liasses de billets et s'excusant toutefois de n'avoir sur lui que sept mille francs, Courteline se voit, hilare, dans l'obligation d'accepter la somme tout en lui assenant : « Monsieur, quand on est assez idiot pour acheter de telles choses, assez crétin pour les payer un tel prix, on doit être assez c... pour aller jusqu'au bout. Voici vos horreurs, merci pour ces papiers. » Le soir même, Courteline reçoit le solde convenu.

La cote de ce gentil bonhomme, que Picasso avait installé un soir sur une estrade dans son atelier, pour cet incroyable banquet, ne cessera jamais de grimper, jusqu'à atteindre, aujourd'hui encore, des sommets. Seul le menuisier qui fournissait les châssis au Douanier Rousseau, avait toujours refusé d'être payé en toiles.

Gaston Couté, le « gars qu'a mal tourné »...

C'est dans une prison de Meung-sur-Loire, en 1461, que le poète François Villon est torturé et condamné à mort. Louis XI le délivra. C'est dans la ville voisine de Beaugency que Gaston Couté, le fils du meunier, voit le jour le 23 septembre 1880. Sur les bancs de l'école communale, le jeune Gaston compose ses premiers écrits dans un patois qu'il maîtrise avec autant d'aisance que la langue française qu'il découvre. Il échoue au brevet parce qu'au dernier moment, il a la bonté d'échanger sa copie avec celle d'un élève bien moins doué. Au lycée d'Orléans, naît sa passion pour la poésie et sa détestation de l'ordre et du rigorisme. Il n'a de cesse que d'écrire ou recopier des vers, en négligeant toutes les autres matières. C'est un élève médiocre, en permanence brocardé par ses professeurs [1] et très souvent consigné le dimanche. Il a comme camarade de classe Pierre Dumarchey, le futur Pierre Mac Orlan, l'auteur de *Quai des brumes*, qu'il retrouvera, quelques années plus tard, dans la misère des garnis de Montmartre. Renvoyé du lycée — pour avoir publié des poèmes révolutionnaires dans les feuilles locales — il se fait embaucher, à l'âge de dix-sept ans, en qualité de commis auxiliaire à la Recette générale d'Orléans. Il fréquente les cercles poétiques et littéraires de la ville, lesquels ne sont guère enclins à compter dans leurs rangs un rhapsode qui prône l'anarchie et s'apitoie sur les douleurs des classes défavorisées, comme le fit Jean Richepin, l'auteur de la *Chanson des gueux* [2]. Après un court passage au *Progrès du Loiret*, il estime qu'il est temps d'aller tenter sa chance à la capitale, et fait croire à ses parents qu'il a trouvé une place de journaliste, alors que ces derniers souhaitent qu'il soit meunier. Gaston rassemble ses maigres économies et son bien le plus précieux : des poèmes d'une rude mélancolie, rédigés en patois. Il arrive à Paris, gare d'Orléans, le 31 octobre 1898, à peine âgé de dix-huit ans, avec son accent beauceron fleuri d'expressions paysannes, ses vêtements trop larges, flanqué d'un large feutre, d'une blouse bleue. Il prend le chemin de Montmartre.

Gaston Couté, une fois le maigre pécule envolé,

---

1. Il fait l'objet de railleries de la part de son professeur de français, qui avait arraché son cahier d'écolier sur lequel étaient consignés des centaines de vers. Analysant le style, le professeur les avait jugés très médiocres et sans intérêt. En réalité, il s'agissait d'une pièce de Victor Hugo, que Gaston Couté était en train de recopier. Par dégoût, le jeune homme ne voulut rien dire.

2. Ouvrage publié en 1876 et qui valut à son auteur un mois d'emprisonnement et la saisie de tous les exemplaires.

frappe aux portes de tous les cabarets fleurissant aux pieds de la Butte. Pour quelques tartines et un café crème, il est engagé sur le boulevard de Rochechouart. Il récite ses propres vers qu'il « francise » et, sans avoir l'éloquence d'un Bruant, dénonce l'injustice sociale pesant sur les gueux dont il devient le chantre, et le porte-parole. On le remarque. Quelques semaines plus tard, pour trois francs par soir, il se produit à l'Ane Rouge, avenue Trudaine. Un ami peintre le loge pendant plusieurs semaines. Malgré la misère qui l'accable, il refuse de faire appel à ses parents. Les jours sans pain succèdent aux jours sans toit. Il demeure un éternel réfractaire, se faisant éconduire de toutes les rédactions de journaux. Aux premiers jours de l'été, qui correspondent à la fermeture annuelle des cabarets, il retourne dans sa Beauce natale mais ne s'y attarde guère ; l'appel de la ville tentaculaire demeure le plus fort. Refusant de travailler dans la minoterie, le fils indocile et déraciné du meunier de Meung-sur-Loire, repart à l'assaut des moulins de la Butte avec ses cabarets, avec son répertoire enrichi de nouvelles chansons que désormais on lui paie d'avance. Il connaît alors de maigres succès dont il partage les fruits avec ses compagnons de bohème. Car Gaston Couté est un homme généreux. Lorsqu'il gagne quelques francs, se croyant devenu riche, il ne supporte pas la misère de ses amis qui l'entraînent dans les lieux les plus malfamés, où le poète fait la connaissance de celle dans les bras de laquelle il va sombrer : l'absinthe. On voit alors Couté à la Nouvelle Athènes, au Pacha Noir, aux Quat'z' Arts, aux Noctambules, dont il devient un temps la tête d'affiche. Ses *Chansons d'un gars qu'a mal tourné* lui valent un véritable triomphe, quand il les récite avec rage sur toutes les scènes, devant un parterre de bourgeois, dont l'insolence finit par le dégoûter. Un soir, scrutant la salle, il déclare : « Vous croyez que je vais dire mes poèmes pour cette bande de cons », et il s'en va. Le peu d'argent qu'il parvient à mettre de côté, il l'engloutit dans les soirs de noces et dans l'alcool. Couté fera bientôt partie de tous ces « Poètes maudits nés de l'absinthe », selon l'expression de Jean Richepin. Puis il se révolte contre les tenanciers des cabarets qui l'avaient exploité en lui versant, à ses débuts, une obole symbolique. Il devient sourd aux multiples propositions qui lui sont faites et, sombrant dans un effroyable dénuement, se réfugie dans l'alcool, écumant les débits du bas Montmartre, liant des amitiés avec des personnages interlopes comme Liard Courtois, un ancien bagnard condamné pour des faits politiques. Dans cette lamentable existence qu'aucune femme n'accepte de partager, il parvient à obtenir un peu de réconfort auprès de ses compagnons de bohème, qui se rassemblent aux veillées du Lapin Agile. Une nuit, deux noctambules remontant les pentes de la Butte entendent des ronflements émanant d'un gros tuyau en céramique – une conduite de gaz – s'apprêtant à être enfoui. Ils tapotent avec le bout de leur canne et les ronflements se transforment en grognements, et enfin en célèbre mot de Cambronne qui console de toutes les misères du monde. L'homme qui vient d'être dérangé dans son sommeil est Gaston Couté, qui n'avait pu trouver d'autre domicile pour la nuit.

Il était promis au succès. A présent c'est un Couté amaigri et épuisé, la figure osseuse, les yeux brûlants de fièvre, qui a troqué son habit du dimanche pour des guenilles, et qui accepte de fouler les planches de la Maison du Peuple, prestation pour laquelle il ne perçoit aucun cachet, mais qui le comble de joie puisqu'il se produit devant son vrai public : celui des ouvriers, des gens modestes, des rapins sans le sou, des humbles, des parias et des opprimés, qui eux seuls connaissent l'âpreté de la lutte et fredonnent, dans les quartiers populaires, ses complaintes. Hélas, le poète de la lutte des classes devient « passé de mode » et boudé par le public bourgeois qui accepte pourtant de se faire engueuler par Aristide Bruant. Le répertoire de Couté, fait de chansons contestataires aux penchants anarchisants, anticléricaux, antimilitaristes, pacifistes, et que l'on fredonne en levant le poing dans les fêtes populaires, devient suspect dans une France patriote qui peine à se relever de l'affaire Dreyfus. Dès 1901, Couté est fiché par la police comme anarchiste. Il est éconduit des cabarets montmartrois souhaitant conserver leur clientèle huppée, cocardière et revancharde. Les directeurs sont désormais trop craintifs de voir leurs établissements mis à l'index ou fermés. Couté, l'idole des fêtes populaires de Belleville, en est réduit à collaborer à des revues libertaires — *la Barricade*, *la Guerre sociale* — qui lui permettent de survivre et dont il dépense le fruit dans des bistrots où il s'écroule entre deux crises de fureur. Après avoir fait la « tournée des grands-ducs », c'est de l'un de ces mastroquets qu'une nuit de grand froid, à peine couvert, ivre et en nage, il sort pour rejoindre le banc sur lequel il se couche. Il attrape un mauvais rhume qui se transforme en bronchite, puis, faute de soins, en tuberculose.

Le 13 juin 1911, Gaston Couté est inculpé pour apologie de crime et outrage à magistrat. Sa faute : avoir composé une chanson sur un ouvrier emprisonné, pour avoir été porteur, dans une manifestation, d'une arme prohibée, un tire-bouchon. Dans sa chanson, Couté s'en prend à la magistrature, qu'il traite de « scélérats ». Le 26 juin, à quelques jours du procès, le

« gars qu'a mal tourné » se produit dans le sous-sol surchauffé d'un grand café du boulevard Saint-Martin. Parmi l'auditoire, se trouve le juge d'instruction. A la fin de son tour de chant, tard dans la nuit, il s'attable sur une terrasse, pris d'une très violente quinte de toux et aligne verre sur verre. Incapable de se mouvoir, on lui commande un fiacre avec ordre de le ramener sur la Butte, à son hôtel. Le cocher n'obéit pas aux consignes et le laisse en bas de la rue Lepic. Couté est alors dans l'obligation de gravir à pied le terrible raidillon menant chez Bouscarat. Exténué, il parvient jusqu'à la porte de sa chambre et s'effondre. Après une nuit très mauvaise, le tenancier, inquiet de l'état de son locataire, décide d'appeler un médecin qui le fait transporter à l'hôpital Lariboisière. Il y décède, phtisique, un jour plus tard, le 28 juin. Il avait à peine trente ans.

Ses parents, qui ont fait le voyage depuis Meung-sur-Loire, exigent que leur fils y soit inhumé. Le cortège funèbre, fort de deux cents personnes, composé de poètes, chansonniers, artistes, syndicalistes, l'accompagne jusqu'au quai de la gare d'Orléans. Sur le boulevard, des ouvriers terrassiers du métropolitain arrêtent leur travail, font une double haie d'honneur, s'emparent de sa bière et la hissent sur leurs épaules. Selon certains témoins, le vieux père, à la morgue, se serait approché de la dépouille du fils ayant fui le moulin, et aurait crié :

« T'as voulu v'nir à Paris. Eh ben, t'y v'là ! »

Selon d'autres témoins, comme Roland Dorgelès, une vieille femme, « vêtue de noir, sèche comme un sarment, ridée comme une pomme [1] », suivit en silence le cortège sans verser la moindre larme. Au

---

1. *Bouquet de bohème*, Albin Michel, 1947.

moment de charger le corps dans le wagon, elle s'assit sur le marchepied, son parapluie sur ses genoux, le regard empli de haine. Tout le monde comprit qu'il s'agissait de la maman qui fixait les vauriens qui avaient fait boire son pauvre garçon. Personne n'osa s'approcher d'elle, et tous se retirèrent en silence. La police, qui surveillait le convoi du « Chansonnier révolutionnaire Couté Gaston », fit un rapport en signalant qu'aucun incident ne se produisit durant le parcours, mais qu'on pouvait voir, dans les rangs, des révolutionnaires et des anarchistes notoires.

Une semaine plus tard, Gaston Couté est cité à comparaître pour répondre de ses chefs d'accusation. Absent à son simulacre de procès, il est condamné par contumace. Au prononcé du verdict, le président donne la parole à l'avocat du chansonnier, en lui demandant s'il n'a rien à rajouter. Ce dernier s'écrie : « Si, Messieurs, j'ai simplement à vous dire que vous venez de condamner un mort ! » Le 1ᵉʳ juillet, devant plus de six cents personnes, Gaston Couté est inhumé, au sein du caveau familial, dans sa Beauce natale. Aucun de ses amis parisiens n'a fait le voyage. De retour à Paris pour rassembler les quelques affaires de son fils, le père se rend chez l'éditeur de ses chansons, très affecté par cette disparition. Le vieil homme s'en étonne :

« Jamais je n'aurais cru que Gaston avait tant d'amis. Maintenant qu'il est mort, vous pouvez bien me le dire... Mon fils... Il avait donc du talent ? »

Il faudra attendre 1928 pour que l'éditeur Eugène Rey rassemble les plus beaux vers de Gaston Couté sous le titre *La Chanson d'un gars qu'a mal tourné*. De son vivant, le poète beauceron, malgré les promesses de son précédent éditeur, n'aura jamais eu le bonheur de voir réunies toutes ces pièces.

Les détresses de Léon Deubel

« On en fera un fameux ferblantier, ou un fameux aubergiste ! » s'écrit le grand-père Deubel, à la vue du nourrisson qui pousse ses premiers vagissements, le 22 mars 1879, à Belfort. Le père, aubergiste trop occupé par son commerce, n'a pas daigné se rendre à l'étage, au chevet de sa jeune épouse, qui délaissera bientôt ses proches et le domicile conjugal. L'enfant, que l'on prénomme Léon, est abandonné aux soins de sa grand-mère maternelle jusqu'au jour où — âgé de sept ans — une agitation anormale secoue la maison. Une femme vient de s'aliter au premier étage. Prostré durant de longues heures, le jeune Léon observe l'incessant ballet des médecins, personnages inconnus aux mines sombres et, d'un coup, perçoit un inquiétant silence, déchiré par une voix lui intimant l'ordre de monter. Une fois sur le palier, on le prend par la main en lui déclarant, d'un ton sec : « Viens embrasser ta maman, c'est elle qui vient de mourir. » C'est le seul souvenir que Léon Deubel conservera de sa mère : « Il me semble que mon dernier cri en mourant sera : Maman. Pourquoi ? C'était pourtant une indifférente. Néanmoins toute ma puissance affective se porte sur son nom, parce que je sais bien que je l'aurais forcée à m'aimer. »

C'est le moment que choisit le père pour se manifester. A la tristesse d'avoir perdu cette mère qu'il ne connaissait pas, s'ajoute celle d'être au centre de discordes entre deux familles s'arrachant un enfant pourtant non désiré. La grand-mère n'est pas résolue à abandonner Léon à son gendre, et le tient reclus dans la maison, alors que le commissaire de police menace d'enfoncer la porte. Tremblant de peur, c'est derrière une barricade de meubles et de matelas, que le petit Léon est découvert par l'officier de police qui l'accompagne chez ses tantes paternelles. Ces dernières, un tantinet frivoles, dédaignent l'éducation de l'enfant qu'elles humilient, l'affublant du sobriquet de « gros plein de soupe », le corrigeant en l'enfermant de longues heures dans la soupente. Bientôt, la terreur d'être battu sans raison est amplifiée par celle du certificat d'études primaires, et des sanctions qui découleraient d'un échec. Le jour de la proclamation des résultats, il n'attend pas sa note éliminatoire, sort des rangs et s'enfuit à grandes enjambées en s'enfonçant dans les venelles, courant au hasard des avenues qui le conduisent hors de la ville. A la tombée de la nuit, il s'effondre sur un talus où il s'endort. Au petit matin, ce sont les gendarmes qui le retrouvent. Un conseil de famille est réuni. Les deux tantes sont mises à l'index. Le père, à présent employé subalterne de la compagnie des chemins de fer, remarié, refuse de prendre en charge son fils. L'oncle, plus bienveillant, accepte de subvenir aux besoins et à l'éducation du jeune Léon. Hélas, le commerçant franc-comtois, trop occupé par son entreprise, le place à l'internat du collège de Baume-les-Dames où il séjournera jusqu'à l'âge de dix-huit ans. C'est un élève médiocre, indiscipliné, capricieux, sauvage, solitaire et taciturne, qui se désintéresse des matières scientifiques au profit des langues, des lettres et surtout de la poésie. Il écrit ses premiers vers, publiés dans une revue locale. On lui reproche de faire usage de rimes trop pauvres ; il répond qu'il n'a pas encore les moyens de s'offrir des rimes riches! Une fois le baccalauréat obtenu, l'oncle entend que Léon intègre l'entreprise prospère, qui lui assurerait un emploi stable. Léon refuse. Son choix se porte vers les lettres. Il fait état de ses ambitions poétiques et avoue à son oncle malheureux que sa fortune ne l'intéresse pas. Il obtient alors un poste de répétiteur au lycée de Pontarlier, où il prend ses fonctions en octobre 1897 et fait la cruelle expérience des premières blessures de l'amour qui le conduisent à postuler, l'année suivante, au collège de Saint-Pol-sur-Ternoise. A l'instar du *Petit Chose* d'Alphonse Daudet, Léon Deubel devient un pion méprisé, non par ses élèves, mais par le proviseur, courroucé par la permissivité de ce surveillant chahuté, qui ne punit jamais, en proie à des élèves turbulents, à peine moins âgés que lui. Accusé d'avoir abandonné son poste et lu, à ses élèves, une nouvelle licencieuse de sa composition, Léon Deubel est renvoyé. Sans la ressource de ses quarante-sept francs mensuels, il est jeté sur le pavé et échoue dans le foyer d'un collègue pauvre, qui l'abrite le temps de retrouver un emploi. Un de ses anciens élèves lui apporte quelques feuilles de papier pour écrire ses poèmes, et une maigre portion de pain prélevée sur son propre repas.

Quelques semaines plus tard, c'est sans argent, avec juste le billet de chemin de fer payé par plusieurs de ses amis, que Léon Deubel va tenter sa chance à Paris. Il vient de publier son premier recueil de poèmes, la *Chanson balbutiante*, et son ami Louis Pergaud, alors élève à l'Ecole normale de Besançon, parvient à en vendre une dizaine d'exemplaires. Le 1er mars 1900, Léon Deubel emménage dans un galetas de la rue des Vinaigriers, à cinq francs la semaine. Un de ses amis, prévenu de son arrivée, se présente à son hôtel

deux jours plus tard, et le trouve dans le plus grand
dénuement, fiévreux, assoiffé, alité et les boyaux
tordus par la faim. Quand il lui demande ce qu'il fait
ainsi, Deubel lui répond : « J'attends ! Oui, j'attends
depuis deux jours. Quelqu'un devait venir, je le
sentais. Ce quelqu'un c'est toi. Mais si tu n'étais pas
arrivé, un autre serait venu. »

Bientôt, il ne dispose plus des cinq francs d'avance
nécessaires à la chambre d'hôtel. Sa malle et son
contenu sont retenus en gage par le tenancier. Désœuvré, Deubel quitte son abri et erre dans Paris, se
retrouvant, une nuit, sur un quai de la gare de Lyon. Il
y fait la rencontre d'un insoumis belge répondant au
nom de Gueubel. Il lui avoue qu'il passe là sa quin-
zième nuit dehors. A Anvers, il faisait du théâtre et,
pour ne pas effectuer son service militaire, a quitté sa
femme et son enfant. Les deux hommes se lient
d'amitié, et ne vont plus se séparer durant quinze
autres jours. C'est l'époque où les clochards, considé-
rés comme une lèpre sociale, sont envoyés au bagne
car on craint qu'ils menacent la famille en colportant
des maladies, des microbes et surtout la tuberculose.
Gueubel enseigne au poète où dormir sans la crainte
d'être tiré de son sommeil par les agents, où il ne faut
pas s'arrêter par peur des rafles, où quémander une
écuelle de soupe, en particulier dans les congrégations
religieuses en l'échange de l'eucharistie, ou dans les
œuvres socialistes après avoir écouté le prêche révolutionnaire. Ils fréquentent l'asile de nuit de la rue
Saint-Denis, où ils fuient d'épouvante devant la pro-
miscuité et la puanteur des vagabonds qui s'y entassent. C'est durant une de ces nuits d'errance (1900,
place du Carrousel, 3 heures du matin) que Léon
Deubel écrit *Détresse*, ce poème figurant dans toutes
les anthologies et qui révèle son immense talent. C'est

alors que Léon Deubel a l'idée de s'adresser à la poste
restante, afin de vérifier si personne n'a pris de ses
nouvelles depuis sa disparition. Miracle. Son oncle lui
a adressé un mandat de cent francs et réglé la note de
son hôtel. Le voilà riche ! La joie est cependant de
courte durée. Passant devant un kiosque à journaux, la
manchette d'un quotidien affiche en gros titre :
« L'amnistie votée par les chambres belges. » Gueubel
explose de joie. Il peut enfin rentrer chez lui sans
risquer la moindre poursuite. La fraternelle amitié
unissant les deux hommes s'achève comme elle a
commencé, sur le quai d'une gare. Deubel offre à son
compagnon la moitié de son pécule et, les larmes aux
yeux, le regarde à jamais s'éloigner en écoutant son
conseil : « Evite les Halles, si tu tiens à ta liberté. Il y a
là beaucoup de mauvais garçons et des rafles. Ce serait
l'ancrage. Ou pire. Avec la police en civil, tout est à
craindre. Regarde ce ciel. Dieu y parle. Il faut qu'on
lui réponde, comme a dit le poète. Et je m'en vais
prier sous les étoiles. »

Libéré des contraintes des termes impayés, Léon
peut enfin regagner son hôtel et écrire : « J'ai frôlé la
lie de la pègre des bas-fonds parisiens ; j'ai vu de près
la face ignoble du vice dans les meublés et le souffle
impur de l'immonde m'a souffleté le visage. » Vivo-
tant d'un cornet de frites et de quelques sous de pain,
il rencontre un Anglais, riche et vicieux, amateur de
jeunes éphèbes. Sans jamais céder aux avances de ce
dernier — ce qui lui aurait rapporté bien plus —, il lui
sert de guide et d'interprète à travers les lieux les plus
malfamés de la capitale. Une fois cette besogne achevée, on connaît Léon Deubel distributeur de prospec-
tus aux carrefours, ouvreur de portières place de
l'Opéra, copiste d'adresses dans une maison de couture, manœuvre dans un chantier, et enfin figurant

dans un théâtre d'où il est chassé, à coups de pied, à la
fin de la seconde représentation pour n'avoir pas su,
comme son rôle l'exigeait, marcher au pas en traversant la scène.

C'est une vie de perpétuelles humiliations, et ce ne
seront pas les trois années de service militaire qui le
réconcilieront avec les affres de l'existence. Encore,
pour la première fois depuis près de deux ans, par-
vient-il à manger à sa faim. Enfin, l'horizon s'éclaire.
Il reçoit douze mille francs légués par sa grand-mère
maternelle. La fortune! On croit Léon Deubel à
jamais sauvé de la misère. Hélas, il n'en sera rien. Il
commence par rembourser ses créanciers, investit une
partie de son pécule dans une luxueuse et éphémère
revue à la gloire de son idole, Verlaine, et dans la
publication – à ses frais – d'une nouvelle plaquette de
vers, le *Chant des routes et des déroutes*, puis entreprend
de nombreux voyages en Italie, où il séjourne six mois
sans donner de nouvelles. Il envisage de fuir en Syrie,
en Ethiopie sur les traces du fantôme de Rimbaud, et
de pousser jusqu'au Caucase. Le Bateau Ivre de Deubel ne franchit pas les mers et, en l'espace de sept
mois, il a dilapidé tout son héritage. Il trouve à nouveau refuge chez son ami Louis Pergaud, instituteur à
Durnes. Le 27 mars 1904, par jeu macabre, sous une
plume anonyme, il annonce au journal local – le *Petit
Comtois* – sa propre pendaison qu'il dément la semaine
suivante. Trois jours plus tard, on le retrouve rue des
Martyrs, à Paris, où il couche sur des piles de journaux, connaissant à nouveau la faim. Fatigué de porter
ses misères, il a si froid qu'il est contraint, pour se
réchauffer, de brûler la plus grande partie des exemplaires de la *Lumière natale*, un de ses recueils de
poèmes, alors que *Poésies*, qui reprend l'intégralité de
son œuvre éphémère, s'apprête à voir le jour.

L'imprimeur n'étant pas encore payé, il refuse de laisser sortir les volumes, si bien que seuls vingt exemplaires, constituant l'édition originale sur vergé d'Arches, voient le jour. Le reste de l'édition ne sera jamais publié de son vivant, faute de n'avoir pu réunir — même parmi les nombreux amis — les cent francs nécessaires pour les frais d'édition.

C'est à nouveau le temps des détresses, des ambitions déçues, des petits boulots sans lendemain, des garnis à la semaine et des heures sombres, où il erre seul dans Paris, sans argent, et à bout de forces. Ce sont encore les amis qui lui viennent en aide. Un temps employé dans les assurances puis renvoyé, il entre au service, comme secrétaire, de Serge Persky, le traducteur de Gorky, puis d'un poète humaniste, Fernand Gregh. Certains voient en lui « un poète de forte lignée », et se mettent en tête de tirer cet être marqué par la disgrâce, de son indigence, en faisant état auprès des éditeurs et directeurs de revues de son immense talent. Il fait tirer ses ouvrages à quelques centaines d'exemplaires, en prenant soin de ne jamais adresser de service de presse : « La plus légère critique me fait trop de mal aujourd'hui pour que je puisse l'accepter, fût-ce de vous qui êtes bon et qui m'aimez. Je ne sais trop comment je pourrai un jour affronter le public. J'aime, hélas! mes vers plus encore que la poésie et j'ai l'épiderme d'un sensible!... C'est là une des raisons pourquoi je ne veux ni les montrer ni les publier. J'en arriverai à tirer mes livres à 5 exemplaires et à interdire aux critiques d'en parler. » Inapte à vivre en société, incapable de s'adapter à son époque, orgueilleux, froid, distant mais toujours digne, il devient misanthrope et amer : « Me voici muré dans cette odieuse ville qui n'est remarquable que parce qu'elle fournit quinze millions de kilos de merde à

l'agriculture. La merde tombe en pluie dans les théâtres, ruisselle dans les journaux et les livres. Quelle
honte ! » Il est pauvre, il a froid, il a faim, et préfère
boire le vin frelaté que de manger, et n'a même pas le
sou pour se payer, comme son maître Verlaine, un
verre d'absinthe. Son œuvre reflète le désir d'être
aimé. Jamais aucune femme n'a su panser ses maux. A
peine plus fortuné que lui, Louis Pergaud, le futur
prix Goncourt 1910 avec *De Goupil à Margot*, partage
avec lui ses menus et son linge. Il règle ses consommations lorsqu'ils s'attablent, tous deux, à la Closerie
des Lilas, dans l'espoir que Paul Fort ouvre au poète
maudit les portes de *Vers et Prose*.

Peu à peu, Léon Deubel se laisse glisser jusqu'à la
déchéance, de maigres succès en grands désespoirs. Il
n'ose, par timidité et peur d'être éconduit, franchir la
porte du bureau d'Alfred Valette, le directeur du
Mercure de France. Il atteint la fin de l'été 1911 où,
quêtant toujours son dîner, il fait part à ses plus proches amis de son projet de noyade. *La Mort* de Maurice
Maeterlinck devient son livre de chevet. Un dernier
héritage de trois mille francs lui redonne un dernier
souffle de vie. Il entreprend un voyage en Belgique
dont il revient aussi pauvre qu'auparavant, n'ayant
jamais su conserver le moindre pécule. Au début de
l'année 1913, Léon Deubel est épuisé par cette vie de
bohème. On le retrouve à Paris, dans un hôtel près de
la gare du Nord.

Quelques mois plus tard, il ouvre son porte-
monnaie. Il lui reste à peine de quoi payer une semaine d'hôtel. Il glisse sa main dans la valise italienne
de cuir fauve et en retire quelques éditions prestigieu-
ses de ses amis poètes. Il les brocante sur les quais de
la Seine. Proposant aux bouquinistes ses propres
ouvrages, on lui répond : « Peuh ! J'en ai des stocks.

Ça n'est bon qu'à mettre au pilon, les poèmes !» Il détruit alors tous les manuscrits de ses poèmes, dont la plupart sont inédits ; un roman, *Le Prince à l'écharpe*, commencé à Florence et resté inachevé ; son portrait réalisé par le peintre Laffitte ; ses photographies et son abondante et précieuse correspondance. Il tourne les pages de son maigre album rempli de coupures de presse. Il sait qu'il est un poète maudit, qui n'a jamais écrit que pour se libérer d'un bonheur dont il ne voulait pas. L'autodafé est accompli. Il ne reste de son passage sur cette terre qu'un menu tas de cendres. Il se rase et soigne sa toilette.

Avec six sous en poche – c'est trois fois plus que Gérard de Nerval –, son livret militaire, une pièce d'identité et un petit feuillet contenant un poème, le 10 juin 1913, Léon Deubel se jette dans la Marne. Deux jours plus tard, on repêche son corps près de Maisons-Alfort. Autour du cou du noyé, un mouchoir noué à deux tours enserre sa gorge. Léon Deubel est inhumé le 21 juin, dans le cimetière de Bagneux, dans le même caveau qu'un autre poète maudit, Jules Laforgue. Dans les milieux littéraires, l'émoi est immense. La presse, qui ne s'est pourtant jamais intéressée à lui, est unanime à déplorer sa perte. Ses amis, comme Louis Pergaud, vont le pleurer longtemps : « Un de nos plus purs, un de nos plus nobles poètes était mort, tué par la vie quotidienne ; tous ceux pour qui la poésie n'est pas un vain nom ont été émus et se sont inclinés pieusement devant sa fosse. »

La trinité maudite et
les dernières ivresses de Montmartre

La nuit de Noël 1883, Suzanne Valadon, un modèle très apprécié chez tous les rapins de la Butte, met au monde, à l'âge de dix-huit ans, un enfant prénommé Maurice. Il est enregistré à la mairie du XVIII° arrondissement et déclaré de père inconnu, portant le nom de sa mère, elle-même fruit d'une union illégitime. Trop préoccupée par sa propre peinture et ses amours, Suzanne laisse le soin à sa mère, la « maman Madeleine », blanchisseuse et repasseuse à Montmartre, de s'occuper du garçonnet qui, à l'âge de deux ans, fait une grave crise de convulsions. Le 27 janvier 1891, un Espagnol dont Valadon est l'amante, Miguel Utrillo y Molino, qui fera découvrir Montmartre à Picasso, touché par le désarroi de la « terrible Suzanne » – surnom que lui donnera Derain –, accepte de reconnaître l'enfant qui portera son nom. L'idylle entre l'Espagnol et la mère de Maurice sera de courte durée. Démente et instable, elle se met en ménage avec Paul Mousis, et le couple quitte Montmartre pour un petit pavillon de banlieue, plus confortable, dans lequel elle peut s'adonner à sa seule passion, la peinture. Bien que vénérant sa mère, à l'âge de huit ans, le jeune Maurice est un enfant délaissé, turbulent, replié sur lui-même, capable des pires violences et, parce qu'il n'arrive pas à dormir, se voit administrer chaque soir un grand verre de vin dans sa soupe. La nervosité de Maurice Utrillo est telle que Madeleine

est dans l'obligation d'augmenter sans cesse la dose, et
c'est parfois ivre qu'il est déposé dans son lit. Doué
pour les mathématiques, nul en dessin, il est malmené
par ses camarades de classe et traité de « gourde ». A
la maison, se sentant négligé, Maurice se console avec
une bouteille de vin rouge. La situation est si dramatique que Madeleine tente de cacher les bouteilles de
vin. Maurice explose de fureur. Il déchire ses habits,
ses cahiers, hurlant avec des cris de rage : « Donne-
moi cette bouteille ou je casse tout. » La pauvre
Madeleine est toujours obligée de céder et délivre à
l'enfant, en cachette, des quantités toujours plus
importantes d'alcool. Au collège Rollin, le mal empire. Laissé libre de tout mouvement, il court les
bistrots et y dépense tout son argent de poche. Un
jour, gare du Nord, incapable d'acquitter le prix du
billet de retour, il tente de gagner son domicile à pied
et accepte l'invitation de plâtriers à monter dans leur
charrette. Ces derniers, coutumiers de la « tournée
des grands-ducs », s'arrêtent dans une auberge où, par
jeu, ils lui offrent une absinthe. Sidérés par l'incroyable résistance à l'alcool du gamin, ils s'en amusent et le traînent dans tous les estaminets jonchant le
trajet et c'est à la nuit tombée, ivre mort, qu'ils le
déposent à son domicile. Maurice Utrillo est désormais alcoolique, ce dont s'aperçoit enfin Suzanne. Les
résultats scolaires s'en ressentent ; son indiscipline et
sa propension à toujours chercher querelle à ses
camarades, obligent son beau-père à le menacer de
l'envoyer dans une maison de correction. En 1901,
Maurice a dix-huit ans. Il arrête ses études pour suivre
l'apprentissage d'un métier. Surnuméraire au Crédit
Lyonnais, il est chargé du calcul des escomptes. Trop
instable, il ne va pas plus loin que la période d'essai
durant laquelle il se bat à coups de parapluie avec l'un

de ses collègues de travail. Refusant de retourner à la banque, il effectue des dizaines de petits boulots, d'où il sera renvoyé à chaque fois : livreur, il se trompe sur la destination d'un colis et le remet à la gare du Nord au lieu de Saint-Lazare, arguant que « tous les chemins mènent à Rome »; il transporte des boîtes pour un représentant de cirage et en profite pour faire la tournée des mastroquets; aide monteur dans une fabrique d'abat-jour, une nouvelle bagarre le fait congédier avec pertes et fracas; employé comme colleur de bandes, il détruit une machine à polycopier. Suit une longue période de désœuvrement durant laquelle Maurice, toujours sous l'emprise de l'alcool, devient amer. Envoyé au « vert », dans le petit village de Montmagny, il se conduit comme un jeune voyou, faisant peur aux habitants et, victime d'une « expédition punitive » organisée par tous les hommes du village, on le renvoie à Montmartre, rue Cortot. Il ne s'y comporte pas mieux, car la Butte recèle de nombreux lieux de perdition. Importunant les filles faisant « la carrée » sur les boulevards, il écume les petits bars du bas Montmartre. On l'expulse de tous les bals. Il devient vite la cible des petites « frappes » sévissant dans le quartier et qui se font les dents sur cette proie d'autant plus facile qu'elle est imbibée d'alcool. Afin de protéger Maurice, et surtout de sauver son couple, Suzanne Valadon accepte qu'il soit interné. Il demeure quatre mois à Sainte-Anne où il subit plusieurs cures de désintoxication. Le médecin-chef ne voit comme seule thérapie que la peinture. Pendant deux ans, le jeune Maurice va apprendre de sa mère toutes les bases. Il peint avec une grande application les paysages et les vues de Montmartre, avec les seules devantures de commerces qui l'attirent : celles des guinguettes de banlieue, des caboulots, des buvettes, des bistrots et

autres débits de boissons. Mais Valadon, qui vient de
quitter Paul Mousis, est rentrée à Montmartre. Elle a
repris son ancienne vie et se désintéresse à nouveau de
son fils, le laissant sombrer dans l'alcoolisme. Commence alors la période la plus pitoyable de sa vie : une
cuite par jour et autant d'œuvres de génie. Hélas, à
cette époque, que l'on nommera la « période blanche » parce qu'il n'a pas assez de peinture et gratte le
plâtre des murs, les marchands désertent sa production. Certains, par pitié, lui proposent quelques francs
– à peine le prix du cadre –, lui faisant comprendre
que cela ne vaut rien. Dépité, Maurice fait le tour des
bistrots de Montmartre pour écouler ses toiles en
l'échange d'une bouteille. Emprisonné dans sa chambre, il peint à l'aide de cartes postales qu'il épingle sur
les murs. Comme Modigliani [1], rencontré dans les
rues de Montmartre et avec lequel il erre dans les
cafés de Montparnasse, Utrillo boit pour se faire une
réputation, le génie se mesurant à la quantité de vin
engloutie. Cris, insultes, crises de nerfs, il réclame sa
dose quotidienne. Il engueule les passants. Vautré sur
le trottoir, il joue de la flûte pendant des heures, sans
connaître le maniement de l'instrument. On lui lance
des pierres. Les agents le passent à tabac. Les filles se
sauvent dès qu'elles le voient. Il tire les cheveux des
femmes, tente de les embrasser en voulant donner des
coups de pied à celles qui sont enceintes. Les voyous
le rossent. Les enfants qui errent dans les rues de
Montmartre se moquent de ce bâtard ivrogne qui, le

---

1. La légende raconte que lors de leur première rencontre, les deux hommes, pour se témoigner leur admiration mutuelle, échangèrent leurs vestes et
se mirent à s'insulter pour prouver que l'autre était meilleur peintre. Bagarre,
réconciliation dans des bistrots. Nouvelle bagarre qui finit dans une rigole,
dans laquelle ils s'endorment. On les retrouve, au petit matin, dans les bras
l'un de l'autre, dégrisés et frissonnants.

nez et les doigts rouges, grelotte devant ses pinceaux,
le bousculent et détruisent ses toiles que, parfois, il
oublie sur un chevalet. Les lendemains d'orgie, il se
masturbe sous les tables, lacère ses peintures à coups
de couteau et pisse sur les visiteurs qui osent encore
s'aventurer dans l'escalier de l'atelier de la rue Cortot, qui abrite aujourd'hui le musée de Montmartre.

Le destin de Maurice Utrillo bascule en 1909,
quand sa mère tombe amoureuse d'un de ses camarades, André Utter. Voilà à nouveau Maurice livré à lui-
même et — toujours vierge — traumatisé par la vision
de son ami dans les bras de sa mère. Le foyer Utrillo
va prendre alors le surnom de « trinité maudite », une
véritable maison de fous où l'aliéné n'est pas toujours
Maurice. Utter lacère de rage les toiles de sa femme,
la frappe. Suzanne jette sur la tête de son fils l'eau de
sa toilette. Insultes, rixes, cris, chutes dans l'escalier,
bris de vaisselle ou de carreaux, les voisins sont pani-
qués et manquent à chaque instant d'appeler la police.
Un jour, le peintre Galanis, qui ne cesse de les ré-
concilier, manque d'être tué par un fer à repasser jeté
par Maurice depuis la fenêtre du premier étage,
atterrissant avec fracas sur sa table à dessin. Moins
patient, le poète Pierre Reverdy, occupant l'appartement au-dessous, tire des coups de revolver à travers le plafond ; la riposte ne se fait pas attendre :
cette fois c'est la Valadon qui use du fer à repasser, le
manquant d'un cheveu. A bout de nerfs, la « terrible
Suzanne », lassée de payer les ardoises laissées par ce
fils qui menace de se suicider, décide de s'en séparer.
Maurice ne rapporte pas d'argent et cause trop
d'ennuis lorsqu'on le ramasse tous les soirs dans le
caniveau, une bouteille vide entre les mains, qu'il
caresse et finit par fracasser dans les gémissements et
les pleurs. Il est confié à un ancien sergent de ville, le

père Gay, qui fait office de logeur et de marchand. La souffrance d'Utrillo est alors terrible. Le peintre et son logeur ont conclu un pacte : Maurice, à sa demande, a imposé au père Gay de ne le laisser sortir sous aucun prétexte. En l'échange d'une importante commission sur l'hypothétique vente des toiles, le vieil homme – qui jamais n'escroquera son locataire – doit lui fournir les trois repas quotidiens, sans une goutte de vin, et lui assurer le gîte pour cinq francs par jour. Devant ce sevrage forcé, il mène une vie terrible à son logeur : il menace de mettre le feu aux meubles, casse les carreaux, déchire ses vêtements et, avant qu'il n'installe des barreaux aux fenêtres, parvient à s'enfuir plusieurs fois. Les soirs de fugue, on l'a vu, en moins d'une heure, ingurgiter dix litres de vin ! Dès le réveil, son premier réflexe est de se mettre à boire. Il souffre d'une telle dépendance, qu'il est capable d'absorber n'importe quel liquide pourvu qu'il soit alcoolisé, comme le combustible des réchauds à gaz ou l'alcool à brûler de la petite locomotive avec laquelle il joue, la benzine, et même l'eau de Cologne ! Lorsqu'il arrive à échapper à la surveillance rapprochée du père Gay, il écume tous les débits de boissons, vide sur le zinc des bars des dizaines de setiers et, jamais satisfait, s'approche des tables en louvoyant, s'empare des bouteilles, et part en courant dans les rues sombres. Quelques minutes plus tard, il revient toujours sur les lieux de son méfait, cognant aux carreaux en suppliant qu'on lui ouvre. Maurice Utrillo a encore soif. En marge de sa soûlerie, il devient violent et la mère Adèle – l'ancienne patronne du Lapin Agile qui tient désormais une petite gargote dans la rue Norvins, le Vieux Chalet –, ne supportant pas les ivrognes, est obligée de l'expulser en jetant ses toiles dans la rue. Il reste sur le trottoir pendant des heures, sous la pluie et parfois durant une nuit entière en susurrant des excuses. Frédé l'a chassé du Lapin Agile, ignorant que Maurice Utrillo fera un jour la fortune des nombreux patrons de bar acceptant ses tableaux en l'échange de chopinettes. Et des Utrillo, à Montmartre, il y en a une bonne centaine accrochés aux murs des estaminets, dans des caves, dans des sacs rongés par les rats, chez des concierges et tenanciers d'hôtels. C'est ainsi qu'à la Belle Gabrielle, on paye ses ardoises en peinture et la patronne, qui est réputée pour avoir la main leste, administre à Utrillo des raclées pour mieux se l'attacher. Sa cote finit par monter. Dans plusieurs maisons, on tient à la disposition de « Monsieur Maurice » des pinceaux, de la couleur et quelques toiles en l'encourageant à boire car, avant la guerre, un « Utrillo » vaut déjà cinquante francs, et cinquante mille quelques années plus tard. De ces prémices de succès, le peintre s'en moque car, à ses yeux, sa peinture vaut à peine le prix d'un litre de vin rouge. Pour le traquer chez des confrères, certains n'hésitent pas à engager des rabatteurs chargés de le faire venir dans leur établissement en l'échange d'une bouteille de rhum, puis au moment de l'addition, on tend des pinceaux au peintre qui réplique toujours : « Ajoute un litre ! » D'autres, comme Marie Vizier, lui promettent – alors qu'il est toujours puceau à vingt-huit ans – de « baiser la bonne », mais avant, il doit exécuter une toile : « Pas de barbouille, pas d'amour. » Un jour, profitant de l'absence de Marie Vizier, il peint les toilettes du restaurant de paysages montmartrois. Comme la tenancière vient de les refaire à neuf, elle part dans une violente colère – « Oh ! Le dégoûtant, avoir sali mes cabinets !... » – et l'oblige à effacer son œuvre à l'essence. Jules Depaquit, avec une évidente jouissance, avivera plus tard ses regrets, lorsque la cote d'Utrillo sera au plus haut : « Songe donc qu'aujourd'hui les Américains viendraient chez toi et paieraient quarante ronds pour renifler tes waters tout parfumés par le génie d'Utrillo [1]. »

Comme Modigliani, son compagnon d'infortune, Utrillo a la réputation d'avoir le vin mauvais et d'être querelleur. La foule le conspue et il provoque ceux qui l'insultent en baissant son pantalon, et en s'écriant : « C'est avec ça que je peins ! » Amoureux de Marie Vizier, il fait la chasse à tous ses prétendants, comme Jules Depaquit qu'il poursuit jusque dans la rue avec une casserole pleine d'eau bouillante. Hélas, comme il rate son coup, l'objet de la vengeance vient atterrir sur la jambe d'une pauvre ménagère qui s'écroule. Les agents sont appelés à la rescousse et la femme, qui se lamente d'avoir des « douleurs dans les intérieurs », finit par porter plainte au commissariat dont Utrillo ne s'échappe qu'après avoir été passé à tabac et exécuté de nouvelles toiles pour les fonctionnaires. Désormais, ce sont les policiers qui tirent profit d'Utrillo. Ils ne le rossent plus et, lors de ses fréquents séjours, prennent à son encontre mille précautions. En tendant le matériel de peinture, ils débouchent — au sein même du commissariat — plu-

---

1. Daragnès avait connu une mésaventure similaire avec une armoire. Il était trop tôt pour réaliser combien on pouvait tirer des quatre vues de Montmartre qu'Utrillo avait exécutées sur les portes, scène dont Carco fut le témoin : « Quoi ? Mon armoire... Ah ! Nom de Dieu ! Voilà ce que tu en as fait ! C'est ignoble... Ecoute, si tu n'étais pas un ami, je t'obligerais à m'en payer une autre, mais comme c'est toi, tu vas tout effacer... et en vitesse. Allons ! Ah ! la ! la ! La prochaine fois je fermerai ma porte à clef. » Il en fut de même avec une porte sur laquelle Modigliani peignit Soutine. Comme Zborowski s'en lamentait, Modigliani le consolait en tentant de lui faire croire : « Tu la vendras son poids d'or. » Zborowski lui répondit : « Oui, mais en attendant, nous serons obligés d'avoir tout le temps ce portrait sous les yeux ! »

sieurs bouteilles et passent commande : « Tu me fa-
briqueras bien un bout de barbouille avec ma "vue".
C'est pour décorer ma piaule. Ma femme sera contente. » Le nombre de toiles varie en fonction du
grade ; les brigadiers en réclament deux. Avec les
voyous des alentours de la Butte, la chanson n'est pas
la même. Des marlous le martyrisent, car il a la
réputation d'être généreux et capable de donner son
pantalon et sa chemise à un nécessiteux, quitte à les lui
reprendre un peu plus tard. Dans les bars de Montmartre, certains vident le contenu de leur pipe dans
son verre en l'invitant à boire, d'autres lui font des
crocs-en-jambe et il s'étale au milieu de la salle. On le
relève. A la sortie, il est souvent roué de coups ; passe
la nuit, traqué pendant des heures, à se cacher de
réduit en réduit, le nez cassé, le visage tuméfié. On lui
badigeonne parfois le corps entier de cambouis.
L'hiver, on lui dérobe son vieux pardessus et, s'il ose
se plaindre, cela va jusqu'à la chemise et, après l'avoir
molesté, on le laisse à moitié nu sur un banc. Un soir,
il échappe de peu à la mort après avoir été à l'origine
de plusieurs bagarres dans des bouges du boulevard de
la Chapelle. Poursuivi par des voyous, il est de nouveau attaché à un banc et frappé à l'aide de sacs de
sable. Francis Carco se souvient : « On ne voulait de
lui nulle part. On le chassait honteusement et, jusqu'à
ce qu'il ne pût mettre un pied devant l'autre, on le
poussait avec des coups, et il tombait, gémissait et
pleurait. On le traitait d'ivrogne ou d'innocent, et
malgré la splendeur tragique qui se dégageait de ses
œuvres, on l'envoyait promener. »

Maurice va subir pendant plusieurs années de nombreuses périodes d'internement, durant lesquelles on
lui administre du bromure et des douches. On lui
permet toutefois de peindre et, comme Utter et

Valadon n'ont pas les moyens de subvenir aux coûts engendrés par les soins, plusieurs marchands, s'assurant toute sa production, acceptent de payer les frais de la cure. Utrillo, jusqu'en 1924, demeurera prisonnier des hôpitaux, des asiles, des cellules de commissariats de quartier, chez des logeurs et de temps en temps chez sa mère. A la moindre incartade, on le menace : « On te ramène à l'asile et on te flanque au cabanon ! » Docile comme un agneau, Maurice se calme, effrayé de revivre ce qui restera les heures les plus sombres de son existence.

Grâce à deux écrivains, Utrillo va enfin connaître la gloire au moment où une alternative s'offre à lui : la prison ou la morgue ! Après Francis Carco, l'ami fidèle des jours de détresse, Octave Mirbeau achète pour quelques francs une toile qui deviendra célèbre, *La Maison Rose*. Puis, avec son sens coutumier de l'exagération, l'auteur du *Journal d'une femme de chambre* fait savoir au Tout-Paris qu'il a découvert à Montmartre un peintre démoniaque : « Fou à lier, mon cher... J'ai dû lui arracher ce chef-d'œuvre des mains ! Il voulait le crever ! Il n'a rien mangé depuis huit jours... Il boit l'alcool de son réchaud... Un génie mon cher ! » Et comme un marchand, Louis Libaude, s'est précipité pour lui racheter sa toile dix fois le prix qu'il l'avait lui-même acquis, Octave Mirbeau s'écrie : « On m'en offre une fortune, mon cher... Utrillo ne veut plus peindre si on ne le lui rend pas... Il se roule par terre... Il veut mettre le feu... Dépêchez-vous, il ne peindra plus longtemps. » Avant la guerre, Utrillo est lancé et les marchands voient arriver avec bonheur les premiers acheteurs : « Le compotier est prêt, on n'attend plus que les poires », dit-on. Et les poires finissent par envahir la Butte, car à Montmartre tout le monde a ses « Utrillo » : des

tenanciers d'hôtels, des concierges, des jardiniers, des
policiers, des cordonniers et surtout des cabaretiers
comme Marie Vizier qui, à la Belle Gabrielle, en a
trois panneaux entiers ! C'est Paul Guillaume qui, le
premier, achète les toiles sur les conseils de Max
Jacob. Il vient à Montmartre en taxi et dévalise tous
les bistrots des peintures de « Monsieur Maurice »,
qu'on décroche aussitôt des murs. Pour les patrons
c'est, croient-ils, une belle affaire : deux cents francs
pièce alors qu'elles n'ont rien coûté ! Elles en valent
en réalité vingt fois plus car Paul Guillaume, en les
faisant placer dans des cadres Louis XIV, les revend
avec une substantielle marge bénéficiaire. Cinq ans
plus tard, elles en vaudront cinq fois plus et certains
tenanciers, Marie Vizier en tête, se mordront les
doigts de s'être séparés trop tôt de leurs trésors. En
quelques semaines, c'est la ruée. Des messieurs en
riches complets et gantés de blanc, viennent signer des
chèques sur les comptoirs, et chacun ressort ses
« Utrillo », pensant en tirer le meilleur prix. C'est
l'époque où commencent à apparaître les premières
copies. De son côté, le peintre est amusé par toute
cette agitation. Il se contente toujours de ses litres de
vin. Il vit à nouveau rue Cortot, et passe ses journées à
refuser la visite des marchands, à s'amuser avec des
jouets en bois et à écouter le bruit des crayons qu'il
jette dans la cour à travers le grillage de sa fenêtre.
Puis vient la guerre, avec l'effondrement du marché
de l'art. Nouvelle période de misère et de solitude.
Utter s'est engagé dans l'armée et va passer cinquante
mois au front. Suzanne, dont les peintures ne se
vendent plus, le rejoint, et déserte Montmartre en
laissant Maurice, réformé pour alcoolisme et défi-
cience mentale, à nouveau livré à lui-même, privé de
sa mère, errant dans les bistrots, la faim au ventre.

Au lendemain des hostilités, on a oublié l'enfant terrible et c'est Francis Carco, grâce à ses articles et une plaquette qu'il fait éditer à ses frais en 1921, qui ressuscite le peintre de *La Maison Rose* subissant alors une nouvelle mesure d'internement — la cinquième — en principe définitive. Après vingt ans d'une terrible bohème, c'est la consécration. La moindre toile d'Utrillo se transforme en or. Flairant à nouveau la bonne affaire, la « terrible Suzanne » récupère ce fils venant de s'évader de l'hôpital pour la rejoindre, un enfant peu rancunier et qui la vénère toujours, alors que jadis, elle l'avait jeté dans la rue en le privant de souliers, le laissant s'échapper des hôtels en chaussettes et en poussant des cris affreux. Utter déclare : « Utrillo, c'est la plus belle affaire commerciale montée en ce siècle. » Il enferme une nouvelle fois le peintre maudit dans son atelier-prison de la rue Cortot, et les curieux viennent observer « l'ivrogne » derrière les barreaux de sa fenêtre, dont la seule distraction est de tirer avec un pistolet à amorces sur les ménagères effrayées, et d'apostropher les policiers en hurlant : « Vive l'anarchie ! » Lorsqu'il parvient à fuguer, on le ramène dans un état comateux, le visage parfois couvert de sang. Un jour, parvenant à subtiliser un de ses tableaux pour se payer une simple fantaisie, il se rend dans un magasin de farces et attrapes, et loue une chambre d'hôtel d'où il tire un feu d'artifice. Appréhendé par la police, il se jette contre un mur en se fracassant le crâne. Il est reconduit chez sa mère, avec la surveillance très rapprochée d'un infirmier.

Croyant que son destin est d'être à jamais prisonnier, Maurice subit la loi d'Utter et de Valadon. Tout le monde à Paris veut de l'Utrillo et l'on passe commande ; on achète sans avoir vu. La pensée de Delacroix, « On n'est maître que lorsqu'on met aux choses la patience qu'elles comportent », s'applique à Maurice Utrillo, qui ne fait pas partie de ces peintres faisant monter leur cote de manière artificielle. Les prix flambent, atteignant plusieurs dizaines de milliers de francs. Il devient le peintre le plus plagié et le plus recherché durant la période de l'entre-deux-guerres, le meilleur placement spéculatif, le seul échappant au désastre financier engendré par la chute de l'économie américaine. Il n'est pourtant pas très loin le temps où Utrillo livrait ses tableaux chez les brocanteurs pour dix francs pièce avec, en prime, une dédicace ! Aujourd'hui, il se moque d'une telle notoriété, préfère son vieux veston déchiré à un costume neuf, refuse de recevoir les journalistes faisant le siège de son atelier, les galeristes aux propositions alléchantes, et ne se déplacerait même pas pour son poids en billets de banque, alors que la perspective d'un petit Pernod — seul plaisir qui lui est interdit — lui ferait courir le Tout-Paris. Excédé par le battage autour de son nom, il se rend devant une galerie où l'on expose ses anciennes toiles et — éméché — montre les nouvelles devant la vitrine en criant : « A cent sous, je les laisse ! Moins cher qu'à l'intérieur ! » S'il ne fait montre d'aucun intérêt pour cette soudaine notoriété, de leurs côtés, Utter et Valadon « remuent les écus à la pelle », menant sur son dos un train de vie qui fait des envieux à Montmartre. Ils viennent d'acquérir un hôtel particulier et leur existence est ponctuée de gaspillages. Lors des fréquentes réceptions, Maurice, dans sa modeste chambre, tourne comme un lion en cage. En percevant les rires, le bruit caractéristique des bouteilles qui se débouchent, il n'est pas rare de le voir partir dans une violente crise de nerfs et entendre dire sa mère : « Ce n'est rien, c'est Raminou, le chat

de la maison !» Parfois, lorsque Suzanne veut faire
partir les invités, elle lâche son fils dans la salle à
manger et le laisse se précipiter sur les bouteilles en
effrayant tous les convives !

L'argent brûle les doigts de Suzanne Valadon, et
dans son étude sur Utrillo, Jean-Paul Crespelle souligne : « La vie qu'elle menait rue Cortot, puis avenue
Junot, a engendré tant d'anecdotes qu'il serait possible d'en faire un gros recueil. » Il lui arrive de dépenser jusqu'à cent mille francs en futilités. Elle achète un
manteau d'astrakan et en fait une litière pour ses
chiens qu'elle promène en taxi et qu'elle nourrit de
poulets rôtis achetés dans une brasserie de Montmartre. Ses notes de taxi atteignent, par mois, le prix
d'une voiture neuve. Utter n'est pas en reste. Il
s'absente de la maison pour courir le guilledou, avec
une toile lui permettant de régler les faux frais de la
journée. Il vient d'acquérir, sur les bords de la Saône,
le château de Saint-Bernard. Croyant recouvrer un
semblant de liberté et mener, lui aussi, la vie de
château, Utrillo s'en réjouit. L'illusion est de courte
durée, car le couple infernal a engagé une batterie de
serviteurs, tous issus de Montmartre et qui connaissent les penchants de Maurice. Une nouvelle fois
séquestré, il est restreint sur la boisson, interdit de
sortie. Dans le village, les bruits courent qu'un peintre de renom vient de s'installer. Lorsque Maurice
Utrillo parvient à s'échapper, il terrorise les habitants,
se précipitant au café pour ingurgiter quatre ou cinq
pots de vin. Il en ressort vociférant sa rage, déambulant dans les rues, apostrophant les joueurs de boules
sur la place, volant les bouteilles, faisant scandale dans
l'église, tournant autour de l'autel en multipliant
génuflexions et signes de croix, gênant la prière des
fidèles en se lançant, à l'imitation de Max Jacob, dans

des confessions publiques, et si — par malheur — l'un d'eux se signe à son passage, il hurle : « Dis donc, espèce de betterave, c'est pour te foutre de moi que tu te touches la tête ? Vieilles toupies, vous me croyez fou ? Mais je ne suis pas fou. Non ! Alcoolique, oui ! Alcoolique seulement ! » Utrillo n'a d'amour que pour la ville. Il compare cette « vie de château » à l'asile, et demande à rentrer à Montmartre. Suzanne Valadon — qu'une vie d'excès a fragilisée — est au plus mal. Utter parti, elle essaye de reconquérir sa jeunesse avec quelques éphèbes ramassés dans des cafés de la Butte ou des clochards qui errent non loin de l'hôtel particulier de l'avenue Junot. Certains profitent de ses largesses et repartent avec des toiles de Maurice ou des dessins de Degas. Malade, elle s'inquiète enfin pour l'avenir de son fils. Il faut le sauver de tous les rapaces — Utter en tête — qui voudront, à sa mort, s'approprier cette « poule aux œufs d'or ». Elle estime qu'il est temps de marier cet homme qui, à quarante-huit ans, a toujours eu peur des femmes et n'a connu que des prostituées. La veuve d'un homme d'affaires belge, grand collectionneur et amateur de la peinture de Maurice, Robert Pauwels, semble convenir. Lucie — de son nom de jeune fille Valore —, une ancienne comédienne, a six ans de moins que Suzanne. Aussi machiavélique et mythomane que sa future belle-mère, elle augure tous les avantages qu'elle pourrait retirer de cette union singulière. Sur les instances d'une cartomancienne, qui lui a prédit un nouveau mariage avec un homme célèbre s'appelant Maurice, après avoir fait le siège du domicile de Maurice Chevalier, elle se tourne vers l'avenue Junot, s'assurant les faveurs d'Utrillo en lui laissant caresser sa poitrine. Visitant Valadon dans une maison de santé, elle déclare : « Je me crois désignée par la providence pour sauver Maurice. » Désireuse de se venger d'Utter [1], Suzanne donne son assentiment à cette union qui demeurera asexuée. Après maints rebondissements, le mariage est célébré en 1936, à Angoulême, par Monseigneur Palmer, aumônier de la famille royale d'Espagne. A cette occasion, Maurice Utrillo est baptisé et fait sa première communion. Plus qu'une femme, Maurice Utrillo, l'enfant qui n'a jamais grandi, se laisse imposer une nouvelle mère qui s'investit de la mission de le protéger, et surtout de veiller sur sa production. Pour mieux faire grimper les cours, elle fait réaliser à Maurice une toile par semaine. Le cérémonial est toujours le même. Chaque dimanche, son nouveau marchand, Pétridès, se rend au domicile d'Utrillo, et veille sur la bonne qualité de la marchandise. Les volets autour des fenêtres! Y a-t-il assez de blanc? La signature, soignez la signature « cher maître! » A peine la toile terminée, il remet les quatre-vingt mille francs convenus à la grande argentière, Lucie, charge la toile fraîche dans son coffre et convient d'un rendez-vous pour la semaine suivante.

Le peintre, qui se croit enfin libre, va être accablé en 1938 par le décès de sa mère. Il est si abattu qu'il n'assiste pas aux obsèques, cloîtré dans la nouvelle vie de château que lui a imposée « Madame Maurice Utrillo ». La « bonne Lucie », surnom dont elle s'affuble, a installé son protégé au Vésinet, dans la demeure du sculpteur Antoine Bourdelle, lui réservant un atelier exigu. Berné, Maurice Utrillo finit par haïr cette femme cauteleuse qu'il traite de « salope »,

---

1. Qui désormais vit de manière misérable, sombrant à son tour dans les naufrages de l'alcool. Une nuit du terrible hiver 1948, il s'enivre plus que de raison au Lapin Agile et y oublie son manteau. Les quelques mètres qui le séparent de son atelier vont lui être fatals. Il contracte une pneumonie et s'éteint le lendemain, après une nuit de souffrance.

marmonnant entre ses dents tout le chapelet des injures que la Valadon, fille de la rue, lui avait appris. Un soir, échappant à la surveillance de l'infirmier, il s'enfuit et prend l'autobus jusqu'à la ville voisine. On le retrouve, deux jours plus tard, ivre mais heureux. A compter de cette date, « la bonne Lucie » fait installer des alarmes, un portail électrique, des barreaux aux fenêtres et resserrer la surveillance. Maurice Utrillo vit alors un dernier calvaire, loin de la Butte, pleurant les moulins dont les ailes ne tournent plus.

Le 5 novembre 1955, Maurice Utrillo s'éteint à Dax des suites d'une congestion pulmonaire. Seule consolation de cette triste fin de vie : quelques semaines plus tôt, il est retourné à Montmartre pour les besoins du film réalisé par Sacha Guitry, *Si Paris nous était conté*. Jouant son propre rôle, il est resté trois heures, place du Tertre, devant une foule de badauds, à peindre un tableau dont il avait réalisé l'esquisse la veille.

Maurice Utrillo est enterré dans le dernier carré où souffle encore l'esprit du Montmartre de jadis, au petit cimetière de la rue Saint-Vincent, face au Lapin Agile, à deux pas de la rue Cortot qui demeurera son dernier tableau inachevé...

LES ANNÉES FOLLES DE LA BOHÈME

LE TEMPS DE MONTPARNASSE

Comme il y a une butte Montmartre, point culminant de Paris s'élevant à 128 mètres, il y a eu — naguère — un mont Parnasse d'une hauteur de 65 mètres, qui dominait un ensemble de terrains vagues. Cette élévation aurait été artificielle, composée d'un amoncellement de gravats et d'immondices, accumulés à cet endroit depuis des siècles. Si l'on baptisa ce mont « Parnasse », ce fut en hommage à la montagne de Phocide qui, dans la mythologie grecque, tenait son nom de Parnassos, le fils de Neptune et de la nymphe Cléodora. Sur ce mont à double sommet, séjournaient les muses et se trouvaient deux fontaines, dont les eaux inspiraient ceux qui y buvaient. Ce sont les étudiants du Quartier latin qui, à la fin du XVIIe siècle, ont surnommé cette élévation qu'ils aimaient fréquenter, parce qu'ils s'y livraient à des joutes poétiques, s'y récréaient et y donnaient leurs rendez-vous galants, à l'abri des regards indiscrets, dans les champs de luzerne s'étendant à perte de vue, ou dans les tavernes, guinguettes, bals champêtres et fêtes foraines qui florissaient au milieu des fermes et des nombreuses écuries. Avant que la colline ne soit rasée en 1725, par le percement du boulevard qui porte le même nom, s'y trouvaient deux moulins à vent dont les meuniers tenaient un cabaret, où l'on prenait un repas pour vingt sous, pourboire compris. Le quartier, qui était un lieu-dit, comprenait de rares maisons entourées de champs et de terres inconnues, explorées par des collégiens et des malandrins qui y trouvaient refuge à la chute du jour. Il devint le lieu de rendez-vous favori des duellistes qui se tailladaient, et pas un jour ne se passait sans que l'on entende les pistolétades d'Untel offensé ou d'un mari jaloux. En face de l'actuelle Closerie des Lilas, le maréchal Ney fut fusillé, le 7 décembre 1815, le corps percé de douze balles françaises, parce qu'il s'était jeté aux pieds de Napoléon à son retour de l'île d'Elbe.

En 1860, le mont Parnasse devint le 53ᵉ quartier de Paris et, pour certains, le centre artistique du monde, qui supplanta Montmartre. Durant tout le XIXᵉ siècle, alors que s'érigent les premières maisons sur les nombreux terrains vagues, des artistes investissent les hangars et les écuries désaffectées en y installant leurs ateliers. De nombreuses académies voient le jour, tournant le dos à l'enseignement officiel et trop conservateur de l'Ecole nationale supérieure des beaux-arts. Fondée en 1815 par un Suisse d'origine genevoise, Filippo Colarossi, l'Académie éponyme s'installera au 132, boulevard du Montparnasse. Elle est la plus ancienne et régnera jusqu'en 1920 [1] ; Ingres, Rodin, Boucher et Whistler y enseignèrent ; Gauguin, Mucha, Camille Claudel et plus tard Modigliani et sa dernière compagne, Jeanne Hébuterne, y furent élèves. C'est alors la seule académie à accepter les étudiantes, en leur permettant de représenter les modèles masculins nus. Elle deviendra le creuset le plus fécond de cette Ecole de Paris [2], qui élira bientôt

---

1. Les précieuses archives furent alors brûlées par la femme du directeur pour se venger de son mari infidèle.
2. L'appellation Ecole de Paris est employée pour la première fois en 1920

domicile dans le quartier. L'Académie de la Grande Chaumière, qui se veut plus moderne, lui dispute les meilleurs élèves. Des étudiants du monde entier — anglais, américains, scandinaves, chinois, ou japonais comme Foujita [1] — viennent y suivre les cours du maître Bourdelle. Suivra, en 1907, l'Académie Matisse. Dans ce quartier — à l'angle du boulevard du Montparnasse et de la rue de la Grande Chaumière — se tenait, tous les lundis matin, un « marché aux modèles », au sein duquel on trouvait les plus beaux « spécimens » des deux sexes, où les artistes venaient se ravitailler en inspiration. Il était alors mieux achalandé que celui de Pigalle. La police fermait les yeux sur ce commerce, qui cessa aux premiers jours de la guerre de 1914, car il était en majorité composé d'Italiens qui se déshabillaient de bonne grâce et par profession, et qui furent invités à retourner dans leur pays au plus vite.

Max Jacob a écrit sur les murs de sa chambre : « Ne jamais aller à Montparnasse — L'orgie est au Sud. L'orgie est à Montparnasse. Dans un atelier est l'orgie de Montparnasse. » Les Parisiens ont découvert Montparnasse après le double meurtre de l'impasse Ronsin, la sinistre affaire Steinheil. Puis il y eut l'autre affaire, celle du sergent Bertrand, le nécrophage qui déterrait, la nuit, les cadavres de femmes pour les violer. Montparnasse, pays de la liberté, avec son bouillonnement d'artistes dont la plupart ont déserté Montmartre, capitale de la prostitution, de la pègre et

---

par André Warnod. Elle désigne l'ensemble des artistes étrangers qui trouvèrent refuge dans la capitale avant la Première Guerre mondiale.

1. A ses débuts, Foujita connut aussi la bohème. Se rendant chez un galeriste afin de lui proposer des aquarelles pour la somme de 150 francs chacune, le commerçant, devant l'aspect piteux de sa vêture, lui proposa 10 francs pour prendre un taxi.

de la vermine ; Montparnasse et ses « métèques », le seul quartier du monde où un « Nègre » peut s'afficher avec une Blanche ; Montparnasse où tout n'est que fêtes, fièvres, frénésies, violences, véroles et débauches : on danse, on s'enivre, on snife la coco, on fait l'amour – partout, dans l'arrière-salle des bars, sous l'escalier et les portes cochères –, on peint, on débite des milliers de vers en fumant des milliers de pipes dans des ateliers imprégnés des odeurs âcres de sueur, d'opium froid, de vapeurs d'éther. Montparnasse, un caravansérail international, une cohue bigarrée d'Américains libidineux, de Polonais hirsutes, de Russes ivrognes, de Scandinaves invertis, de Chinois opiomanes, de Péruviens cocaïnomanes, et des derniers Allemands qui n'ont pu rentrer dans leur pays. C'est dans ce Montparnasse que va éclore à la vie une jeune fille à l'existence tourmentée, et dont elle deviendra bientôt la reine : Kiki.

Kiki reine de Montparnasse

Fille naturelle d'un riche marchand de charbon refusant de la reconnaître, Alice Prin, née en 1901, est confiée à sa grand-mère car sa mère, couverte de honte, est obligée de fuir à Paris pour ne pas mourir de faim. La petite fille, à qui l'on a donné le prénom d'une tante morte dans une maison de correction, grandit dans une famille pauvre. Le grand-père, qui casse des cailloux sur les routes, gagne à peine un franc par jour ; la grand-mère lave et coud le linge des bourgeois de la ville. L'école est un véritable calvaire ; Alice est placée au fond de la classe, ne brillant que par les humiliations quotidiennes qui lui sont infligées. La tête souvent rasée à cause des poux, elle demeure des journées entières au piquet, parce qu'elle est pauvre. Deux fois par semaine, la famille se rend chez les Sœurs, mendier un peu de bouillon, une portion de haricots ou une ration de riz. La mère d'Alice, qui travaille dans une maternité, envoie cinq francs par mois. Le jour de ses douze ans, la fillette se rend à Paris, à l'invitation de sa mère, afin d'apprendre un métier. Elle débarque à Montparnasse, quartier qu'elle ne quittera jamais plus, avec ses maisons blêmes, ses trottoirs si luisants qu'elle les croit cirés tous les matins. Après une année d'école, Alice trouve un premier emploi d'apprentie brocheuse dans une imprimerie, à cinquante centimes la semaine. Elle vient d'avoir treize ans et connaît déjà un jeune homme de six ans son aîné, qui vit du commerce des femmes et l'emmène au cinéma. Le petit souteneur, qui vient d'être jeté en prison à la suite d'un vol de chaussures, n'a pas le temps de placer Alice sur le trottoir, que la guerre éclate. Elle est employée dans une usine où l'on raccommode et désinfecte les souliers des soldats, puis elle répare les dirigeables, fait des soudures et confectionne des grenades. La vie à Paris est encore plus dure qu'à Châtillon. Alice, qui prend son seul repas quotidien à la soupe populaire et porte une vieille cape d'homme et des chaussures trouvées dans une poubelle, devient arrogante. Un temps désireuse de la mettre en maison de correction, sa mère est obligée de s'en débarrasser. Elle la place comme bonne à tout faire chez une boulangère, qui l'exploite pour trente francs par mois. Les journées sont longues : debout à cinq heures du matin pour servir les ouvriers, jusque tard dans la nuit pour aider le jeune mitron qui lui fait caresser son sexe qu'elle

réveille en fanfare. Alice ne supporte pas l'autorité :
parce que sa patronne l'a traitée de grue après qu'elle
eut noirci ses yeux, elle la frappe et s'enfuit, trouvant
refuge à deux pas de la maison de sa mère, chez un
sculpteur pour lequel elle pose nue. Sa mère,
l'apprenant, force la porte de l'atelier et traite sa fille
d'« ignoble putain », ce dont Alice, déjà indépendante, se moque, comme elle relate dans ses souvenirs : « Ça ne m'a rien fait ! Ça m'a même soulagée,
parce que j'ai compris que tout était fini. » Les semaines qui suivent son départ sont terribles. Logée chez
une amie, une bagarre avec des souteneurs qui menacent de la vitrioler la contraint à se réfugier dans une
cabane derrière la gare Montparnasse, avec pour seul
meuble un sac de ciment lui servant d'oreiller et un
vieux pardessus en guise de couverture. Pour subsister, elle ramasse des croûtons rassis qu'elle trempe
dans l'eau pour faire une soupe. Elle vole le pain dans
les paniers et, pour trois francs, montre ses seins à un
vieil homme. Les prostituées du quartier ont alors
pitié de cette pauvre fille qui écrira dans ses *Souvenirs* :
« Alors, une femme qui faisait le trottoir m'a touché
l'épaule et m'a dit : — "C'est dur, hein ? Pauvre
gosse ! Je n'ai pas de sous, mais voilà quatre timbres,
vends-les !" Ces femmes-là sont sublimes. Elles sont
taillées dans du cœur. »

Alice, qui vient d'avoir seize ans, n'a pas encore
perdu la plus belle rose de son chapeau. L'acte tant
désiré se produit enfin dans l'atelier du peintre polonais Maurice Mendjizky. Le peintre lui permet de
s'intégrer dans le milieu de ses confrères en quête de
modèles, lui présente tous ses amis et offre à la petite
Alice un surnom qui la rendra célèbre dans tout le
quartier, et plus tard dans le monde entier. De cet
hyménée, qui durera près de quatre ans, naîtra bientôt

une femme : la grande « Kiki de Montparnasse ».
C'est dans les eaux troubles de ce Montparnasse,
qu'Alice, dite « Kiki », se débat dans la spirale de la
mouise. Contrainte d'aller faire sa toilette dans les
cabinets des cafés, elle travaille pour un salaire de
misère dans une usine de carton où elle se cisaille les
doigts, puis chez Félix Potin où elle rince les bouteilles. Elle vend – à la sauvette – la revue *Montparnasse* avec cinq sous de commission, et ne refuse jamais
de montrer ses seins pour quelques pièces. Une nuit,
en compagnie d'une amie, elle ne sait où dormir. A
peine trois francs en poche ; ce n'est même pas le prix
d'une chambre. Pataugeant sur les trottoirs chinés de
neige, elles se souviennent d'un sculpteur dont on sait
que l'atelier, cité Falguière, est accueillant. Elles s'y
rendent, montent sans bruit dans l'escalier et entendent des soupirs de femme derrière la porte. Il n'est
pas seul. Elles restent plus de deux heures, sur les
marches glacées, blotties l'une contre l'autre, à attendre. Kiki se met à pleurer. On se rend dans l'immeuble voisin. Une porte s'ouvre. Deux prunelles de
sauvage les observent. L'homme les fait entrer dans
une chambre si puante et si sale, qu'on aurait dit les
murs taillés dans des blocs de crasse. Sans mot dire, il
démonte les lames de son parquet, casse des chaises,
les cadres de ses toiles et enfourne le bois dans le froid
de son vieux poêle. Un croissant rassis, un peu de thé,
des tartines de graisse salée ; on rit, on se réchauffe et
ce peintre, qui parle à peine le français, se met à
lacérer ses toiles de rage. Kiki n'oubliera jamais cette
soirée passée aux côtés de cet artiste, si pauvre qu'il
est nu sous son manteau : Chaïm Soutine. Ils deviendront amants, puis des amis inséparables.

Les seuls refuges, pour ces artistes, derniers para-
vents contre la misère, sont les cafés de Montparnasse

et la crémerie de Rosalie, rue Campagne-Première. Kiki se rend tous les jours au Dôme et à la Rotonde, foire aux modèles dans la dèche, abritant alors la plus grande colonie russe de Paris. C'est dans ce café qu'elle a appris la combine pour commander dix croissants et n'en payer qu'un. Grâce à Mendjizky, celle qui a pour seule richesse la splendeur de son corps, vient de faire la rencontre d'un peintre japonais, Foujita, qui l'a conviée à une séance de pose dans le modeste garage qui lui sert d'atelier, rue Delambre. Kiki, toujours aussi fantasque et dont la particularité, désormais connue dans le Tout-Montparnasse, est d'être dépourvue de poils pubiens, se présente, pieds nus, chez le japonais, juste revêtue d'un long manteau rouge qu'elle fait glisser avec sensualité le long de son corps. Foujita, ahuri, s'approche d'elle : « C'est igolo... pas poils ! pouquoi toi pieds sales ? — Ils pousseront pendant la pose », répond-elle en s'emparant des pinceaux du peintre pour se dessiner une pilosité imaginaire. Elle place Foujita — riant aux éclats et ne cessant de répéter, « C'est igolo... c'est igolo... » — derrière son propre chevalet et, en un tournemain, fait son portrait. Puis elle se rhabille, exige l'argent de la pose et va vendre — comme Modigliani — le fruit de son travail à un riche Américain attablé au Dôme. La légende de Kiki de Montparnasse vient de naître, car Foujita la supplie de revenir poser — cette fois pour lui — le lendemain. Elle accepte. Le Japonais réalise alors une de ses toiles les plus célèbres — *Nu couché de Kiki* — et l'expose au Salon d'Automne. Toute la presse en parle ; le succès est immense, entraînant le peintre dans la spirale de la réussite, et avec lui son modèle. Quelques jours auparavant, un autre peintre l'a remarquée à la terrasse de la Rotonde. Il a appelé le patron pour lui demander : « Qu'est-ce que c'est que cette nouvelle putain ?» Mendjizky fait les présentations. Moïse Kisling. Il rentre d'un long séjour à Saint-Tropez, tombe sous le charme de cette fille à la naïveté déconcertante, dépourvue de savoir-vivre et d'instruction, qu'il persiste à traiter de morue et de vieille vérolée. En cette période de l'immédiate après-guerre, Kisling – peintre d'origine polonaise né en 1891 – connaît enfin la notoriété, se souvenant du temps où il faisait, au Dôme, des portraits pour un franc ou un verre d'alcool, en réalisant plus de vingt par soirée, et où il hésitait entre l'achat d'un morceau de pain ou d'un fusain. Kiki se rend à l'invitation de Kisling, qui avait naguère la réputation de soûler les filles pour les dessiner. Séances interminables ; engueulades car elle n'arrive jamais à l'heure et parce qu'il trouve son modèle trop triste ; hurlements pour la faire rire. Elle chante des airs d'opéra et découvre qu'elle a une belle voix. Il ferme les yeux quand elle lui vole du dentifrice ou ses savons. Des marchands et des critiques montent à l'atelier, juste pour « se rincer l'œil », curieux de mater cette femme sans poils. En près de dix ans, Kisling va réaliser, grâce à Alice, ses plus beaux nus, qui lui assureront une renommée mondiale. Au début des années 1920, Kiki devient l'égérie, à la fois modèle et amante, des plus grands peintres de Montparnasse. Elle pose pour Kisling, Foujita, Van Dongen, Per Krogh, Derain, Calder...

Décembre 1921, Kiki a vingt ans. C'est une fille dont la beauté est louée dans le Tout-Montparnasse dont elle sera, en 1929, élue reine. Un règne sans partage qui verra son apogée au tout début des années 1930. Eprise de liberté, comme la majorité des femmes de son époque, on la reconnaît avec ses cheveux très noirs coupés à la garçonne, ses yeux pétillants, ses lèvres charnues découvrant des dents éclatantes, sa bonne humeur, sa gouaille, sa spontanéité qui la rendent célèbre dans le milieu de tous les artistes du carrefour Vavin. Quand on lui demande si la nuit a été bonne, elle répond : « Parfaite, j'ai bien limé... » Tous les hommes en sont amoureux. Elle les aguiche, leur laissant l'illusion qu'elle acceptera, un jour, de coucher avec eux. Ils se battent pour être à sa table et lui voler un baiser. Douée pour tous les plaisirs de la vie, elle est capable d'aller se baigner toute nue dans la fontaine de l'obélisque de la Concorde et d'aller mater les partouzes au bois de Boulogne. Les femmes la désirent ou la jalousent ; chez Pascin, elle se bat au couteau avec une mulâtresse. Elle prend et jette ses amants sous le coup de l'impulsion, comme elle est capable, à la terrasse d'un café ou dans la salle d'un restaurant, de relever sa jupe et de prouver − été comme hiver − qu'elle ne porte jamais de culotte, ce qui lui permet d'uriner, sans se lever, à la terrasse des cafés. Elle montre ses seins et gifle ceux qui tentent de les toucher sans son consentement, puis fait la quête pour un ami ou un artiste dans le besoin. Un jour, au bar de la Coupole, elle aperçoit une jeune fille en pleurs. Elle s'enquiert des raisons de cette tristesse, et apprend qu'elle vient de perdre son enfant et n'a pas d'argent pour payer les obsèques. Elle attrape un garçon, exige qu'on lui serve un cognac avec un sandwich et disparaît aussitôt dans la salle de restaurant, passant de table en table. Elle revient quelques minutes plus tard et dépose une importante somme devant la malheureuse : « Voilà l'argent pour l'enterrement, les fleurs et des habits neufs. »

C'est toujours par provocation qu'elle refuse de porter un chapeau dans les lieux publics, ce qui est alors signe de respectabilité. Un soir, en compagnie d'une amie, le patron de la Rotonde refuse une nou-

velle fois de les servir et tente de les expulser. Elle
s'enflamme, le menace, cherche un objet à lui jeter à
la figure : « — Si vous nous prenez pour des putes,
gare à vous ! Vous faites vos courbettes devant ces
salopes d'Américaines, hein, qui vont tête nue et qui
ont du fric ! Alors, taisez-vous, vous nous emmerdez,
et si vous prenez votre café pour une église, eh bien
on n'y mettra plus les pieds ! Vous entendez ? Per
sonne ne viendra plus dans votre sale boîte ! Il suffira
que je le dise à mes amis ! » Rien n'y fait. Kiki se lève,
grimpe sur une chaise et après avoir proféré devant
tous les consommateurs médusés un magistral « Et
merde ! », s'apprête à quitter l'établissement en
montant sur toutes les tables, lorsqu'une voix connue
l'interpelle. C'est Marie Vassilieff, qui tient une
cantine d'artistes dans le quartier. Elle n'est pas seule.
Un Américain, nouveau dans le quartier et que l'on
dit proche des milieux dadaïstes, est ébahi par la
prestation de cette « Wonderful girl ». Il force le
garçon à s'excuser et à prendre les consommations, en
invitant Kiki à sa table. Ils dînent ensemble, puis vont
faire la tournée des autres bars de Montparnasse.
L'Américain, au français approximatif, ne saisit pas
toutes les conversations et n'a d'yeux que pour cette
fille intrépide. Kiki l'interroge, veut savoir qui il est,
ce qu'il fait. Il répond :
    « Je peins ce qui est impossible à photographier et
je photographie ce qu'il est inutile de faire en tableau. »
    En quittant le café, la force du regard de l'Amé-
ricain plonge dans l'atome des yeux de Kiki. Elle lui
demande :
    « Pourquoi vous me regardez comme ça. Hein !
    — Parce que vous me trouble... »
    Cet homme au regard si puissant, qui a dix ans de

plus que Kiki, qui arrive de New York avec pour seul
bagage son appareil photographique, s'appelle Man
Ray. Le lendemain, séance de pose chez le photographe. Il est encore plus troublé. Le surlendemain, ils
sont amants et il écrit dans ses souvenirs : « Bientôt
elle se déshabilla. J'étais assis au bord du lit avec mon
appareil. Lorsqu'elle sortit de derrière l'écran, je
l'invitai, d'un geste, à venir s'asseoir près de moi. Je
l'entourai de mes bras ; elle en fit autant avec les siens.
Nos lèvres se joignirent et nous nous étendîmes. Ce
jour-là, je ne pris aucune photo. » Man Ray présente
Kiki à tous ses amis dadaïstes dont Tristan Tzara qui
deviendra, avec sa nouvelle amie Thérèse Treize, son
confident. Elle ne comprend rien au sujet des multiples querelles qui agitent ce milieu de jeunes poètes
révolutionnaires, mais elle s'amuse en compagnie des
Picabia, Soupault, Desnos et toute la bande des futurs
surréalistes. Il n'y a qu'André Breton [1] qu'elle n'aime
pas, et à qui elle déclare : « Vous parlez trop d'amour
sans savoir le faire. »

La liaison — très chaotique — entre Kiki et Man Ray
va durer près de huit ans et rendre légendaire ce
couple de Montparnasse. Man Ray, qui va bientôt
photographier tous les artistes de Paris — de Cocteau à
la comtesse de Noailles — acquiert une notoriété mondiale grâce à son talent, mais surtout à l'incomparable
beauté de son modèle favori, Kiki, qu'il va immortali-
ser sur la pellicule plus de quarante fois, en révolu-

---

1. Lequel connaît aussi la bohème. Il vit à l'hôtel des Grands Hommes
dont les chambres sont misérables. A cette époque, il ne doit son salut qu'à
son travail de correcteur d'épreuves à la N.R.F. Plus tard, ce ne seront pas ses
droits d'auteur qui lui permettront de survivre, mais la revente de tableaux en
pleine période spéculative. Il détenait de nombreuses toiles de Modigliani et de
Soutine dont il dut se séparer. Il en fut de même de Francis Carco, qui fut dans
l'obligation de vendre ses Modigliani et ses Utrillo. Des trésors qu'il laissait
partir sans amertume, se déclarant riche de les avoir aimés.

tionnant la photographie. L'Américain a toutefois beaucoup de mal avec sa jeune fiancée : « Jamais Kiki ne fera la même chose trois jours d'affilée, jamais, jamais, jamais ! » Elle, joue de sa célébrité, rendant jaloux son amant. Leur vie de couple est émaillée de multiples incidents. Gifles – des deux côtés –, séparations et tromperies passagères, déménagements successifs à cause des voisins qui se plaignent du tapage, bagarre avec un prétendant trop pressant, jalousies mutuelles. Une première rupture intervient après que Man ait attrapé une maladie vénérienne, accusant Kiki d'en être la cause. Elle refuse de se rendre à l'évidence et, par orgueil et par peur de le perdre, fait réaliser un faux certificat par un médecin. C'est pourtant elle qui est malade. Les deux amants se séparent.

Désormais Kiki est connue, comme l'écrit André Salmon, « de San Francisco à Oslo », et c'est en Amérique qu'elle décide de tenter sa chance, obtenant un rendez-vous dans les studios Paramount d'Astoria. Au début de l'été 1923, Kiki, la future reine de Montparnasse, rêvant de conquérir le continent américain, s'embarque pour les Etats-Unis, en compagnie d'un journaliste de Saint-Louis, qui devient son nouvel amant. Ils font l'amour plusieurs fois par jour, mais l'idylle est de courte durée. L'homme, à court d'argent, lui laisse de quoi subsister quelques jours, puis la quitte. Désemparée, Kiki se présente au rendez-vous du studio de cinéma, mais elle se perd dans les couloirs en cherchant les toilettes. Après les avoir trouvées, elle s'aperçoit qu'elle a oublié son peigne et se met à pleurer. Ebouriffée, le visage bouffi, rougie et couverte de larmes, elle s'enfuit en se disant qu'elle ne fera jamais carrière dans ce métier. Dans la dèche, elle adresse un télégramme de désespoir à Man Ray, lui suppliant d'envoyer un peu d'argent qui lui permettrait de rentrer en France. Man ne se fait pas prier. Il vient l'attendre sur le port du Havre et l'accueille avec une fracassante paire de gifles. Le lendemain, une scène de ménage éclate dans un hôtel de Paris. Nouvelle avalanche de coups. Kiki réplique, et jette une bouteille d'encre au visage de son amant. Elle casse un carreau avec son poing, et à la fenêtre s'écrie : « A l'assassin, à l'assassin ! » Le patron de l'hôtel les expulse. Ils tombent dans les bras l'un de l'autre. Ils s'aiment.

Après avoir été modèle, égérie de tous les peintres et sculpteurs, chanteuse obscène faisant déplacer les foules du Jockey au Bœuf sur le toit, peintre non dénuée de talent exposant ses toiles naïves le 25 mars 1927, actrice jouant les seconds rôles dans des films sans succès, Kiki surprend le Tout-Paris avec la publication de ses *Souvenirs*, qui devient le grand événement de l'été 1929. Elle a quitté Man Ray l'année précédente, pour le journaliste Henri Broca. Il est rédacteur en chef du journal *Paris-Montparnasse*. C'est lui qui a poussé la grande « Reine » à écrire ses mémoires. Dans un style simple, elle relate son enfance, ses débuts dans le Montparnasse de l'immédiate après-guerre, ses rencontres avec Foujita, Kisling, Cocteau, ses amours avec Man Ray, l'âge d'or de ce quartier célébré dans le monde entier, à l'époque où Paris n'était que fêtes, où l'on pouvait chiper un morceau de pain à la Rotonde sous l'œil bienveillant du patron. Aujourd'hui, les terrasses des cafés sont envahies de touristes ; les traîne-savates et les artistes ont disparu et − sacrilège ! − on sert du caviar au Dôme. Les débuts sont foudroyants. Une séance de dédicace improvisée, et c'est l'émeute. Car Kiki − comme à son habitude − est généreuse. Pour trente francs, prix de l'édition courante, on a, en prime, une belle dédicace et un baiser de l'auteur ! Les hommes ne se font pas prier et se pressent aux portes de la librairie du boulevard Raspail. La file d'attente atteint plusieurs dizaines de mètres, et tous les exemplaires sont vendus en quelques heures. On réalise une traduction destinée au marché américain. Hemingway rédige la préface : « Voici le seul livre pour lequel il me soit jamais arrivé d'écrire une préface et, que Dieu m'entende, ce sera le dernier [...] Voilà un livre écrit par une femme qui n'a jamais à aucun moment été une lady. Pendant une dizaine d'années, elle a été aussi près qu'on peut l'être de nos jours d'être une reine, c'est bien autre chose, naturellement, que d'être une lady. » Les livres connaissent le même sort qu'*Ulysse* de James Joyce : ils ne passent pas la censure et sont saisis en douane. Kiki s'en moque ; elle déclare : « Je ne vais pas me faire suer pour ça... »

Début 1930, Kiki est au sommet de sa carrière. Jusqu'à présent, elle n'a connu qu'une seule pente, celle qu'elle a gravie depuis son arrivée à Paris, en 1913. Son déclin s'amorce en même temps que celui de son quartier d'élection. L'année précédente, l'effondrement de la bourse américaine a sonné le glas de tous les lieux de fêtes. Les touristes, en majorité venus du Nouveau Monde, sont partis ; d'autres sont restés là, ruinés. Pascin, pour d'autres raisons, vient de se donner la mort [1]. Aux années folles succèdent les années troubles.

Kiki vit l'enfer avec Henri Broca. Il souffre d'une

---

1. Le 2 juin 1930, Julius Pascin s'ouvre les veines, trace de son sang sur la porte de l'atelier « Adieu Lucy » et, comme la mort ne vient pas assez vite, se pend à l'espagnolette de la fenêtre. Il délivre celle qui n'arrivait pas à le quitter. Il était découragé, désenchanté et disait : « Je bois parce que je m'emmerde et je me dégoûte. »

maladie vénérienne mal soignée et s'adonne aux drogues, vice qu'il fait partager à la reine de Montparnasse. Il devient violent, s'exhibe nu sur la voie publique, et le couple passe des nuits à s'étriller. Elle est obligée de le faire interner par deux fois. Il mourra en 1935. De son côté, Kiki a un nouvel amant : André Laroque, contrôleur des contributions et accordéoniste à ses heures. En sa compagnie, le soir, elle se produit dans des cabarets et parfois cela tourne mal. Un jour, ils s'affichent au Maldoror, dont l'enseigne reprend le titre du recueil de poèmes de Lautréamont, si cher aux surréalistes. Sacrilège. Un tel affront, Breton – qui déteste Kiki – ne peut l'accepter. Expédition punitive dont il a le secret ; bagarres ; Kiki est projetée contre une vitre qui se brise. Elle finit sa carrière là où elle aurait pu la commencer, sur le trottoir. Un temps, elle aura son propre cabaret, l'Oasis, rue Vavin, qu'elle débaptisera en « Chez Kiki », croyant que son patronyme fera encore recette. C'est bientôt la fin de celle dont Edith Piaf avait le plus peur au début des années 1930. La grande « Reine de Montparnasse », va survivre dans son quartier jusqu'au milieu des années 1940. Ayant insulté, en argot, une fille qui s'affichait à la terrasse du Dôme avec un officier allemand et distribué des tracts antinazis, elle se réfugie, jusqu'à la fin de la guerre, à Châtillon-sur-Seine. De retour à Paris, en 1945, elle est méconnaissable. Laide, déformée, bouffie par la drogue et l'alcool, elle tente de reconquérir sa gloire passée. Rien n'y fait. Teinturière avenue du Maine, diseuse de bonne aventure, elle est inquiétée pour trafic de stupéfiants. Mais elle n'a rien perdu de sa générosité, car elle fait la tournée des hôpitaux pour distribuer des bonbons aux vieux malades.

Le 23 mars 1953, Alice Prin, plus connue sous le

surnom de « Kiki de Montparnasse », succombe à une hémorragie interne. Avant sa mort, celle dont Henry Miller disait : « C'est une vraie gazelle, elle avait un teint extraordinaire sur lequel on pouvait mettre n'importe quel maquillage », a revu Man Ray, de manière furtive, tombant dans ses bras et le renversant presque. A l'exception de Foujita, personne n'assiste à son enterrement. Tous les cafés de Montparnasse ont envoyé une gerbe de fleurs à leur enseigne, pour bien montrer que ses seuls amis ont été ces établissements, dans lesquels plane encore son fantôme et dont elle sera, à jamais, la reine.

Un Prince des poètes à la Closerie des Lilas

A la fin du XIXe siècle, la Closerie des Lilas n'est qu'une guinguette, un relais de diligence sur la route qui mène de Paris à Orléans. Elle tient son nom de l'ancien jardin de mille pieds de lilas, dont les plans parfument encore les beaux jours de ce lieu bucolique, où l'on peut venir chercher, sous des arbres touffus, la fraîcheur d'une terrasse en été. Il demeure encore de nombreux bosquets et charmilles, pour la joie des amoureux. Avant le percement des grands boulevards et l'érection des immeubles bourgeois, c'est la campagne aux portes de Paris. Les dernières diligences qui empruntent l'avenue sont le seul mouvement du quartier. Suivant les constructions des alentours, la petite auberge fait peau neuve et l'on rajoute un étage. La Closerie des Lilas jouxte un immeuble cossu au coin du boulevard du Montparnasse. L'établissement est toujours fréquenté par des étudiants du Quartier latin, qui brûlent de faire renaître leurs grandes luttes de naguère, et abandonnent leurs insouciances aux bras de grisettes, les dernières Mimi Pinson immortalisées par Alfred de Musset. Peu à peu l'endroit devient le point de jonction entre ce jeune quartier de Montparnasse, qui voit affluer vers les Académies les artistes de tous horizons, et le Quartier latin, au sein duquel une fièvre intellectuelle se déclare. On y voit Baudelaire composer les *Fleurs du mal*, Verlaine penché sur une absinthe, de jeunes pousses comme André Gide y pérorer, et Ingres offrir l'apéritif à ses nombreux modèles. Rachetée en 1893 par M. Combes, la Closerie des Lilas devient familiale et chacun des convives a sa table et son rond de serviette.

Ce qui fait l'attrait de la Closerie des Lilas, est la proche présence du Bal Bullier, créé en 1847 par un ami de Murger. Il se trouve dans les jardins de la Closerie, et l'établissement aux décors mauresques, plus tard fleuri de globes électriques, est fréquenté par une clientèle de calicots, d'ouvriers, d'artistes, d'étudiants chahuteurs, buveurs et parfois querelleurs, tentant de s'approprier les nombreuses filles « oisives » en quête de rencontres faciles, et se contentant de menus cadeaux et d'un paradis de misère. Bullier rivalise avec le bal du Moulin de la Galette ou celui du Moulin-Rouge. Aux portes de cet éden des danses échevelées et des béguins faciles, il y a de nombreuses batailles entre voyous et étudiants et, en 1882, une rixe conduit tous les marlous à être jetés dans le bassin Médicis. Ce bal, aujourd'hui disparu, ferme une première fois ses portes à la déclaration de la guerre en 1914, où il est réquisitionné pour la confection des uniformes des « poilus » puis, au lendemain de la guerre, il fait les beaux jours des midinettes, artistes et étudiants jusqu'à la fin des années 1920, où il devient selon Gustave Fuss-Amoré : « Un endroit de joie médiocre pour les petits bourgeois et les boniches du quartier [1]. »

L'histoire de la Closerie des Lilas est liée à celle d'un jeune poète si pauvre que, pour se rendre dans sa région natale distante de deux cents kilomètres de Paris, il fait le voyage à pied. Aux premières heures de la naissance du sSymbolisme, le jeune Paul Fort a dix-sept ans. Il se lie à ce mouvement et côtoie Stéphane Mallarmé, Paul Verlaine, Jules Laforgue, Jean Moréas, Albert Samain et Joséphin Péladan, qui se réunissent au Café Voltaire. Lorsque Alfred Valette, futur directeur du *Mercure de France*, s'écrie qu'il manque un théâtre à l'Ecole symboliste, ce jeune rhapsode rédige aussitôt un manifeste et se lance dans l'aventure. Le Théâtre de l'Œuvre a pour directeur un poète de dix-sept ans, où l'on voit le jeune Sacha Guitry galoper dans les coulisses. Le proviseur du lycée Louis-le-Grand, lisant dans la presse cet événement, convoque le potache récalcitrant, futur auteur des dix-sept tomes des *Ballades Françaises*, qui court les après-midi en quête de manuscrits. Il le renvoie de l'école pour avoir promu les œuvres de poètes, à ses yeux, à moitié fous. Le théâtre voit le jour en 1890, sans argent, avec des moyens de fortune, des auteurs payés avec leur enthousiasme et avec des figurants comme Pierre Louÿs et André Gide, assurant le service d'ordre en compagnie d'Oscar Wilde. De grands artistes ou auteurs font leurs débuts, comme Ibsen et Maurice Maeterlinck. Alfred Jarry fait partie des familiers. Alors qu'il s'apprête à brûler le manuscrit d'*Ubu Roi*, Paul Fort le lui arrache des mains et le fait publier contre son gré, puis le met en scène. Le sort

---

1. *Montparnasse*, Albin Michel, 1925.

de ce théâtre demeure chaotique ; les partisans du symbolisme s'affrontent à coups de canne, à coups de poing, contre ceux qui abhorrent le mouvement. Des coups de revolver sont parfois tirés dans le plafond. Bientôt Paul Fort, dont la fiancée vient d'être assassinée par un mauvais garçon, rue Descartes où mourra plus tard Verlaine, pressent avoir une œuvre à construire. Il abandonne la direction de son théâtre à Lugné-Poe, et se consacre à la poésie. Pour survivre, et après s'être marié [1] avec une petite marchande de fleurs, la Suzon des *Ballades françaises*, il tient, en compagnie de sa femme, le commerce qui comporte une petite annexe, réservée à la belle-mère, qui vend des globes de pendules, des objets de Saxe et des souvenirs de mariage ou de première communion. C'est là que viennent le rejoindre ses amis, avec lesquels il se rend à la Closerie des Lilas pour assouvir leur passion commune, la poésie. Le café est pour ces poètes bohèmes, comme pour la plupart des écrivains de ce temps, à qui les salons des beaux quartiers sont fermés, le rendez-vous de toute conversation intellectuelle, l'endroit idéal pour discourir sur l'art et la littérature : « Une sorte de cercle où les autres consommateurs n'étaient tolérés que par indulgence [2]. » C'est au Café Voltaire, où tous les lundis se tiennent les assises du symbolisme, que Paul Fort émet l'idée de fonder un énième organe littéraire, qui serait l'anthologie des meilleurs poètes et prosateurs de leur mouvement, loin devant la *Revue des deux mondes*, la *Revue Blanche* ou le tout jeune *Mercure de France* qui ne paye pas les vers publiés par Paul Fort. Maurice Barrès, le grand écrivain du Quartier latin, n'avait-il pas

---

1. Avec pour témoins Stéphane Mallarmé et Paul Verlaine.
2. Albalat, *Souvenirs de la vie littéraire*.

écrit, quelques années plus tôt : « J'ai toujours ressenti une sympathie immodérée pour les petites
revues. La moindre ligne y paraît aisément spiri-
tuelle. » Les esprits s'enflamment ; on jette le plan
d'une revue qui serait à l'avant-garde littéraire. Mais
où trouver l'argent qui fait défaut à chacun d'entre
eux ? Autour de la table, un jeune homme, Maurice
Raynal, s'il a l'apparence d'un bohème, jouit d'importants moyens qui attendent sa majorité. Héritier
d'un ancien financier et ministre des Travaux publics,
il annonce qu'il peut mettre à la disposition de Paul
Fort quatre-vingt-dix mille francs-or ; une fortune
pour l'époque. Les collaborateurs pressentis, dont la
plupart sont désargentés, exultent. Ils vont pourvoir
enfin vivre de leur plume. De la Closerie des Lilas, où
l'on s'est à présent transporté jusqu'à l'appartement
du poète rue Boissonnade, on ne parle plus que de
cette nouvelle revue jusqu'au jour où, suite à un
désaccord avec Paul Fort, Maurice Raynal disparaît
sans avoir avancé le moindre centime. Que faire ? Paul
Fort refuse d'abdiquer. Il vend une partie de ses livres
et de son mobilier. Il en tire à peine deux cents francs,
et rassemble son comité de rédaction. Rien ne peut
arrêter Paul Fort, avec ses longs cheveux, son sombre-
ro, et qui porte, été comme hiver, une veste bouton-
née jusqu'en haut. C'est un monument de bonne
humeur et de gentillesse. La décision est prise : cette
revue doit paraître. André Salmon – qui fait tous les
jours à pied le trajet de la rue Saint-Vincent à la Closerie – sera le secrétaire et gérant de la revue, qui n'a
pas encore de nom. Il faut expliquer à tous les collaborateurs qu'ils ne seront pas payés. Henri de Régnier,
André Gide, Marcel Schwob et Pierre Louÿs acceptent. Ce dernier trouve le patronyme de la revue : *Vers
et Prose*, qui est le titre d'un recueil de poèmes de Mal-

larmé. Avec le maigre pécule transformé en timbres, on se réunit une nouvelle fois à la Closerie des Lilas. Il ne reste plus à Paul Fort que quarante centimes, le prix de l'apéritif. Il a négocié avec l'imprimeur des délais de paiement, et il faut à présent trouver des abonnés. Entouré de Moréas, Merrill [1], Apollinaire — qui est chargé de la publicité — et de glorieux aînés, Paul Fort s'emploie à écrire dans tous les milieux, recopiant parfois des lettres de quatre pages manuscrites, passant des nuits à écrire des adresses et à coller les timbres sur les bandes. On achemine les lettres à la poste, dans la poussette de la petite Jeanne, qui épousera un jour le peintre Gino Severini. A l'appui d'un vieux Bottin, tous les abonnés potentiels sont touchés : les industriels, les médecins, les notaires, les avocats, les couturiers. Lorsque l'un d'entre eux répond par l'affirmative, on le remercie en le priant d'indiquer une nouvelle liste de contacts susceptible de s'abonner à la revue naissante. Paul Fort, non sans exagérer, affirma avoir envoyé plus de vingt mille lettres en France et à l'étranger. Les premières réponses ne tardent pas à arriver, et la Closerie des Lilas devient le lieu de rendez-vous des échanges autour de cette revue. Un après-midi, ce sont une soixantaine de Chinois — élèves de l'Ecole des mines de Mons — qui débarquent dans le café à la rencontre de Paul Fort. Très vite, au rythme de la publication des premiers numéros qui deviennent trimestriels, il y a foule à la Closerie des Lilas et tous les mardis soir, les collaborateurs et amis de la revue viennent s'asseoir autour de Paul Fort. Il règne un tohu-bohu infernal. Certains jours, ce sont jusqu'à quatre cents

---

1. Stuart Merrill, merveilleux poète qui mourut de chagrin et de désillusion au début de la guerre de 1914. Il pensait que la collaboration intellectuelle entre la France et l'Allemagne pouvait sauver la paix.

personnes qui s'entassent à la Closerie : « La "gent irritable" cessait de s'irriter en ces lieux, car toutes les écoles s'y pressaient allègrement – ou plutôt leurs représentants : les vieux Parnassiens, un ou deux cacochymes Naturalistes, les Symbolistes encore verts, et les Unanimistes, les Naturistes, les Intenséistes, les Paroxistes, les Fantaisistes, les Futuristes avec leur chef Marinetti, les Néo-classiques, les Apôtres de la Grâce, les Simultanéistes, les Cubistes, les Impressionnistes, les Paradoxistes et quelques autres douzaines d'écoles et d'écoliers en "iste" [1]. » A compter de 1905, la Closerie des Lilas, grâce à cette revue, devient le rendez-vous de l'élite intellectuelle du Tout-Paris et le carrefour européen voué aux travaux pacifistes de la pensée, si bien que Jean Moréas émet l'idée de décerner le prix Nobel de la paix au patron. Dans un autre coin de la Closerie, d'autres intellectuels préparent le programme ultranationaliste de leur journal, l'*Action française*, alors qu'éclatent de violents débats entre partisans et ennemis d'Alfred Dreyfus. La revue parvient à briller de tous les feux du symbolisme pendant près de dix ans, avant de s'éteindre. Paul Fort doit, pour une bouchée de pain, céder les stocks d'invendus qui s'empilent dans son appartement, servant de tables et de chaises, à la librairie de la rue de l'Odéon, Adrienne Monnier [2]. Très endetté, Paul Fort a néanmoins permis à des jeunes écrivains,

---

1. Paul Fort, *Mes Mémoires – Toute la vie d'un poète, 1872-1944*, Flammarion, 1944. Beaucoup d'étrangers venaient aux « mardis » de Paul Fort. On y vit des Scandinaves, des Allemands, des Espagnols (Picasso et sa bande) et un véritable Indien coiffé de son chapeau de plumes, ainsi qu'un brahmane.

2. 6 676 numéros à cinq sous l'unité, et avec des facilités de paiement étalant la somme sur près de deux ans. Parmi tout ce stock manquait le n° I que s'arrachent les bibliophiles, mais il y avait un lot important du n° IV qui contenait l'édition originale de *La Soirée avec Monsieur Teste* de Paul Valéry, très recherchée.

parfois futurs prix Goncourt ou Nobel, de s'exprimer. *Vers et Prose* a valu à son directeur une immense notoriété et, à la mort de Léon Dierx, le chantre des *Lèvres Closes*, qui a succédé lui-même à Mallarmé, ses pairs élisent Paul Fort — en 1912 — à la place qui lui revient, celle de « Prince des poètes ». Ce titre, honorifique, est décerné grâce au vote collecté par plusieurs journaux. Paul Fort, plébiscité, devance de plus de trois cents voix Jean Richepin, qui préside le banquet en l'honneur du nouveau récipiendaire à Luna Park, l'établissement de la Porte Maillot. Au moment où le poète de la *Chanson des Gueux* prend la parole, est donné le départ d'une course de chameaux qui perturbe le discours, puis ce sont des éléphants qui viennent quêter des morceaux de pain et des singes chapardeurs qui sautent sur les épaules des convives. Le Tout-Montparnasse s'amuse lors de cette fête où l'on entend le tam-tam et les cris des danseurs exotiques. Paul Fort — « la cigale du nord » comme le surnomme Frédéric Mistral — est honoré comme il le mérite, et on l'appelle désormais le « Christophe Colomb de Montparnasse », parce qu'il a découvert « la patrie des Muses, véritable colline sacrée ».

De 1905 jusqu'avant la guerre, Paul Fort règne sur la Closerie des Lilas, dont il fait la réputation et qui devient un centre d'attraction intellectuel. A l'heure de la fermeture, vers deux heures du matin, on continue à noctambuler et l'on suit le Prince des poètes vers d'autres cafés, ou dans des parties de campagne. A l'ouverture de la Rotonde, la Closerie des Lilas perd de son éclat. Les jeunes poètes ou artistes préfèrent se transporter vers le carrefour Vavin, où on leur fait crédit. Puis la guerre éclate, et toutes les terrasses se vident entre août 1914 et novembre 1918, dispersant les artistes de toutes origines vers leurs fortunes ou infortunes diverses, le plus souvent tragiques. Dans les années 1920, après la mort de l'ancien propriétaire, les frères Boyer, musiciens et poètes, reprennent la Closerie des Lilas pour transformer l'antique relais de poste sur la route de Fontainebleau, en un établissement de luxe, qui sera fréquenté par une nouvelle jeunesse, plus fortunée, laissant aux anciens la nostalgie des temps glorieux, où l'on venait se réchauffer autour du vieux poêle en fonte et jouer d'interminables parties de billard. Désertée par Paul Fort et ses amis, la Closerie devient plus calme, orpheline de ses discussions littéraires [1] et artistiques durant lesquelles la jeunesse s'affrontait, et qui naguère faisait son charme. Jamais la Closerie ne connaîtra l'affluence des « mardis » de Paul Fort. Il y aura néanmoins une exception, le 2 juillet 1925. Ce jour-là, les surréalistes avec Breton à leur tête se retrouvent à Montparnasse, devenu le nouveau nombril du monde. Ils s'en prennent à Rachilde, qui se trouve à la Closerie des Lilas qui en a vu pourtant d'autres à l'époque où Paul Fort et Moréas s'y rendaient tous les soirs. Les esprits s'étaient échauffés quelques jours plus tôt. A la question : une Française peut-elle épouser un Allemand ? Rachilde, dans les colonnes de *L'Intransigeant*, a répondu : « Si j'entre dans une pièce où se trouve un Allemand, il faut que l'un des deux en sorte. » Le soir du 2 juillet 1925, on donne à la Closerie un banquet en l'honneur du poète symboliste Saint-Pol-Roux, qui est vénéré par les surréalistes qui s'invitent à la fête. Rachilde préside la table d'honneur dans une ambiance qui, au départ, semble être bon enfant. Des rumeurs

---

1. Cette tradition renaît de nos jours, puisque, entre autres, le Centre Méditerranéen de Littérature réunit en ce lieu les jurys des « Prix Méditerranée » et que depuis peu, le jury du « Prix du livre incorrect » y tient ses assises, ainsi que le prix Lilas, un prix de femmes pour les femmes.

enflent dans la salle car, parmi les convives, se trouve
le peintre allemand Max Ernst, qui est assis en attendant que Madame Rachilde daigne sortir de la pièce. Il
est accompagné d'une bande de provocateurs enragés.
Dès que Rachilde prend la parole, d'une voix chevro-
tante et à peine audible, des bruissements se font
entendre, puis des propos bien plus explicites. Breton
se met à crier : « Il y a longtemps que cette dame nous
emmerde ! » C'est alors que tout dégénère. Jean
d'Esparbès, voisin de Rachilde, réplique : « Allons...
On ne traite pas une femme de cette manière. Il faut
rester galant. » Lorsque fuse « La galanterie on
l'emmerde », il saisit deux bouteilles de vin et charge
les indésirables. Saint-Pol-Roux [1], impuissant, venu de
sa Bretagne pour l'occasion, s'égosille : « Messieurs,
je vous en prie, j'arrive de Camaret, pays des gens de
la mer ! Je suis le capitaine ! J'impose silence à
l'équipage ! » Fous de rage, André Breton et ses amis
montent sur les tables, renversent les plats et les
carafes. Il s'en prend à Rachilde qu'il gifle avec sa
serviette en la traitant de « fille à soldats ». La suite est
un incroyable pugilat où l'on entend « vive l'Allemagne », et où Soupault se suspend au lustre au-dessus
de la table en faisant valser les couverts et les plats à la
barbe des convives. Des insultes fusent de toutes
parts. Une violente bagarre s'ensuit et se prolonge
jusque sur le boulevard Montparnasse aux cris de « A
bas la France », ce qui ne sera pas du goût de la police

---

1. Qui connaîtra une fin tragique. Le 23 juin 1940, un Allemand, sous
prétexte de débusquer des Anglais, se présente dans son manoir. Veuf, Saint-
Pol-Roux y habite avec sa fille et sa servante. Il les fait descendre à la cave,
éteint la lumière et se précipite sur la fille du poète. Tentant de s'interposer, la
servante est abattue et Saint-Pol-Roux reçoit deux balles dans le ventre. Il
mourra cinq jours plus tard. Sa fille, blessée aux jambes par balles, sera traînée
dans le salon et violée. Elle ne lui survivra pas longtemps. Le manoir sera pillé
en octobre de la même année et rasé par un bombardement allié en juin 1944.

venue séparer les belligérants, dont certains risquent de se faire lyncher par une foule de badauds amassée devant la Closerie. Le pauvre poète breton, que l'on est censé honorer, est dans son coin effondré et hébété, car il a perdu un fils à la guerre. C'est Rachilde qui a fait appeler des agents en renfort, d'autant que l'établissement est menacé d'être mis à sac par cette bande de furieux. Le plus incroyable, dans cette affaire, c'est que les policiers conduisent au poste Rachilde, alors âgée de soixante-cinq ans, laquelle, dans l'altercation, a reçu un coup de pied au ventre. De leur côté, les surréalistes ne sont guère inquiétés, grâce à l'intervention d'Aragon qui fait libérer Michel Leiris. Le lendemain de cette rixe à la Closerie des Lilas, qui marquera les esprits, la presse s'indigne, comme en témoignent ces lignes de l'*Action française* : « Parmi les énergumènes d'hier, il y avait peu d'écrivains, peu de prolétaires. Cette hideuse petite troupe de mondains du communisme... On s'emploiera à les faire taire. »

Ce sera le dernier événement qui viendra troubler la quiétude de la Closerie des Lilas ; tout est devenu à présent si calme qu'Hemingway, en voisin, en profite pour venir y écrire. Pour imiter ses concurrents du carrefour Vavin, les patrons de l'établissement tentent d'accrocher quelques toiles à leurs murs ; mais rien n'y fait. Le temps où Lénine y venait côtoyer Apollinaire et que Moréas, entrant dans la salle, bousculant Trotski et tournant les talons s'était écrié « Il n'y a personne ici ! », est déjà d'une époque révolue.

Paul Fort s'éteint le 20 avril 1960. Il laisse des vers célèbres comme « Si tous les gars du monde voulaient s'donner la main... » ou « Le bonheur est dans le pré ». Avec lui disparaît toute la longue cohorte des poètes bohèmes de Montparnasse et du Quartier latin.

Le 27 juin 1960, Jean Cocteau sera élu à sa succession au titre de « Prince des poètes ».

La Rotonde et le Dôme, les deux flambeaux de Montparnasse

Victor Libion, la démarche claudicante, que Moïse Kisling dépeint comme un « alligator endimanché », affublé d'une « petite moustache de marcassin », a toujours fait carrière dans la limonade. Ce personnage balzacien n'est pas un inconnu lorsqu'il échoue à Montparnasse. En 1911, après s'être spécialisé dans le rachat d'affaires en faillite, qu'il revendait parfois avec un bénéfice substantiel, l'homme d'affaires s'intéresse à un café, la Rotonde, qui se trouve au carrefour Vavin, bientôt qualifié de « nombril de l'univers ». Ce petit débit de boisson, dans le quartier de Montparnasse en plein essor, subit la concurrence du Dôme placé en face. Il doit son nom à l'angle arrondi de l'édifice. C'est un espace exigu, doté d'un bar et de quelques tables. La pièce contiguë, encore plus petite, est le lieu de rendez-vous de la bohème venue des pays de l'Est. La Rotonde, dans une situation financière périlleuse, présente des atouts que ne manque pas de relever Victor Libion. Le plus important, est sa remarquable exposition plein sud, permettant d'installer une large terrasse baignée par le soleil la majeure partie de l'après-midi. Bientôt, on se battra pour y prendre place et l'on se disputera les chaises. Dès les premiers jours de la reprise, une autre opportunité se présente : celle de racheter le fonds du chausseur voisin, et de s'agrandir. Une fois les chaussures liquidées, la Rotonde, bien plus vaste, attire une nombreuse clientèle, en majeure partie composée d'artistes étrangers qui ont du mal à s'acquitter du prix de la consommation. Au lieu de les chasser, ce que font tous ses confrères à Montparnasse, Libion comprend tout le bénéfice qu'il peut en retirer et subodore qu'un jour, ces artistes feront la réputation de son établissement : « Ce sont ces types que l'on remarque et ils finiront par rendre mon café célèbre.» Il donne l'ordre, à ses serveurs, de ne jamais imposer le renouvellement des consommations, si bien que certains peuvent rester des premières heures de l'aube jusqu'à tard dans la nuit, devant une tasse vide, sans être inquiétés. Le succès est immédiat. La Rotonde continue à s'agrandir, engloutissant le coiffeur voisin, puis un boucher qui détenait une centaine de toiles de Modigliani aujourd'hui disparues. Une arrière-salle est aménagée, et plusieurs machines à sous sont installées. En quelques mois, la Rotonde devient l'un des piliers de Montparnasse, grâce à la clairvoyance de Libion qui ne cesse de répéter : «Dans un café, il faut de la femme!» Mais pas n'importe quelle femme. S'il tolère que les professionnelles de l'amour se déhanchent entre les tables, parce qu'elles y amènent des habitués, c'est à la seule condition qu'elles soient chapeautées. La gentillesse de « papa Libion» envers les prostituées est célèbre. Il les amène au cinéma deux fois par semaine voir des documentaires scientifiques parce que c'est plus instructif, leur offre des consommations, leur rend quelques services, écoute leurs confidences et tolère leurs caïds, parce qu'ils passent leurs journées à consommer.

Très vite, la Rotonde ne désemplit plus de femmes vénales, de modèles, de rapins resquilleurs, d'aventuriers qui n'ont jamais quitté le quartier, de poètes faméliques, d'apprentis bouchers, d'ouvriers des nombreux chantiers voisins, de chauffeurs de taxi, de julots, mais surtout de bourgeois et de bourgeoises en mal de sensations, ainsi qu'une riche clientèle venue d'Amérique, attirée par l'aura que ce café entretient déjà outre-Atlantique. Certains vont au café pour y vivre, d'autres pour s'y suicider. On y survit parce que « papa Libion » est un homme débonnaire. Un jour, il surprend deux hommes qui sont en train de lui chaparder de la marchandise entreposée derrière le bar. Il les attrape par le col et les amène devant le zinc, face à tous les consommateurs qui retiennent leur souffle. Au lieu de les sermonner et d'appeler la police, il lance au barman, d'une voix ferme : « Fous-leur deux sandwichs doubles et deux grands cafés crème. Mangez, galopins. » Les après-midi d'hiver, les places sont chères autour du brasero. Les poisses du « Montparno », les ivrognes [1], les invertis, viennent s'y installer sans faire la moindre dépense et, parce que l'établissement est ouvert toute la nuit, on peut même y dormir. Là encore, les serveurs ont la consigne de ne pas réveiller ceux qui noctambulent en s'endormant de tout leur soûl. Parfois, certaines familles y trouvent refuge face aux rigueurs de l'hiver et il n'est pas rare de voir les enfants, à la sortie de l'école, venir s'installer sur les genoux des parents pour faire leurs devoirs sur un coin de table, dans le brouhaha de mille conversations, et les femmes, devant un modeste croissant trempé dans un café ou dans un fond de vin, effectuer des travaux de couture ou de ravaudage pour gagner leur vie.

Le succès de la Rotonde ne tarde pas à détrôner la Closerie des Lilas, absorbe tout le Quartier latin et

---

1. On remplace le Pernod par l'absinthe, pourtant interdite.

grignote peu à peu Montmartre. C'est la Babel de la bohème, et le patron entretient cette clientèle étrangère en lui procurant des journaux en langue allemande, russe, suédoise, qui passent alors de main en main. Il a le génie, dans l'espoir d'attirer la clientèle, d'autoriser à ces peintres d'accrocher leurs toiles alors qu'ils sont, par ailleurs, des intrus, comme l'écrit Camille Mauclair, un critique d'art dans la ligne droite de l'*Action française* : « Un cloaque de toqués et d'indésirables qui, à la fin, dégoûte Paris et appelle la rafle. Parmi les Blancs, la proportion de Sémites est d'environ 80 % et celle des ratés à peu près équivalente [1]. » Dès l'inauguration de la Rotonde, Modigliani, Cendrars, Kisling, font partie des habitués. L'arrière-salle leur est réservée et, sans la générosité de Libion, beaucoup seraient morts de faim. Il oublie de compter les croissants ou les cafés, refusant de prendre d'une main l'argent qui lui est dû et distribuant de l'autre, avec discrétion, une partie de sa recette journalière aux plus démunis, comme Kisling à qui il permet de se rendre à Rome : « Allez, viens ici, mon cochon. Est-ce que tu crois que je vais te laisser avoir une mauvaise opinion de moi ? Tiens, passe à la caisse, vite avant que la patronne descende. Et ne va pas boire ailleurs avec ça [2]. » Une telle générosité ne se renouvelle pas avec tous les artistes. Modigliani est celui que Libion craint le plus à cause de ses soûleries,

---

1. Article titré, *Les Métèques contre l'Art Français* en 1930, Editions de la nouvelle revue critique.
2. Michel Georges-Michel , *Les Montparnos*, 1933. Les exemples de la générosité de Libion sont innombrables. Citons l'anecdote d'un aviateur argentin qui avait brisé son appareil ; le cafetier lui avança la somme pour en acheter un autre. De retour dans son pays, il le remboursa et se chargea de faire la publicité auprès de toute la clientèle sud-américaine. Il en fut de même pour un savant norvégien, qui se trouvait fort désolé de n'avoir pas les moyens d'acquérir un ouvrage de grand prix. Libion le lui offrit dès le lendemain et, par la suite, la clientèle scandinave se pressa à la Rotonde.

de ses accès d'humeur et de ses trop fréquentes excentricités devant sa terrasse, où il déclame des vers de Dante [1]. Son arrivée à la Rotonde se traduit souvent par de violentes échauffourées lorsqu'il tente – en vain – de placer l'un des dessins qu'il griffonne sur un bout de papier et les pugilats avec sa maîtresse, Béatrice Hastings, conduisent Libion à le chasser. Malgré la générosité du patron qui achète ses toiles afin de passer l'éponge sur son ardoise, l'Italien finit par trouver refuge chez le concurrent, au Dôme.

Parmi les habitués et les figures les plus marquantes de la Rotonde d'avant-guerre, on trouve Pablo Picasso, vêtu d'un vieil imperméable, le front barré de sa mèche noire et coiffé d'une casquette à larges carreaux. Il vient d'y faire la rencontre du grand écrivain russe Ilya Ehrenbourg. Le prix de ses toiles va bientôt s'envoler en atteignant des sommets [2]. Il établit, dans

---

1. Libion demeure l'un des rares à pouvoir raisonner Modigliani. Il dérobe les chaises, les tables et les couverts pour garnir son petit réduit. Kiki de Montparnasse, dans ses *Souvenirs*, a conté cette anecdote. Après avoir vendu quelques toiles à un mécène, Modigliani décide d'en manger et boire aussitôt le profit. Invitant quelques amis, il ignore que le patron de la Rotonde fait partie de la fête. Or, tout son atelier est garni du mobilier dérobé dans son café, guéridon compris! A la vue de tout son matériel, le père Libion blêmit et tourne les talons. La fête est gâchée. Amedeo invective ses amis : « Tas de crétins! Vous aviez besoin de l'amener ici? Moi aussi, je l'aime autant que vous, mais si je ne l'ai pas invité, c'est à cause de toute cette vaisselle qu'on lui a pris. » Dans un silence de mort, chacun pique du nez dans son assiette et l'on se prépare à partir lorsqu'on frappe à la porte. C'est Libion qui revient, les bras chargés de bouteilles de vin en s'exclamant : « Il n'y avait que les vins qui n'étaient pas de chez moi, alors, je suis allé les chercher. Allons, à table, j'ai une faim de loup. »

2. Lors de la célèbre vente de *La Peau de l'ours*, le 2 mars 1914. Dix ans plus tôt, à l'initiative du collectionneur André Level, un groupe d'amis fonde une association aux fins d'acquérir les toiles de jeunes peintres alors inconnus. Chacun des membres a pour obligation de consacrer un budget annuel de 250 francs à l'achat, en indivis, de tableaux qui vont constituer le fonds d'une collection, que chacun pourra accrocher sur ses murs. Les statuts de l'association nommée « La Peau de l'Ours », précisent que la constitution de cette collection devra être faite durant une période incompressible de dix ans, après quoi il sera procédé à une vente aux enchères publiques. Cette vente, qui

ce café, un état-major de peintres et de poètes cubistes, dont Apollinaire éblouissant le quartier par son esprit protéiforme, Jean Cocteau et André Salmon [1].

C'est dans les cafés que se lancent les grands mouvements d'opinion. Accoudé au zinc, l'alcool aidant, le peuple fait preuve d'audace, livrant sa pensée velléitaire. C'est dans l'arrière-salle de la Rotonde, à l'abri des regards, que les deux grands révolutionnaires russes Trotski et Lénine se rencontrent, jouant d'interminables parties d'échecs, épiés par la police [2], car le café grouille d'indicateurs.

Lorsque éclate la guerre, le tonnerre de la mobilisation vide toutes les terrasses de Montparnasse. La réglementation change, et l'ordre est donné aux cafés de fermer à l'heure du couvre-feu, assorti d'une interdiction de ne servir d'alcool, dans les restaurants, qu'après les repas. La majorité des artistes – hormis les Allemands qui sont partis – répondent à l'appel de Canudo et Cendrars en s'engageant, ou trouvent un travail dans des usines d'armement. Il ne reste, dans les seuls cafés de Montparnasse ou de Montmartre, que des arsouilles ou des déserteurs insouciants, que l'on retrouve dans les queues des soupes populaires. Les apatrides et les défaitistes sont montrés du doigt,

---

rapportera 110 000 francs, sera un triomphe pour Picasso, et le départ de la spéculation effrénée qui sévira après la guerre.

1. Qui contribuera par ses écrits parfois contestables à en forger la légende.

2. Le café est aussi fréquenté par un commissaire de police, Léon Zamaron, ami des peintres et des artistes. Il aime la peinture, devient un mécène, protège certains peintres comme Modigliani ou Soutine, à qui il permet d'obtenir un permis de séjour. Il possédera jusqu'à une centaine de toiles de Chagall, Foujita, Modigliani, Utrillo ou Soutine. Hélas, dévoré par la passion du jeu et criblé de dettes, très éprouvé par la perte de sa femme qui devint folle, de sa maîtresse morte d'un cancer puis de son fils, il se sépara de son trésor pour une somme dérisoire afin d'éponger une partie de ses dettes. Lui aussi mourut dans la misère.

si bien que Libion est obligé de placarder des affiches exaltant le sens patriotique. Lorsque les troupes défilent au carrefour Vavin, certains éléments jettent des regards haineux envers ces « étrangers », et les insultes fusent, obligeant les consommateurs à se réfugier à l'intérieur, comme Georges de Grèce, frère de Constantin, qui sera malmené par un groupe de modèles et traité de « salaud » parce que son frère a trahi la France. Trotski est expulsé en 1916, et l'on n'oublie pas qu'il était un familier de la Rotonde et surtout qu'on avait vu le patron offrir la tournée générale à la nouvelle de la chute du Tsar. Les mauvaises langues distillent des informations bien pires à la préfecture de police et dénoncent les agissements de ces trop nombreux « métèques » qui semblent couler des jours heureux à la terrasse du café. De nombreuses fois, Libion – comme la plupart de ses confrères – est sollicité pour être un auxiliaire de la police, ce qu'il refuse et qui causera bientôt sa perte. La police opère plusieurs descentes dans son bar, et il finit par perdre le sommeil. Hormis des souteneurs, dont les papiers sont en règle, quelques trafiquants de coco ou d'éther, ils embarquent une douzaine de déserteurs. Cet incident sert de prétexte pour infliger à Victor Libion une lourde amende, et interdire à la troupe de fréquenter la Rotonde, terrible privation pour les artistes permissionnaires et un rude coup pour le patron. C'est une sombre histoire de trafic de cigarettes qui va sonner le glas de la Rotonde durant cette période. C'est l'époque où il faut faire plusieurs heures de queue pour espérer obtenir un paquet de cigarettes de la régie française. Toujours aussi bienveillant, « papa Libion » s'est procuré des cartouches de cigarettes blondes américaines, afin que ses pensionnaires puissent avoir un peu de tabac. Il ne les revend même pas car – fidèle à ses habitudes – il les distribue à ceux qui n'ont pas les moyens de se les offrir. On l'accuse d'être à l'origine d'un trafic. A la suite de ce nouvel incident, la préfecture ordonne une fermeture administrative, qui affecte Libion au point de n'avoir plus qu'une seule idée en tête : vendre. Ce sera fait en décembre 1923, et il va s'installer dans un quartier plus calme, avenue Denfert-Rochereau. Avant de partir, il connaît une dernière heure de gloire, recevant la visite impromptue – le 19 septembre 1921 – de Charlie Chaplin qui tient à se rendre à la Rotonde dont la réputation en Amérique est légendaire. Cette visite déclenche une émeute au carrefour Vavin et Chaplin, acclamé, y reçoit un accueil qui demeura longtemps gravé dans sa mémoire.

Libion revend les toiles de ses anciens amis qu'il n'a pu conserver, dont plusieurs Modigliani. Hélas, la fièvre de la spéculation n'a pas encore enflammé le marché, si bien qu'il n'en tire que quelques centaines de francs au lieu de plusieurs dizaines de milliers. On le reverra plusieurs fois, dans l'ancien café qui avait fait sa gloire. Il flâne à la terrasse, pris de vague à l'âme. Mais, désormais, tout a changé. Les nouveaux propriétaires ont agrandi l'établissement qu'ils veulent plus luxueux, en le dotant d'un dancing au premier étage. L'affaire s'avère encore plus juteuse, et c'est une nouvelle clientèle qui s'y presse, bien plus parisienne que cosmopolite. Le soir, de riches automobiles déposent des gens en fourrure. Avec le nouveau propriétaire, il n'est plus question de voler des baguettes de pain ; les artistes les plus pauvres s'en vont ou sont priés sans ménagement de quitter les lieux, et avec eux une grande partie de la légende de Montparnasse, nostalgique de cette Rotonde d'avant-guerre. Certains n'ont plus qu'à traverser la rue, pour se rendre chez l'éternel concurrent, le Dôme. Victor Libion, qui boite mais qui a toujours su marcher droit, meurt en 1927, dans l'indifférence générale. Aucun de ces artistes qu'il sauva de la faim ne suivra le corbillard.

*
* *

La grande aventure du Dôme commence en 1897. C'est alors une bicoque faite d'un assemblage de planches. On y vend des frites agrémentées d'un verre de rouge, et l'on peut y louer des voitures à bras qui stationnent le long de la rue Delambre. Une fois détruite, celle-ci fait place à un modeste café qui, peu à peu, s'agrandit. C'est un Auvergnat, Paul Chambon, à peine débarrassé de sa blouse de paysan, qui en prend les rênes. Si avant guerre la clientèle de la Rotonde est en majorité composée de Slaves et de Méditerranéens, celle du Dôme l'est d'Allemands, de Scandinaves et d'Américains qui se répartissent — sans se mélanger — dans les trois salles, la terrasse appartenant à tout le monde. Les Français fréquentent les deux brasseries. Cette ambiance cosmopolite démontre combien Montparnasse est devenu le carrefour du monde. La différence majeure entre les deux établissements, réside dans le crédit qui peut être accordé aux artistes. Paul Chambon n'est pas aussi généreux que « papa Libion », si bien que son café — bien moins vaste — est surtout fréquenté par une clientèle, surnommée les Dômiers, plus aisée et surtout plus raffinée, qui n'apprécie pas de se mêler à celle de la Rotonde. L'un des atouts du Dôme est son billard, devant lequel les Allemands — très exubérants — passent leurs journées. Ce sont en majorité des artistes refusant d'exposer dans leur pays, et des marchands d'art germanophones que l'on reconnaît à leurs crânes roses et rasés et à leurs lunettes dorées, qui ont investi les lieux. Le cubisme y sévit, tout comme l'éther et la coco, qui sont les drogues favorites. Au lendemain de la déclaration de guerre, devenus indésirables, tous sont obligés de fuir. L'une des figures les plus marquantes du Dôme est Julius Pascin, qui choisit ce café comme terre d'élection, en le décrivant comme « une station de chemin de fer où l'on attend un train qui n'arrivera jamais ». Nombreux sont ceux qui vont le suivre « pour y vivre et pour y crever », selon son expression. Autour de lui, Henri Matisse, que Gertrude Stein presse de fonder une Académie dans le quartier, le célèbre collectionneur Wilhelm Uhde, qui est l'un des premiers, en 1905, à acquérir les toiles de Picasso puis de Dufy, de Rousseau et d'une large palette de peintres naïfs. Sa collection est alors l'une des plus éclairées de l'époque et sera confisquée aux premiers jours du conflit. La cote de tous ceux qu'il aura découvert, sera si élevée qu'il ne pourra la racheter.

Durant la guerre, le Dôme subit de nombreuses rafles et une étroite surveillance de la police, mais son patron sera bien moins inquiété que Victor Libion ; la grande majorité de sa clientèle, alors composée d'étudiants serbes et de soldats, est en règle. L'âge d'or du Montparnasse d'avant-guerre est révolu, et Paul Chambon – après maints rebondissements et plusieurs annulations de promesse de vente – cédera son établissement à ses fils, lesquels – à l'imitation de ce qui se fera à la Rotonde – pérennisèrent la juteuse entreprise familiale, en entreprenant des travaux d'agrandissement et en chassant les artistes qui naguère avaient fait leur gloire, laissant une terrible nostalgie à ceux d'entre eux qui ont fréquenté ces lieux et construit leur légende dans le monde entier.

En 1925, Vlaminck prophétise : « Les touristes ! Ils finiront par nous foutre dehors. » Jusqu'au terrible krach de 1929, l'orgie est à Montparnasse ; un Montparnasse noctambule et jouisseur où fleuriront d'autres établissements de nuit, entourés de péripatéticiennes qui, dès dix heures du matin jusqu'aux heures les plus tardives de la nuit, offriront aux passants attardés la coupe des voluptés ; un Montparnasse qui vivra sur sa réputation et d'où l'on viendra, du monde entier, pour y vivre une existence médiocre et souvent tragique. La Rotonde et le Dôme en furent les deux flambeaux.

La Ruche et les abeilles de l'Ecole de Paris

A la fin du XIXᵉ siècle, le quartier de Montparnasse s'urbanise. Les champs à perte de vue se couvrent de maisonnettes et d'immeubles de plusieurs étages. Les marchands de chevaux y ont élu domicile à cause du voisinage des abattoirs de Vaugirard. Certains jours de vent, on peut sentir les effluves nauséabonds et entendre les cris des bêtes que l'on abat. Les bouchers, chargeant les morceaux de viande fraîche sur leurs carrioles, laissent dans les rues des traînées sanglantes. Dans un petit troquet portant le nom de la rue, le Dantzig, deux hommes — le peintre Simon Toudouze et le sculpteur Alfred Boucher — s'installent à une table. Ils fraternisent avec le patron, futur propriétaire de la Rotonde, Victor Libion, qui leur avoue connaître des problèmes de trésorerie. Il possède des terrains le long de cette rue appelée naguère le « Chemin des moulins » et qui s'ouvrent sur la « zone », peuplée de cabanons miséreux. Il envisage de les céder à un bon prix. Alfred Boucher fait une offre de cinq mille francs, ce qui semble une très bonne affaire, car la surface constructible est de 5 000 m². A vingt sous le mètre, Boucher n'hésite pas, et verse de suite dix mille francs d'arrhes. Libion lui demande ce qu'il compte faire de « ce tas de cailloux grévé d'hypothèques ». Le sculpteur fortuné ne répond pas. Un projet, qu'il mûrit déjà depuis longtemps, va enfin se concrétiser : une cité des arts, qui proposerait aux artistes un « débouché vers la réussite et la gloire ».

A la fin de l'année 1900, l'Exposition universelle, qui a compté plus de 50 millions de visiteurs, ferme ses portes. L'heure est au pénible démontage. La plupart des décors et des pavillons sont cédés à bon prix. Alfred Boucher se porte acquéreur de la rotonde des vins, qui avait été dessinée par l'équipe de Gustave Eiffel, de la gigantesque grille Art Déco du pavillon de la femme, des imposantes cariatides de celui du Pérou, et d'autres éléments disparates. S'il a été attiré par la rotonde des vins de Bordeaux c'est – confia-t-il au *Monde Illustré* en 1931 – parce qu'elle avait « la forme d'une ruche ». Sans l'aide d'un architecte, mais avec celle de son neveu menuisier et de manœuvres choisis au hasard et souvent non déclarés, il s'emploie à installer ces structures sur les terrains qu'il vient d'acquérir, délimités par la monumentale grille. Les deux cariatides sont placées à l'entrée de l'édifice, de forme octogonale et surmonté – curiosité architecturale – d'un toit ayant l'aspect d'un chapeau chinois se terminant par une verrière. Au sein de la structure, il fait construire quarante-sept ateliers rudimentaires, en forme d'alvéole, répartis sur trois étages et desservis

par un grand escalier central en bois. Sur le terrain, des
bâtiments annexes, dans lesquels s'insèrent d'autres
ateliers, voient le jour au milieu d'un parc qui est en
train de naître sous la houlette d'un jardinier
professionnel, traçant des allées aux noms bucoliques,
comme celle du Trône, qui mène aux commodités.

Alfred Boucher baptise son œuvre « Villa Médicis
libre », mais après les cérémonies officielles, « la
Ruche » s'impose, ce qu'affirme son créateur : « Les
abeilles offrent à l'homme le plus bel exemple d'union
qui soit, dans le travail, dans l'effort... Et voilà
pourquoi nous avons fait la Ruche... » C'est en grande
pompe, au son de *La Marseillaise*, en présence d'une
palette d'élus et de la garde républicaine, que cette
cité d'artistes est inaugurée en 1902, par le sous-
secrétaire d'Etat aux Beaux-Arts, Henri Dujardin-
Beaumetz — artiste dans l'âme —, qui avait soutenu le
projet et qui se verra remercié, par une allée portant
son nom, « l'allée Beaux-Metz ».

La vie, dans cette cité du génie et de la pauvreté, ne
sera pas toujours très agréable. Chagall, l'un des premiers locataires, en dresse néanmoins un portrait
complaisant : « La vie à Montparnasse, c'était merveilleux ! Je travaillais toute la nuit... Quand, dans un
atelier voisin, un modèle insulté se mettait à pleurer,
quand les Italiens chantaient en s'accompagnant à la
mandoline, quand Soutine revenait des Halles avec un
lot de poulets faisandés pour les peindre, je restais seul
dans ma cellule de planches, debout devant mon chevalet, éclairé par une misérable lampe à kérosène...
Pour trente-cinq francs par trimestre, je disposais de
toutes les commodités [1]. » Les abeilles qui vont loger

---

1. Jean-Paul Crespelle, *La Vie quotidienne à Montparnasse à la grande époque*,
Hachette, 1976.

dans ces ateliers pour un loyer modique [1], disposent d'un confort très rudimentaire. Il y fait très chaud en été – la concierge passe chacun des locataires au jet d'eau – et les hivers sont rigoureux. Comme il n'y a pas de cheminée dans les ateliers, rares sont les artistes qui peuvent jouir du luxe d'un poêle à charbon et, lorsque la bise s'engouffre à travers les verrières mal isolées et recouvertes de glace, on grelotte. Nombreux sont ceux qui se réunissent dans la cour, autour d'un feu alimenté par les anciennes lames du parquet de l'Exposition universelle. Durant cette période, personne ne se lave, et tous endossent l'intégralité de leur garde-robe en plusieurs couches successives pour se protéger du froid. Il n'y a ni eau, ni gaz et l'électricité n'y sera installée que très tard. Le seul point d'eau se trouve en bas de l'escalier de la Rotonde, lieu de rencontre aussi convivial que celui du Bateau-Lavoir, où Picasso s'éprendra de Fernande ; on y fait la barbe et on se lave les cheveux en commun. La première concierge – Madame Genthilhomme, qui vit entourée de treize chats – a fort à faire pour tenter de récupérer les loyers, et maintenir un semblant d'ordre. Elle sera remplacée par Madame Segondet, dont la soupe mijote toujours pour les plus pauvres et qui, à l'imitation de Berthe au Lapin Agile, sauvera de la faim de nombreux artistes. Il y a aussi la femme d'un peintre, qui tient une cantine où, pour quelques sous, l'on peut trouver un bouillon. Les plus chanceux peuvent se permettre le frugal repas composé de pommes de terre et de harengs saurs, et vont boire le lait chaud à la vacherie de Montparnasse,

---

1. 150 francs annuels pour les ateliers dans les étages, réservés aux peintres, et 50 francs pour les ateliers du rez-de-chaussée, destinés aux sculpteurs. Alfred Boucher aura une propension à déterminer les loyers à la tête du client oubliant toujours d'encaisser ceux des plus démunis.

rue de Fleurus. Chagall se contente d'un hareng pour
toute la semaine et de quelques quignons de pains
rassis. Il y a aussi un vieux juif polonais qui, venant de
la rue des Rosiers, pousse une charette emplie de
victuailles manquant de fraîcheur. Il mourra ruiné,
pour avoir eu l'imprudence d'accorder trop de crédit
à ses coreligionnaires.

A la Ruche, la vie tient du miracle, et Alfred
Boucher se souvient des débuts très difficiles : « Je suis
dans la situation d'une poule qui aurait pondu des
œufs de canard. » Il est vrai que certains locataires,
turbulents, le mettent dans l'embarras. Le jour de la
visite du président du Sénat, dans les jardins, se bala-
dent – éméchées – deux « abeilles » nues. Ce dernier
s'offense d'une telle mise en scène. Alfred Boucher,
essayant de sauver la face, réplique qu'il s'agit là
« d'hommes heureux... ». La visite est écourtée, le
président du Sénat maugréant dans sa barbe :
« Laissons-les à leur bonheur... »

Dans les premiers temps, des personnages douteux,
que Boucher appelle « les bourdons », parviennent à
s'introduire dans ce phalanstère d'artistes. Une fois
chassés, car Boucher ne tolère dans sa ruche que des
jeunes gens – la plupart artistes [1] – qui suivent les
Beaux-Arts ou les cours dispensés dans les Acamémies
du quartier, l'art reprend ses droits. La première
abeille à s'installer à la Ruche est le Français
Chaurand-Naurac, élève de Gustave Moreau et ami de
Matisse. Il a quitté le Bateau-Lavoir et les hauteurs de
Montmartre où la vie est encore plus misérable. Le
peintre italien Ardengo Soffici, grand ami d'Apollinaire, lui emboîte le pas. Il entretient alors une liaison

---

1. D'autres trouvèrent refuge à la Ruche comme Alfred Voisin qui devint
un célèbre ingénieur dans les domaines aéronautiques et automobiles.

avec une aristocrate slave, la baronne d'Oettingen, une bienfaitrice qui présidera aux destinées de la revue *Les Soirées de Paris*, rachetée cent francs à André Billy, dont le directeur littéraire sera l'auteur des *Calligrammes*. Grâce à elle, Montparnasse deviendra le centre mondial de l'art et de la littérature d'avant-garde. Dans un livre de souvenirs — *Il Salto vitale* — qu'il consacre aussi à Rimbaud dont il a bien connu la sœur, Soffici dresse un portrait pittoresque du lieu : « Quand j'arrivai à la Ruche, je rencontrai des artistes, des bohèmes, des artisans de tous âges, français, scandinaves, russes, anglais et américains ; des sculpteurs et des musiciens allemands, des mouleurs italiens, des graveurs, des faussaires de statuettes gothiques, quelques aventuriers balkaniques, sud-américains et du Proche-Orient. Dans ce caravansérail, mon atelier consistait en une pièce mansardée avec une large verrière et une soupente. Je possédais alors un sommier, une planche sur deux tréteaux en guise de table, un chevalet, une paire de chaise et un poêle en fonte. Je n'avais besoin de rien d'autre pour mon travail et j'ai pu me mettre à l'œuvre [1]. »

Dans les années qui suivent, ce sont des artistes venus en majorité des pays de l'Est qui peuplent la Ruche, car ils sont moins regardants sur l'inconfort qui y règne, s'entassant à quatre dans trois mètres carrés avec, pour seul repas, une bouteille de vodka et le peu d'espoir qu'ils arrivent à glaner dans les journaux révolutionnaires imprimés à Genève. Alfred Boucher ne s'embarrasse jamais à demander une carte d'identité, et les raisons de leur venue aux nouveaux occupants, qui ne parlent pas un mot de français. Les descentes de police sont légion, et les locataires en permanence

---

1. Christian Parisot, *Modigliani – Biographie*.

menacés d'expulsion. Les déménagements se font la
nuit, et le premier qui se présente devient locataire de
l'atelier vacant. La Ruche est une terre d'accueil pour
ceux, ruinés [1], ou pour des artistes émigrés, à la fois
révolutionnaires de l'art et nihilistes dans leur patrie,
fuyant la répression et les humiliations de leur pays
natal. On y trouve tous les futurs maîtres de l'Ecole de
Paris, animés par des sentiments oscillant entre la
rivalité et la solidarité : Constantin Brancusi, qui a fait à
pied le périple de Bucarest à Paris ; Léon Indenbaum,
qui a quitté la Russie pour échapper à cinq années de
service militaire ; Sam Granovsky, qui ouvre les
fenêtres plusieurs fois par jour en hurlant « Moi génie !
Moi génie ! » ; Marc Chagall, recevant les visites du
poète Blaise Cendrars, alors Frédéric Sauser, et
d'Apollinaire, qualifiant son œuvre de « Surnatura-
lisme » alors qu'il peint le *Violoniste* sur la nappe à fleurs
offerte par sa fiancée à son départ de Russie ; Michel
Kikoïne [2] et Pinkus Krémègne, anciens élèves de
l'Académie de Minsk ; Ossip Zadkine qui, se rendant de
la Ruche au salon des Indépendants, transporte dans une
charrette l'une de ses monumentales sculptures et
accroche l'aile de la voiture d'un médecin, qu'il invite à
choisir une de ses œuvres en guise de dédommagement ; Fernand Léger, qui partage avec ses compagnons
d'infortune une fricassée de chats à la vodka et chante
dans les cours d'immeubles, près de la Bastille.

---

1. Comme Georges Dorignac, artiste alors reconnu et père de quatre
enfants. Victime d'un escroc, poussé à la ruine, il trouve refuge à la Ruche. Ses
quatre filles – qui serviront souvent de modèles à Modigliani – épouseront des
artistes rencontrés en ce lieu.
2. Il sauvera sa famille de la misère, lorsque invité par une voisine à vider
sa cave, elle lui donne une vieille toile afin qu'il puisse la récupérer pour ses
propres compositions. Une fois dépoussiérée, Kikoïne découvre que c'est un
authentique Rousseau, qu'il vend aussitôt, récupérant un précieux pécule lui
permettant de vivre pendant trois ans.

En sus des logements d'artistes, Alfred Boucher fait ériger une salle d'exposition des œuvres conçues dans son phalanstère. Hélas, la fréquentation ne répond pas à ses espérances car elle est trop éloignée des quartiers où résident les clients potentiels, qui refusent de s'aventurer dans de tels ghettos. On trouve aussi une salle d'étude dans laquelle les artistes peuvent travailler ensemble, et c'est Boucher qui règle les frais du modèle. En 1908, il fait construire un théâtre dans un hangar désaffecté. Sur les gradins se répartissent trois cents places, qu'il vend à la tête du client, les plus démunis bénéficiant de la gratuité des représentations. Là encore, son souhait est de distraire les artistes et les habitants du quartier, et surtout de donner leur chance à de jeunes premiers. Louis Jouvet – alors préparateur en pharmacie – y fait ses débuts alors que des acteurs de la Comédie-Française, bien plus connus, n'hésitent pas à faire le déplacement, comme Edouard De Max ou Marguerite Moreno. Hélas, au bout de deux ans, l'entreprise prend fin à cause d'une querelle avec un sous-préfet se croyant grand dramaturge et réclamant une forte somme pour la représentation d'une pièce de sa composition.

La Première Guerre mondiale va encore changer le mode de vie à la Ruche. La plupart des artistes sont partis dans les tranchées, certains n'en reviendront pas, d'autres se cachent. Les autorités françaises réquisitionnent une grande partie des ateliers devenus vacants pour y loger les familles d'exilés qui ont fui les fronts de l'Est et du Nord. La cohabitation avec les artistes est très difficile. Des peintres, qui avaient été réformés pour insuffisance physique, traînent, désemparés, s'affalant sur les banquettes avec, pour seul repas, un café crème devant lequel il passent la journée entière, l'air hébété. Pour tenter d'en sauver

certains, alors que le marché de l'art est au plus bas, le
mécène organise – à l'aide d'un camion – des expo-
sitions itinérantes permettant de vendre quelques
toiles ou sculptures.

Au lendemain de la Grande Guerre – « la der des
der » – Montparnasse a perdu son pittoresque d'autre-
fois. Pour Raymond Radiguet : « Montparnasse
mourut avec l'armistice. » Désormais, des bandes de
voyous attirés par la prostitution et l'argent facile,
écument le quartier où fleurissent de nouveaux lieux
de perdition. Il n'est pas rare qu'on s'en prenne aux
artistes étrangers, accusés d'avoir dénaturé l'art français traditionnel ; « Une avalanche de juifs » s'écrie
Henry Miller, alors que Jean Emile-Bayard, historien
de Paris, dénonce ce désordre cosmopolite : « Mais la
résistance héroïque de la France et son succès final,
devaient imposer silence à ces bouches empoisonnées,
en ordonnant une tenue décente à certains "neutres"
malveillants et perturbateurs intéressés, tandis que des
rafles fréquentes balayaient, d'accord avec des expul-
sions justifiées, une tourbe "moins distinguée", c'est-
à-dire non susceptible de dissimulation. Ainsi, le
Montparnasse français, travailleur et ami de l'ordre,
secoua-t-il énergiquement ces dangereux parasites
communistes et défaitistes, plus ou moins au service
de l'Allemagne [1]. »

C'est dans ce contexte xénophobe, que l'œuvre
d'Alfred Boucher – cette Ruche que Jean-Paul
Crespelle décrit comme « la Villa Médicis pouilleuse
de la bohème internationale » – commence à se
dégrader. Les artistes qui ont survécu, ceux qui ont
émigré, reviennent à la Ruche, comme Chagall qui,
surpris par la guerre alors qu'il était à Vitebsk, a la

---

1. Jean Emile-Bayard, *Montparnasse hier et aujourd'hui*, 1927.

désagréable surprise de retrouver son atelier qu'il n'avait pas fermé à clef en partant en 1915, vidé des cent cinquante toiles qu'il avait laissées. En 1923, il ne peut récupérer qu'une seule pièce, dont la concierge se sert pour couvrir son poulailler [1], et le nouveau locataire lui réclame dix francs pour lui rendre son chevalet!

Dans les ateliers, à l'aube des années 1920, il n'y a toujours pas de chauffage. L'électricité – pour certains – arrivera en 1925, et les occupants résident dans des conditions d'insalubrité et de délabrement jamais connues. Tous les arbres ont été abattus pour se chauffer, les jardins sont en friche. Il fait toujours aussi froid et l'on ne se lave pas, car les robinets sont gelés jusqu'au printemps. Alors on s'organise; certains n'ont même pas d'argent pour se vêtir et Rosa Kikoïne, habile de ses mains, confectionne des chemises dans une vieille pièce de drap qu'elle a trouvée dans une poubelle. Des rats, gros comme des chats, courent au milieu des tas d'immondices que personne n'a le courage d'aller porter dans la rue et s'introduisent – la nuit – dans les chambres en mordant les occupants. Alfred Boucher, qui habite dans une villa voisine, recueille les enfants de ses abeilles et leur offre des goûters. A présent grand officier de la Légion d'honneur, drapé dans des couvertures, il passe des longues heures, l'air absent, à contempler l'œuvre de sa vie qui finit – faute d'argent – par s'écrouler. Il vit là ses dernières heures, dans l'insouciance, et surtout l'impuissance. En 1934, il mourra dans l'oubli, à Aix-les-Bains.

Durant la Seconde Guerre mondiale, la Ruche se

---

1. Une autre se servit de toiles de Modigliani pour consolider un sommier. Une concierge brûla quarante toiles de Soutine parce que cela aurait coûté trop cher à déménager.

vide à nouveau des artistes étrangers, devenus indésirables et traqués par la Gestapo. La Résistance s'organise ; elle devient une cache d'armes. Après la Libération, ce sont les bouchers des abattoirs voisins qui investissent les lieux, attirés par la gratuité des loyers, et de nombreuses batailles rangées éclatent avec les artistes. Sur les cent quarante ateliers qui avaient vu le jour au début du XXe siècle, à peine cinquante demeurent habitables. La Ruche devient un affreux bidonville de briques rouges lavées par les ans, qui s'effondre sur un terrain boueux. Les héritiers d'Alfred Boucher veulent se débarrasser de cette gangrène qui ne leur rapporte aucun revenu. Depuis la fin des années 1950, le quartier, en pleine spéculation immobilière, a perdu la majorité de ses anciennes cités d'artistes. On songe à raser l'édifice pour construire des H.L.M., un acte de vente est même signé en octobre 1967, mais la mobilisation des anciens locataires de la Ruche – certains devenus célèbres – permet de surseoir à ce projet. Grâce à des dons et des ventes aux enchères avec le concours d'artistes ayant cédé une partie de leur production, de fortes sommes sont récoltées par le comité de défense, présidé par Marc Chagall. André Malraux bloque le permis de construire et, en 1970, la Ruche est sauvée de la destruction, réhabilitée, classée monument historique et devient une fondation. Ce lieu – aujourd'hui fermé au public – est encore peuplé d'artistes venus du monde entier. C'est un îlot au milieu des barres d'immeubles. Le Montparnasse d'antan a disparu, mais la Ruche, qui a vu naître la fabuleuse Ecole de Paris, subsiste, toujours hantée par les souvenirs de Marc Chagall : « C'est entre ces quatre murs que j'ai lavé mes yeux et que je suis devenu un peintre. »

Béatrice Hastings,
l'amante terrible de Montparnasse

C'est au printemps de l'année 1914 que Béatrice Hastings fait une entrée très remarquée à la Rotonde. Jean-Paul Crespelle l'a décrite vêtue en « Bergère Louis XV, avec une houlette enrubannée à la main ». Béatrice Hastings, de son vrai nom Emily-Alice Haigh, est un personnage complexe, qui se plaît à collectionner les pseudonymes. Venue de la colonie anglaise de Port Elisabeth, où elle grandit après être née à Londres en 1879, elle affirme avoir emprunté le nom d'Hastings à son premier mari, forgeron de métier et lutteur à ses heures. D'une nature fantasque et passionnée par la poésie, la jeune fille décide de quitter sa famille bourgeoise, et son mari, pour étudier les lettres en Angleterre. Nantie d'une pension versée par l'infortuné époux, après un passage à l'école de Pevensy dans le Kent, Béatrice s'installe à Londres. Adepte des sciences occultes, et fréquentant les cercles théosophiques, elle s'inscrit dans la mouvance des nouveaux courants artistiques et littéraires. Apôtre de la condition féminine, défenseur de l'avortement, élégante, belle, libertine, volage et délurée, capricieuse, d'un tempérament impétueux et vitupérant, elle devient la maîtresse de Alfred Richard Orage, directeur de la prestigieuse revue *New Age* où collaborent George Bernard Shaw, Ezra Pound et Katherine Mansfield, dont elle contribue à révéler le talent et avec laquelle elle entretient des relations bien

plus intimes que le prétendant déclaré de la jeune
Anglaise, John Middleton Murry. Ce dernier, que
Béatrice exècre, est à l'origine de la rupture entre les
deux femmes. En compagnie d'une femme peintre,
Nina Hamnett, rivalisant d'audace avec tous les modèles du quartier, se déshabillant dans les cabarets,
Béatrice quitte Londres pour Paris et s'installe à
Montparnasse, face à l'atelier du sculpteur Brancusi.
Correspondante de la revue *New Age*, elle se fait
connaître dans les cercles artistiques, en donnant à son
journal de nombreux articles, où elle relate la vie de
bohème dans ce Paris, capitale de l'art moderne du
monde et ce Montparnasse où l'on peut jouir — a
contrario de Londres la puritaine — de toutes les
libertés. Ses chroniques, qu'elle signe sous le pseudonyme d'Alice Morning, prennent le titre d'*Impressions
of Paris*. De sa chambre coquette de la rue du Montparnasse, elle rend visite à Katherine Mansfield, de
passage à Paris et à cette époque maîtresse de Francis
Carco. Dans son *Journal*, Katherine Mansfield évoque
cette relation avec crainte, se souvenant de la frayeur
que lui inspirait Béatrice, lorsqu'elles se voyaient rue
de Tournon. Elle confesse à Carco des faits dont il
s'inspire pour dépeindre le personnage le plus énig-
matique de son roman les *Innocents* : « C'est une
femme très douce, vous avez vu, mais elle était dans la
vie de théâtre et, une nuit, elle a pris sa petite copine
contre elle et, avec les doigts, elle a serré le cou et
elle a mis la bouche sur la bouche. C'est une très belle
histoire. Elle avait besoin de savoir... et, depuis, elle
est calme... C'est une femme qu'il faut admirer. »
Peu à peu, le cercle des connaissances de Béatrice
s'élargit. Elle fréquente tous les cafés de Montparnasse
et Florent Fels l'a dépeinte comme « une farfelue qui
trempait dans la Rotonde comme une prune dans

l'eau-de-vie ». Au début de l'année 1915, Max Jacob écrit à Apollinaire : « J'ai découvert une poétesse anglaise qui se soûle toute seule mais avec du whisky.» Aucun recueil de poèmes de Béatrice Hastings ne nous est parvenu et d'aucuns la considèrent comme une très mauvaise poétesse. A cette époque, l'Anglaise est avant tout célèbre pour être la maîtresse d'un peintre dont les excentricités sont déjà légendaires de Montmartre à Montparnasse : Amedeo Modigliani. Béatrice a remarqué le bel Italien chez Rosalie, rue Campagne-Première : « J'étais assise en face de lui. Haschich et eau-de-vie. Impression quelconque. Je ne savais pas qui il était. Je l'ai trouvé laid, féroce, glouton.» Quelques jours plus tard, Ossip Zadkine est attablé à la Rotonde, devant la consommation des pauvres, un café crème, en compagnie de Béatrice sirotant un whisky. Apercevant Modigliani errant sur le trottoir en récitant du Dante, un exemplaire des *Chants de Maldoror* dans la poche, le sculpteur l'invite à sa table. Pour une fois, il ne fait pas de scandale en hurlant aux terrasses des cafés : « Je suis juif et je vous emmerde.» Il a faim, et ne se laisse pas prier. Soulevant sa casquette d'un geste gracieux, il « rougit jusqu'aux yeux ». Ce soir-là, il est rasé et charmant. Il n'est pas encore ivre mais toujours aussi glouton car éprouvé par un très long jeûne. Après le repas, Zadkine, qui connaît Modigliani lorsque son charme opère, s'efface avec discrétion. L'Italien, dès le premier regard, a décidé de posséder cette jeune femme. Il invite l'Anglaise à venir voir ses œuvres dans son atelier. C'est l'époque où il a délaissé la peinture au profit de la sculpture. Béatrice Hastings lui déclare : « Peignez, garçon, puisque vous êtes peintre.» Elle va aussitôt le convaincre de revenir à son art pictural premier, acceptant d'être son modèle, lui faisant don

de son image et de son corps [1]. Pendant les deux années
que dure leur liaison, d'une rive à l'autre, ce n'est pas
la splendeur des tableaux inspirés par le modèle qui
alimente les ragots, mais la nature de cette idylle, qui
mérite d'avoir sa chronique journalière dans la rubrique
des faits divers. Béatrice, forte de l'expérience acquise
auprès de son premier mari lutteur, ne se laisse pas
dominer par ce mâle italien et violent, à la faveur des
multiples combinaisons d'alcool et de drogue. Dans la
limite des mandats — de plus en plus espacés — qui lui
parviennent de Londres, c'est Béatrice qui pourvoit
aux besoins du ménage. Hélas, ces derniers ne se
limitent pas à la banale quête de nourriture et du
setier quotidien. Les alcools, toujours de plus en plus
forts, et surtout les drogues [2] — pour lesquelles on
connaît l'inclination du peintre — rythment la vie de ce
couple infernal. D'orageuses, leurs disputes deviennent violentes et, lorsque des cris se font entendre, on
susurre : « V'là encore l'Anglaise qui trinque ! » Il
n'est pas rare de percevoir, à travers les cloisons, les
hurlements de la jeune femme — « A l'assassin » —, et
lorsque le concierge ou les voisins effrayés par les
plaintes tambourinent à la porte, Modigliani se ressaisit,
et de sa voix mielleuse, déclare : « Je vous donne ma

---

1. A cette époque personne ne veut de sa peinture et surtout n'ose
l'exposer. Même les modèles qui posent pour lui ne comprennent rien à son
art. L'une d'entre elles, Henriette, se sépare pour quelques sous d'un tableau
qui la représente avec un cou « comme un bec de gaz ». Une autre, blanchisseuse sans domicile fixe, détruira le portrait que Modigliani avait fait d'elle,
prétextant qu'il était trop encombrant ; Fernande Barrey, avant qu'elle ne
s'appelle Madame Foujita, a si froid durant la guerre, qu'elle brûlera sept
dessins de Modigliani pour allumer son feu.
2. Un soir, Béatrice Hastings, Modigliani et quelques amis décident
d'initier Hans Arp à la cocaïne. On se cotise. Modigliani est chargé de trouver
la drogue. La nuit passe et l'on est sans nouvelle de lui. Le lendemain, on le
retrouve hilare et drogué. Il a tout reniflé ! Zadkine le décrivait avec « sa figure
déjà ravinée par les torrentielles rasades de vin rouge et les pipes de haschich».

parole, môssieur, qu'il ne se passe rien d'extra-ordinaire. Je fends du bois dans le salon, je traîne ma maîtresse par les cheveux, cela se fait chez tous les gens du monde. » Un soir, l'Anglaise refuse d'accompagner Amedeo au bal : nouvelle dispute ; les coups pleuvent de part et d'autre. Elle finit par lui donner la raison de cette rebuffade : elle n'a pas de robe décente et refuse d'apparaître avec celle qu'on lui connaît déjà. Ou le peintre trouve une solution, ou ce dernier devra se passer de cavalière ! Modigliani décroche dans la penderie une robe noire, ouvre sa boîte de couleurs et couvre l'étoffe de fleurs et motifs géométriques. Ce soir, Béatrice sera la reine du bal et longtemps encore, on évoquera cette robe, hélas aujourd'hui disparue.

A l'époque où Montmartre résonne encore des ma-boulismes de la « trinité maudite », Montparnasse lui fait un large écho avec ceux du couple charnel et dé-moniaque constitué par Amedeo Modigliani et Béatrice Hastings. En réalité, ce n'est pas toujours « l'Anglaise qui trinque ». Elle sait rendre les coups et Fernande Barrey, première épouse de Foujita, témoigne de la frayeur qu'inspire Béatrice à Amedeo : « Seule Béa-trice faisait peur à Modigliani ! C'était une vilaine femme, mais une femme du monde. Elle se promenait en tenant au bras, en guise de sac, un petit panier à double couvercle, comme l'enfant du chocolat Me-nier. Quand Modigliani la voyait arriver à la Rotonde pour l'emmener, il se disait pris d'une vraie panique : "Cachez-moi, c'est une vache !"... » La Rotonde est le théâtre privilégié de leurs disputes. Jalouse, Béatrice fait tout pour conserver son amant. Un soir, elle en vient aux mains avec une de ses anciennes conquêtes. Libion est obligé d'expulser les deux femmes deve-nues folles. Une autre fois, Modigliani subtilise la clé de l'appartement de Béatrice, en affirmant, puisque c'est le sien, qu'elle n'a plus qu'à faire ses valises. Furibarde, Béatrice se rend à la Rotonde pour réclamer son bien. Le peintre se met à hurler qu'elle n'est « qu'une emmer... », qu'il ne la supporte plus. La discussion houleuse s'achève en pugilat où Modigliani, loin d'avoir le dessus, reçoit une sévère correction. On sépare les amants. L'Italien ne veut rien entendre, campe sur ses positions, et il faut lui subtiliser la clé de peur que la furie de la blonde au teint blême, devenue rouge de colère, ne s'abatte à nouveau sur lui. Désormais, Modigliani est à jamais chassé de la Rotonde et trouve refuge au Dôme. De son côté, « Miss Hastings », lassée des insupportables ivrogneries de Modigliani, décide de quitter Montparnasse pour s'installer à Montmartre, rue Norvins, à deux pas de l'atelier de Suzanne Valadon. Elle ne laisse, aux proches de l'Italien, aucune adresse et durant une semaine, le peintre maudit erre dans tous les bistrots de Montparnasse, à la quête de son amante et modèle, qu'il traite néanmoins de « salope » et de « sacrée Pompadour à la con ». Une indiscrétion lui fait grimper les pentes de cette Butte, qu'il avait désertée depuis près de dix ans. On s'explique, on se réconcilie, on fait des folies de son corps, on boit, on se drogue plus que de raison. Chaque soir, il fait le trajet Montparnasse-Montmartre. Souvent ivre, il n'est pas rare de voir Modigliani se promener nu dans le jardin de Béatrice, chantant à tue-tête, puis sortant déclamer des vers dans le petit cimetière de la rue Saint-Vincent. Enfin, on se dispute de nouveau, arrachant tous les papiers de la maison, Modigliani se mutilant les mains jusqu'au sang : « Lorsque j'étais soûle, moi aussi, il nous est arrivé d'avoir une bagarre épique, montant et descendant l'escalier, lui armé d'une carafe et moi d'un balai... Mais comme j'ai été heureuse dans cette petite

maison de la Butte... » Le « bonheur » est, hélas, de
courte durée. Un jour, tout dégénère. Béatrice donne
une soirée où est invitée l'élite intellectuelle et artistique. Max Jacob en fait partie. A la faveur de l'usage
des drogues, l'atmosphère devient libertine. Un
couple s'ébat sur le canapé, devant une partie de
l'assemblée, et nul ne prête attention à une nouvelle
dispute entre Amedeo et Béatrice. L'Italien a saisi sa
compagne par les cheveux et, la colère décuplant ses
forces, tente de la jeter par la fenêtre sans avoir pris le
soin de l'ouvrir. Dans un bruit fracassant de carreaux
brisés, tous les invités – à l'exception des deux amants
bien décidés à achever leur besogne – se précipitent
pour porter secours à la jeune femme, dont le corps
est en train de basculer dans le vide. C'est un miracle
qu'elle n'ait pas été blessée par les éclats de verre et
Modigliani, conscient que cette fois il est allé trop
loin, l'entoure de soins, de caresses, en marmonnant :
« Non mea culpa – non mea culpa ! » Une nouvelle
fois Béatrice pardonne mais, quelques jours plus tard,
elle finit par interdire à Modigliani l'entrée de son
appartement. L'Italien, furibard, fracasse la porte et
tente d'y mettre le feu. Dépité, soûl, toujours plus
ivre de haschich, on l'entend hurler dans la rue : « De
l'argent ! De l'argent, pour que j'aille me soûler ! »
Cette dernière incartade met un terme définitif à leur
liaison. Béatrice Hastings vient de jeter son dévolu sur
un jeune sculpteur – Alfredo Pina – et balaye de sa vie
le bel Italien devenu, à Montparnasse, indésirable,
surtout chez Marie Vassilieff, qui vient d'organiser
une fête en l'honneur de Braque, revenu du front,
blessé et avec les honneurs militaires. Béatrice et son
nouvel amant font partie de la liste des invités, et la
confrontation avec Amedeo, qui est parvenu à se glisser
au milieu des convives, est inévitable. Dès les premiers

instants, la joute est verbale, poétique, lorsque Modigliani — fidèle à ses habitudes — s'approche de l'Anglaise pour lui susurrer du Dante dans le cou, ce qui n'est pas du goût de son compatriote et rival qui exhibe aussitôt un revolver, mettant en joue le peintre. Affolement général. Apollinaire et Max Jacob s'en amusent en comptant les coups, et il faut s'y prendre à plusieurs pour expulser Modigliani, dont la fureur a décuplé les forces. Béatrice doit se résigner à éviter son ancien amant, qui n'est pas un homme que l'on quitte. Elle entame alors l'écriture d'un roman, relatant ses aventures avec Modigliani. L'ouvrage — resté à l'état de manuscrit aujourd'hui disparu — s'intitule *Minnie Pinnikin*, et Apollinaire, dans le cadre du salon d'Antin, en fait une lecture le 21 juillet 1916, en même temps que les premières pages du *Christ à Montparnasse* de Max Jacob. Une semaine plus tard, André Salmon en fait de même. Aucun éditeur ne semble intéressé par la publication du livre. On perd alors la trace de la fantasque Anglaise, à qui l'on doit d'avoir su révéler le génie de Modigliani, à l'époque où ils échangeaient autant de coups que de caresses. Dans les terrasses des cafés de Montparnasse, où l'on s'étonne de cette disparition, on dit qu'elle est retournée à Londres, qu'elle se trouverait en Suisse, ou peut-être dans le sud de la France.

Cinq ans plus tard, alors que son ancienne compagne, Katherine Mansfield, se meurt à Avon et que Modigliani [1] s'est éteint dans des conditions tragiques, Béatrice Hastings refait surface, en même temps que le manuscrit. Les précieuses pages se trouvent dans les

---

1. Sortant de la Rotonde, ne sachant où dormir, il passe la nuit sur un banc et sous une pluie glaciale. Quelques jours plus tard, il meurt à l'hôpital de la Charité, dans le même lit où Alfred Jarry avait poussé son dernier soupir. On diagnostique une méningite tuberculeuse. En apprenant sa mort, Jeanne Hébuterne, sa compagne dont la grossesse arrive à terme, se jette par la fenêtre.

mains d'un jeune poète de vingt ans, bien introduit
dans les cercles les plus influents de la vie littéraire
parisienne. Elle lui écrit : « Voici les pages. Vous
pourrez les garder quelque temps. Ce n'est que le
brouillon et je n'ai pas eu le temps de beaucoup
corriger. Si vous croyez pouvoir mieux faire que moi,
je vous céderai mes droits d'auteurs. » Rencontrée
quelques jours auparavant chez le sculpteur Brancusi,
la terrible et vampirique Béatrice Hastings vient de
frapper avec l'aiguillon de la chair les « Joues en feu »
du tendre Raymond Radiguet, dont elle ambitionne de
sucer la jeunesse et aspirer le talent. Une nouvelle
fois, rien n'est simple. Raymond Radiguet, présenté
par Max Jacob à Cocteau, n'a que vingt ans et Béatrice
est de plus de cinq ans l'aînée de sa mère. Cette
liaison va durer près de deux ans, durant lesquels Jean
Cocteau, épris de Raymond, s'emploiera à briser
l'idylle entre les deux amants, persécutant l'un et
l'autre. A cette époque, Radiguet apporte les dernières touches à son futur chef-d'œuvre, le *Diable au
corps*. Lui aussi épris de boisson, de drogue et surtout
de conquêtes féminines, cherche à fuir l'omniprésence
de Cocteau − l'amant jaloux − en prenant Béatrice
pour maîtresse. Les multiples correspondances, les
désespoirs de Béatrice qui dépeignent Raymond
comme un être cruel et auquel elle pardonne d'être
« un peu mufle », laissent entendre que Béatrice
Hastings, malgré son harcèlement épistolaire, sa
fougue, sa folie parfois démoniaque, est loin d'avoir
enfermé Radiguet dans une prison affective comme un
adolescent dans un pensionnat. Au contraire, il semblerait que le jeune poète soit maître du jeu et fasse
souffrir l'Anglaise : « Quand tu m'auras bien tuée je
vais me faire religieuse. Je meurs de ne pas te voir. Je
m'impatiente pour le coup de grâce. » Ce coup de

grâce ne tardera plus. Béatrice apprend la liaison de Raymond avec une autre Anglaise — bien plus jeune qu'elle, et présentant l'avantage d'appartenir à la grande société —, Mary Beerbohm. Elle tente, en vain, un rapprochement auprès de Jean Cocteau, enfin débarrassé de cette dangereuse concurrente. Elle enrage, envisage de gifler cette rivale et finit, désabusée, par se retirer de ce jeu dont elle n'a pas les meilleures cartes : « Amuse-toi bien avec ta Juive aux jambes de Vénus et fous-moi la paix dans mon quartier. La prochaine fois je pourrais être d'humeur d'éléphant. Je te rends la justice d'admettre que tu avais l'air de vouloir vomir. Il y avait de quoi. » Demeure le problème du manuscrit que Raymond Radiguet a confié à Joseph Kessel pour le compte des éditions Gallimard. Béatrice Hastings, vénéneuse, court le Tout-Paris en quête de sa mauvaise prose. Elle vomit sa haine, menace d'écrire un nouveau roman dont Raymond aurait le rôle le plus ignoble. Elle est prête à remuer ciel et terre, harcèle le clan Cocteau et Kessel, qui écrit à Radiguet : « Je m'excuse de venir vous troubler pour une ridicule histoire, mais je suis malheureusement obligé de le faire. Béatrice Hastings, dont vous m'avez remis l'inepte manuscrit, me le réclame en me menaçant au cas où je ne lui rendrais pas, d'un procès. Cela, comme vous le pensez bien, ne m'effraie pas, mais il vaut mieux éviter de remuer les folies que cette aliénée sera capable de dire. [...] Pardon de raviver votre peine à l'occasion de ces ragots de démente et croyez, cher monsieur, à mon respectueux dévouement [1]. »

Les frasques, démences et inepties de Béatrice Hastings, sont alors sur toutes les lèvres des « Mont-

---

1. Source : Monique Nemer, *Raymond Radiguet*, Fayard, 2002.

parnos », bientôt éclipsées par la terrible nouvelle. Raymond Radiguet vient d'être « fusillé par les soldats de Dieu », emporté par la fièvre typhoïde, en pleine gloire. Emily-Alice Haigh, alias Béatrice Hastings, lui survivra vingt ans. Elle quitte à jamais Montparnasse pour l'Angleterre, errant dans une existence trouble, n'entretenant que des relations homosexuelles. Toujours adepte des sciences occultes et de la théosophie, c'est vers le fascisme qu'elle se tourne. Elle se suicidera, au gaz, en 1943. Sa dernière compagne sera une souris blanche.

Chaïm Soutine, l'écorché de la Berezina

On ne connaît pas avec précision la date de naissance de Chaïm Soutine. Dixième d'une famille de onze enfants, il voit le jour au cours de l'année 1893, dans le petit village lituanien de Smilovitchi, près de Minsk, non loin des rives de la Berezina. Durant sa terrible enfance, le jeune Chaïm — dont le prénom signifie « vie » en hébreu — connaît la misère dans le ghetto juif de cette bourgade de quatre cents âmes. Cette famille nombreuse vit entassée dans une seule pièce d'une saleté repoussante. Elle ne se nourrit que de harengs et de pain noir, et c'est à l'âge de quinze ans que Chaïm peut enfin goûter au pain blanc. Le père, ravaudeur, est un homme violent qui le destine au métier de cordonnier, et n'accepte pas que cet enfant instable, irascible, ait une scandaleuse attirance pour le dessin, lui administrant de violentes corrections lorsqu'il le surprend à griffonner sur les murs du village avec des morceaux de bois calcinés. Durant sa petite enfance, Chaïm est torturé par la faim, la vermine, battu et humilié par tous les membres de sa famille. Il en gardera les stigmates. Le caractère agressif et haïssable de son comportement, témoignera de la souffrance d'un être mal aimé. A sept ans, il est enfermé dans une cave durant deux jours pour avoir osé troquer des ustensiles de cuisine contre des crayons de couleur. Souffrant d'une effrayante tristesse et d'énormes complexes, on le traite d'« enfant manqué ». Traumatisé par des sacrifices de coqs, il fait de nombreuses fugues, en allant se réfugier dans l'immense et terrifiante forêt autour du village, dont il revient encore plus paniqué. A seize ans, parce qu'il a voulu faire le portrait du rabbin — acte interdit selon la loi hébraïque qui proscrit toute représentation humaine —, la famille de ce dernier l'enferme dans la chambre froide du boucher, et lui fait subir de longues séances de punitions corporelles qui s'achèvent par un séjour à l'hôpital et un dédommagement financier, de peur que ne s'ébruite la nouvelle de cet acte de torture. Avec cette somme — vingt-cinq roubles — son père accepte de laisser partir ce fils indigne. Il a enfin conscience de son talent, et l'envoie à Minsk pour prendre des cours de dessin. Pour un juif, dans la Russie tsariste, il est interdit de voyager ou de séjourner à Saint-Pétersbourg comme à Moscou sans un permis spécifique, c'est pourquoi il est contraint de rester dans cette ville lituanienne. Travaillant comme retoucheur dans un laboratoire photographique, vivant souvent de charité, se nourrissant de pain et de concombre salé, il échoue à l'examen de l'Académie des beaux-arts de Vilna, pour avoir commis une erreur de perspective. Très affecté, il se jette aux pieds de son professeur, en le suppliant de recommencer l'épreuve. Cette faveur — à force de gémissements et supplications — lui est accordée et on l'enferme dans la salle d'examen. Il est admis, mais cet enseignement aux schémas trop stéréotypés ne lui convient pas et entretient encore plus son sentiment de frustration, ne lui permettant pas d'exprimer son besoin de liberté, de fantaisie et d'éruption chromatique. C'est aux Beaux-Arts qu'il fait la connaissance de Michel Kikoïne et de Pinkus Krémègne, qui deviennent ses amis et ne cessent de lui vanter les mérites de Paris, la « ville lumière », seul endroit au monde où l'art peut se manifester sans contrainte. Krémègne, dont on dira plus tard qu'il est le « Soutine du pauvre », n'a pas connu les mêmes affres durant son enfance. Il a bénéficié de l'indulgence de ses parents qui lui ont accordé, en sus d'une aide financière, le droit d'étudier les Beaux-Arts à Vilna. La complicité qui lie Krémègne et Soutine se poursuit jusque dans les soirées enivrées, qui les conduisent dans les quartiers louches de Vilna. On pense qu'à cette période de sa vie, Soutine contracte cette syphilis qui le fera tant souffrir durant toute son existence, alors qu'en parallèle les effets d'un ulcère d'estomac, lié à la malnutrition, commencent à se faire sentir.

En 1912, Kikoïne est le premier à tenter l'expérience d'aller à Paris, et appelle ses camarades à le rejoindre. Krémègne le suit et traverse en fraude la frontière entre l'Allemagne et la Russie, s'attachant les services d'un passeur, restant enfermé dans la cave d'une maison allemande durant deux longues journées, en compagnie d'autres fugitifs, dont la destination est l'Amérique. Krémègne s'en souvient : « Le voyage en train à travers l'Allemagne, en quatrième classe, fut interminable. J'arrivai à Paris, ma future adresse écrite sur un bout de papier. Ce que Paris est immense quand on ne connaît que des petites villes et des villages ! Après beaucoup d'aventures, les trains,

le métro, je réussis à atteindre ma nouvelle patrie : la
Ruche, cette grande fourmilière russe du passage
Dantzig [1]. » Soutine décide à son tour de tenter sa
chance. Grâce à la générosité d'un médecin, dont
Soutine a un temps courtisé la fille, le jeune artiste, à
peine âgé de vingt ans – inculte, ne parlant pas un mot
de français –, entreprend le rude et périlleux voyage
vers la capitale de l'art moderne, avec dans sa poche le
morceau de papier sur lequel se trouve griffonnée
l'adresse de ses amis.

L'arrivée à Paris de Soutine [2], le 14 juillet 1913, fait
l'objet de nombreuses versions. Il semblerait que son
ami Michel Kikoïne soit venu le chercher à la gare et
que tous deux, émerveillés, aient assisté aux festivités
et à une représentation gratuite, à l'Opéra, d'*Aïda*. A
la fin de la journée, Soutine se serait écrié que dans
une ville pareille, s'il ne faisait pas fortune, c'est qu'il
n'avait aucun talent. Dans ces premières et terribles
années, jamais à l'abri de la faim et du froid, c'est la
misère la plus sombre qui l'attend, encore plus effroyable que celle naguère vécue dans son ghetto de
Smilovitchi. La vie à Paris – pour de jeunes artistes
russes – est difficile. Peignant le jour, Krémègne
travaille la nuit dans les abattoirs de Vaugirard. De son
côté, aux premières lueurs de l'aube, Soutine décharge la marée sur les quais de la gare Montparnasse,
entassant des cagettes de poissons dans les fourgons. On
lui connaît des emplois précaires chez Renault, dont il
sera renvoyé à cause de sa maladresse, et dans une

---

1. Jean-Paul Crespelle, *Montparnasse Vivant*, Hachette, 1962.
2. Qui est aussi imprécise que sa date de naissance, puisque nombreux la
situent en 1912, soit un an plus tôt. Selon la version de Krémègne, Soutine
aurait frappé à sa porte à deux heures du matin ; il n'était pas prévenu de son
arrivée. La légende raconte que ce serait accroché sous un train qu'il aurait fait
le voyage jusqu'à Paris.

usine, qu'il quitte aussitôt à cause d'une vilaine blessure à la jambe contractée lors de sa première journée de travail. Lorsqu'il peint, on le voit partir, avec sa mine d'enfant battu, son chapeau baissé sur ses yeux et une toile achetée au marché aux puces, qu'il installe sur un chevalet. Les gamins qui jouent sur les terrains vagues viennent se moquer – comme ils en font de même à Montmartre avec Utrillo – de ce peintre aux airs de vagabond, perdu dans ses contemplations silencieuses. Jusqu'en 1919, il ne peint que des natures mortes et des paysages qui expriment, dans un tourbillon de formes, l'expression d'un homme tourmenté. Il est impossible de déterminer l'ampleur de la production de Soutine avant-guerre car – ne supportant pas la moindre critique – il détruit ses toiles, les lacère à coups de couteau, les découpe en morceaux. Ainsi, de ces années de jeunesse, ne connaît-on à travers le monde qu'à peine une quinzaine de toiles. Cette constante de destruction perdurera jusqu'à la mort du peintre, si bien que son futur marchand, Zborowski, sera dans l'obligation de lui voler certaines toiles pour tenter de les préserver [1]. Et pourtant Soutine, qui s'étonne de la valeur de ses toiles, est certain d'être le plus grand peintre de son époque : « Meilleur que Modigliani, Chagall et Krémègne. Un jour je détruirai mes toiles, mais eux sont trop lâches pour le faire [2]. »

Hormis Krémègne et Kikoïne, Soutine a peu d'amis. Tous savent qu'il ne convient pas d'émettre la

---

1. Certains galeristes iront jusqu'à placer ses toiles en hauteur sur leurs murs, et surtout à ne jamais le laisser seul, par peur qu'il n'arrache et détruise son ancienne production. Une fois parvenu à la célébrité, Soutine tentera de localiser certaines de ses peintures pour les racheter et les détruire.
2. Modigliani était aussi coutumier de l'abandon de toiles qu'il rechignait à transporter de chambre en chambre. Lorsqu'il estimait ne pas atteindre la perfection, il les brûlait : « Ce n'est pas ça ! C'est encore du Picasso, mais raté. Picasso enverrait un coup de pied à cette monstruosité… »

moindre critique envers ce Lituanien devenu caractériel. On l'évite. Il est si pauvre, qu'il est parfois nu
sous son manteau rapiécé. On le voit faire les cent pas
devant la Rotonde, dans l'attente de rencontrer une
âme assez charitable pour lui payer son seul repas de la
journée, un café crème. Ainsi, il reste de longues
heures, attablé à la terrasse, les yeux mi-clos et le
masque de la misère devant sa tasse vide, dans l'espoir
de trouver quelqu'un qui puisse lui prêter l'argent
pour une nouvelle consommation. Lorsqu'on l'invite à
manger, il faut se dépêcher de se servir avant qu'il
n'ingurgite tout, à cause des effets du ténia dont il
prétend souffrir. Roublard, lorsqu'il donne une toile
en l'échange d'un repas, il vient la reprendre pour la
vendre à quelqu'un d'autre. Mais ce qui conduit
Soutine à être honni par ses compagnons de bohème,
c'est sa saleté repoussante. Il vit dans un tel état de
crasse et de dénuement, qu'il entretient dans ses
ateliers toute l'immense batterie des parasites humains. Lorsqu'il va vivre à la cité Falguière avec
Modigliani, qui deviendra son ami, une colonie de
punaises va élire domicile dans leur chambre. Les
deux hommes en sont réduits, couchés sur le sol, à
creuser dans le plancher une tranchée qu'ils remplis-
sent d'eau, afin que les horribles insectes ne passent
pas ce qu'ils espèrent être un infranchissable Rubicon.
Peine perdue. La nuit, les volatiles s'élancent du
plafond pour les couvrir de piqûres. Un jour, un de
ces insectes malfaisant s'introduit dans l'oreille de
Soutine durant son sommeil. Croyant s'en débarrasser
en le noyant, il verse de l'eau dans son conduit auditif.
Il s'avère que le remède, bien pire que le mal, n'a
pour effet que de le rendre fou, en proie à d'atroces
douleurs. Il faut l'emmener chez un médecin qui parvient, après de longues heures de souffrance, à lui

extraire la punaise [1]. Grâce à Foujita, qui lui apprend l'usage de la brosse à dents, son aspect devient moins repoussant et, avec son nouveau sourire, il s'attache les faveurs des quelques prostituées qui jusqu'alors le repoussaient : « Jamais Soutine n'avait brossé ses dents depuis sa naissance. J'ai donné brosse et dentifrice. Ses dents sont devenues blanches et brillantes. Soutine était si content qu'il s'est placé toute la journée devant le miroir pour admirer ses dents de fauve tandis que Modigliani est resté là toute la journée à regarder Soutine se contempler [2]. »

Si l'on évite, à cette époque, de fréquenter Soutine, c'est à cause de l'étrangeté de sa production. Le Lituanien s'est lancé dans la représentation de natures mortes. Un jour, Kiki de Montparnasse frappe à sa porte, chargée d'un frugal repas composé de pain et de harengs, qui sont ses mets préférés. Lorsqu'elle entre dans son atelier, envahi par les mouches, elle est saisie par une odeur si repoussante qu'elle est obligée de fuir. Sur la table se trouvent disposés des cadavres de canards dans un état avancé de décomposition. Ils y sont depuis de nombreux jours parce que Soutine − qui peint avec une extrême lenteur − n'a pas les moyens de les remplacer. L'épisode du *Bœuf écorché* − qui est aussi célèbre que le tableau de Rembrandt qui porte ce nom − mérite d'être rappelé. Soutine, qui fréquente le Louvre, est fasciné par la toile du maître hollandais, représentant la carcasse d'un bœuf suspen-

---

1. Amplifiant cette anecdote, quelques contemporains de Soutine déclaraient qu'en réalité, une colonie de punaises avait élu domicile dans l'oreille du peintre.

2. André Salmon, *Modigliani − Le roman de Montparnasse*. Cet épisode a eu lieu lors du séjour des trois peintres à Cagnes-sur-Mer en 1917. Depuis ce temps, Soutine garda l'habitude de se laver les dents en permanence et, lorsqu'il devint assez riche pour occuper une maison avec une salle de bains équipée d'eau chaude, il refusa d'y entrer par peur du chauffe-eau.

due à deux crochets dans un abattoir. Il imagine de
s'en inspirer et – en 1925 – dans l'atelier qu'il occupe
alors rue du Saint-Gothard, il transporte une énorme
carcasse de bœuf provenant des abattoirs de la
Villette. Il commence à la peindre alors que, peu à
peu, l'animal se décompose et que de grosses mouches, attirées par l'odeur pestilentielle, s'accrochent
en permanence au cadavre. Soutine finit par
s'accommoder de la puanteur et de la présence des
mouches. Au bout de plusieurs jours, il règne une
telle infection, que les voisins portent plainte en
alertant les services d'hygiène. Lorsqu'ils se présen-
tent, Soutine est pris de frayeur, comme naguère
lorsque la police humiliait les juifs dans son pays. Le
peintre ne cesse de protester, arguant que sa toile est
loin d'être terminée et qu'il lui reste encore une
semaine de travail. On finit par trouver un compromis, en acceptant que les employés municipaux injec-
tent, à l'aide de seringues plantées en divers points de
la carcasse, une solution à base d'ammoniaque, dans
l'espoir de la conserver le plus longtemps possible.
Hélas, sous l'effet du produit, cette dernière finit par
virer de couleur et devenir aussi rude que la pierre.
Soutine et sa compagne – Paulette Jourdain – sont
alors contraints, tous les soirs, de se rendre aux
abattoirs pour quémander du sang dans des pots de
lait, faisant croire qu'il est destiné à un grand malade.
De retour dans l'atelier, ils arrosent la bête afin de lui
redonner un semblant d'éclat. Désormais, Soutine
renouvelle cette opération pour chacune des toiles
représentant des cadavres d'animaux, ce qui lui permet de peindre sans s'attirer les foudres du voisinage.
Une fois la toile achevée, il enterre les carcasses de
poules, dindons, canards dans la cour et cette fois, ce
sont les chiens des alentours, attirés par l'odeur, qui

finissent par les exhumer et que l'on retrouve empoisonnés, ayant ingéré le produit mortel.

*

* *

A la fin du mois de décembre 1922, un événement singulier va changer les destinées de certains artistes bohèmes de Montparnasse : la venue d'un milliardaire américain, qui entreprend de créer une fondation à Philadelphie à la gloire de l'art moderne. Ayant bâti un empire, à la tête d'une immense fortune grâce à la commercialisation d'un antiseptique pour voies buccales, Albert Coombs Barnes est déjà venu à Paris en 1912 et a acquis, avec l'aide de William Glackens, un camarade de classe et peintre américain de renom, le *Postier* de Van Gogh, la *Femme avec cigarette* de Picasso, des œuvres de Renoir, Cézanne, Matisse, ainsi que l'intégralité de la collection de Leo Stein. Autodidacte, ne se laissant influencer par aucun marchand ni expert, en 1922, il dispose de cent toiles de Renoir et cinquante de Cézanne. Il s'emploie à construire une fondation à la vocation éducative et, dans sa démesure, commande neuf cents tonnes de calcaire français, faisant ériger une demeure aux allures de château Louis XIII, dans la banlieue de Philadelphie. Lassé par les critiques d'une presse raciste, antisémite et hermétique à cette nouvelle forme d'art venue de l'étranger, Albert C. Barnes, qui a grandi dans les quartiers populaires au sein de la communauté noire, décide que sa collection sera interdite aux Blancs, juste accessible aux étudiants et aux Noirs. La France n'est pas avare de critiques. Louis Vauxcelles, dans l'*Ere Nouvelle,* vocifère contre les choix douteux du collectionneur qui se portent sur cette « cohorte de jeunes indésirables, ignares et turbulents, qui, ayant colonisé le quartier de la Grande Chaumière, tiennent leurs assises dans un café fameux dit la Rotonde [1] ».

Lorsqu'il séjourne à Paris — comme c'est le cas en cette fin d'année 1922 —, Barnes fait l'objet d'une traque. La revue *Montparnasse* en fait ses gros titres, et certains marchands ou peintres n'hésitent pas à passer la nuit dans le couloir devant sa chambre d'hôtel, pour être certains d'être reçus. Très capricieux, et doté d'une remarquable intuition en matière d'art, il fait venir certains peintres au milieu de la nuit pour voir leurs œuvres. Se rendant dans la galerie de son intermédiaire, le marchand d'art Paul Guillaume [2], en plein réveillon du nouvel an, Barnes découvre avec stupéfaction, dans un amas de tableaux, la toile aux formes tordues d'un artiste alors méconnu, Chaïm Soutine. Il s'agit du *Petit Pâtissier*, peint quelques années plus tôt alors que le peintre se trouvait à Céret, dans les Pyrénées-Orientales, reclus par son marchand Léopold Zborowski. Paul Guillaume, qui recherchait des toiles de Modigliani, dont la cote était alors au plus bas, déçu de ne pas en avoir trouvé, s'était rabattu sur cette représentation d'un jeune pâtissier, assis sur une chaise, et dont les oreilles — gigantesques — semblaient se détacher de sa tête difforme. Celle-ci avait été peinte à l'époque où Zborowski s'occupait de Modigliani, Foujita et Soutine qu'il prenait pour un fou. Lorsque Zborowski — qui versait une rente mensuelle à l'artiste — se rendit à Céret pour juger de l'avancement de son travail, il découvrit dans un galetas dont les fenêtres n'avaient pas été ouvertes depuis des

---

1. Article du 26 novembre 1923.
2. Qui avait commencé sa vie professionnelle comme marchand de pneus. Dans la revue *Montparnasse*, en juillet 1923, Paul Guillaume était présenté comme « l'astucieux cornac de ce mammouth doré ».

mois, entassées les unes sur les autres, trois cents toiles qui le firent aussitôt hurler parce que les paysages et les visages avaient été déformés, comme s'ils avaient été secoués par un gigantesque cataclysme. Il décida — fou de rage — de les emporter à Paris pour tenter de les vendre et de récupérer, ce qui à ses yeux était sans espoir, une partie de sa mise. Soutine, profitant d'une absence de Zborowski, fidèle à ses habitudes, ne supportant pas la moindre critique, commença à les découper et les brûler. De retour, le marchand dut en venir aux mains pour sauver à peine une cinquantaine de pièces [1], dont ce *Petit Pâtissier,* dépourvues de châssis et d'encadrement et qui furent glissées sous un lit. Zborowski, qui avait montré les toiles à Krémègne, les avaient entassées à même le sol en lui confessant, l'air consterné : « Qu'est-ce que je vais bien pouvoir foutre avec tout ça ? » Le milliardaire américain, que la peinture de Modigliani insupporte, s'emballe, exige de rencontrer sur-le-champ le marchand de ce Soutine à la peinture si apocalyptique et, comme Paul Guillaume s'en étonne, lui déclare : « Parce que Soutine est un génie et que je veux tout acheter ! »

Au petit matin, consigne est donnée de ne surtout pas prévenir le peintre, et l'on se rend chez Zborowski, qui a passé une très mauvaise nuit. On vient, l'avant-veille, de lui couper le gaz et, grâce à la générosité de son voisin [2], il l'a fait in extremis rétablir afin d'avoir un peu d'éclairage pour cette visite annoncée. Hirsute, Zborowski reçoit ce visiteur de marque sans la moindre conviction, lui faisant défiler — ce qui semble être une offense — des Modigliani dont le collectionneur n'a que faire. Le peintre italien lui

---

1. Une exposition de celles qui purent êtres sauvées du massacre, eut lieu au Musée d'art moderne de Céret, en 2001.
2. Le romancier Michel Georges-Michel, auteur des *Montparnos.*

coûte alors vingt francs par jour et s'il le garde c'est parce que toujours soûl, il en devient brutal et il en a peur. Enfin, il lui présente une toile de Soutine qu'il dépose sur le sol. Barnes et Paul Guillaume se lèvent, tournent autour et l'on commence à marchander. Combien? Si Zborowski en surestime la valeur, il sait qu'il fâchera l'Américain à la réputation colérique. Un prix trop bas serait ridicule pour un tel acheteur. Dans son coin, Guillaume, qui entrevoit une juteuse commission, se frotte les mains et prend l'initiative de mener l'affaire. Zborowski ne dit rien, mais il commence à s'affoler. Il en présente d'autres, jusqu'à la toile que Paulette, sa secrétaire, a accrochée sur le mur de sa chambre. Barnes est béat d'admiration, mais exige toujours de voir Soutine. De peur que ce dernier ne gâche une vente qui s'annonce mirifique, on lui dit que c'est impossible, qu'à cette heure il dort car il travaille la nuit, et qu'il n'ouvrirait pas sa porte. En un tournemain, l'affaire est faite pour une somme, à l'époque, considérable. Barnes achète l'intégralité de la production de Soutine détenue par Zborowski. En quelques instants, le peintre vient de vendre bien plus de tableaux qu'en toute une vie. C'est la plus célèbre razzia jamais opérée à Montparnasse. Elle va, avant tout, profiter à Zborowski. Barnes s'accroche toujours à l'idée de rencontrer Soutine. Zborowski s'en inquiète et exige d'être payé avant une éventuelle entrevue qui s'annonce risquée. En effet, comment pourrait réagir le milliardaire à la vue de cet homme si caractériel, à l'allure de clochard, qui n'a jamais connu que la faim et la misère et qui, en réalité, se moque d'une telle admiration? On pourrait craindre que lors d'un de ses fréquents accès de colère, il déchire ses toiles sous les yeux de l'Américain. Le surlendemain, Zborowski frappe à la porte de Soutine, anxieux de lui expliquer comment un tel miracle a pu se produire. Le peintre est furieux. En s'habillant, il peste contre son marchand, l'accusant de s'être fait avoir par un pseudo-millionnaire, et jure qu'il lui en faudra plus pour être impressionné. Zborowski parvient à le traîner jusqu'à la rue Joseph Bara, lieu du rendez-vous. La conversation entre les deux hommes se borne à des paroles sans importance et le peintre – au grand étonnement de Barnes qui déclare : « Ah, c'est Soutine. Bon ! » – demeure dans un profond mutisme, n'esquissant jamais le moindre sourire, et encore moins un remerciement. A la fin de l'entrevue, qui aura duré à peine quelques minutes, Soutine tourne les talons et marmonne : « Quel rustre. Je ne me pardonnerai jamais d'avoir été assez idiot pour me déranger ! »

Déjà, la nouvelle s'est propagée hors des frontières du Dôme et de la Rotonde. Soutine passe – contre son gré – du statut de miséreux à un vedettariat que, dans le milieu artistique, on lui conteste déjà. A la nouvelle que « les invendables de Céret » ont été cédés pour une somme mirobolante à ce milliardaire, certains s'insurgent au nom de ceux qui ont été évincés, et n'ont pu avoir leur part du gâteau : « Ce pauvre M. Barnes, à peine arrivé dans nos parages, a été attaqué et bouffé jusqu'à l'os par quelques-uns de ces féroces combinards, spéculateurs camouflés en esthètes, qui, dans Montparnasse et dans tous les autres milieux, forcément un peu confus, où l'on fait de l'art très avancé, opèrent à la façon d'un troupeau de squales dans la mer des sargasses. Avec autant de ruse et d'acharnement, ils se sont disputé cette proie succulente [1]. »

Après deux semaines de fièvre, le docteur Barnes, de retour dans son pays, a ramené dans ses malles une

---

1. Article dans *Montparnasse*, le 1ᵉʳ juillet 1923.

impressionnante collection d'art nègre, des toiles de
Soutine, Utrillo, Kisling, Pascin, Derain et quelques
Modigliani. Désormais, après avoir mangé de la vache
enragée, Zborowski peut enfin mener grand train et
flamber avec désinvolture les dollars de l'Américain,
qui en appelleront d'autres avant que tout ne
s'effondre après la crise de 1929. Il est loin le temps
où ce dernier, entrant dans la Rotonde avec au bout de
sa laisse son petit chien, était tombé sur un Soutine
affamé, qui le suppliait de lui prêter un peu d'argent
en l'échange d'un tableau. Il l'avait alors éconduit
avec méchanceté et, après s'être assis à une table,
avait commandé un sandwich au jambon pour son
chien. Il y a peu de temps encore, Krémègne, entrant
à la Ruche, avait trouvé Soutine, dans son atelier, se
balançant au bout d'une corde. Il l'avait sauvé in
extremis. De son côté, Soutine a disparu des terrasses
des cafés devant lesquelles il faisait l'aumône. Il est
parti durant un mois dans le Midi pour se soûler.
Lorsqu'il réapparaît, il semble avoir changé. Il s'installe à une table, taciturne, et se plonge dans la lecture
de Dostoïevski.

A présent, les toiles de Soutine, qui naguère ne va-
laient rien, peuvent atteindre jusqu'à dix mille francs.
Cette cote est d'autant plus importante, que le peintre
continue à détruire la majeure partie de sa production.
Vient alors le temps de l'opulence. Il fréquente toujours ses amis du carrefour Vavin et ne rechigne
jamais, du moins au début, ni à payer à boire ni à offrir
des sandwichs. Mais bientôt, Soutine, qui a toujours
acheté ses hardes chez des fripiers qui tiraient leurs
charrettes à bras, poussant un appel que personne
n'entendait, et confectionné ses chemises avec de
vieux caleçons, se rend chez les plus grands tailleurs
dans une voiture conduite par un chauffeur, achète des

chemises et des cravates en soie, exige des tissus [1] d'un bleu particulier, soigne son image. Lorsqu'il est à Cagnes-sur-Mer, il fait venir de Nice une manucure. Craignant de perdre ses cheveux, il s'attache les services d'une guérisseuse, ancienne bonne sœur défroquée, chez qui il passe de longues heures et qui lui délivre des recettes secrètes, lui conseillant de placer en permanence dans son chapeau, une omelette afin de nourrir le cuir chevelu.

Depuis que Soutine fréquente le grand monde, il ne répond plus aux sollicitations de ses anciens amis qui demeurent dans la mouise, feint de les ignorer ou, plus grave, de ne pas les reconnaître. Il vient d'acheter une voiture et − comme il ne sait pas conduire − loue les services d'un chauffeur qui le suit le long des trottoirs, avec la voiture tournant au ralenti. Lorsqu'on l'interroge sur sa richesse, il prétend ne rien détenir, qu'en réalité tout appartient à Zborowski, qui de son côté a déjà tout dépensé. Soutine se montre de moins en moins généreux, car il a peur de manquer. Il est traumatisé à l'idée de la moindre dépense et cache sa fortune dans une casserole au fond d'une armoire, dans du linge sale ou sous l'évier. Quand il invite un peintre au restaurant, il ne s'y rend pas et il éconduit ceux qui viennent lui demander ne serait-ce qu'un conseil. Une brouille éclate avec Krémègne, son compagnon de bohème, venu le trouver car il a eu des nouvelles alarmantes d'un vieux tailleur juif qui les avaient tous deux hébergés et nourris lors de leur arrivée à Montparnasse. Le vieil homme, tuberculeux, a dû arrêter de travailler et se trouve sans ressources, menacé d'expulsion. Krémègne, pour le sauver, vient de vendre une de ses toiles, et supplie Soutine d'en

---

1. Costumes que l'on retrouvera souvent maculés de peinture.

faire autant. Ce dernier lui répond qu'il réfléchira et
referme sa porte. En réalité, il ne donnera rien et, à
présent, lorsqu'on parle à Krémègne de son compatriote, il déclare : « Soutine ? Connais pas... » Plus
grave encore : on entend Soutine afficher du mépris
pour le seul qui a su comprendre la profondeur de sa
peinture et qui l'a soutenu quand personne n'en
voulait : Modigliani, qu'il accuse de l'avoir poussé à
boire.

Lorsque Zborowski [1], tuberculeux, meurt en 1932,
un couple de mécènes, les Castaing, s'occupe de
Soutine qui ne manque plus de rien. Il est riche. Dans
sa poche, il conserve, roulés en boule, plus de huit
cent mille francs de billets et de chèques qu'il oublie
d'encaisser. Toujours aussi sauvage, il vit reclus loin
de Paris, et évite de fréquenter les peintres de
Montparnasse. Il peint les paysages torturés qui l'ont
rendu célèbre et quelques portraits. On ne lui connaît
qu'un seul nu. Quelques compagnes agrémentent son
existence. Une jeune Polonaise, Deborah Melnick, qui
réclame de porter l'enfant d'un génie pourvu qu'il soit
juif, jette son dévolu sur Krémègne, lequel jeune
marié ne souhaite pas s'embarquer dans une telle
aventure. Malgré sa brouille avec Soutine, il conseille
à la jeune femme de porter son choix sur le peintre
lituanien en pleine gloire. De leur union naît une fille
prénommé Aimée, que Soutine refusera toujours de
reconnaître. Ce dernier, qui a toujours renié sa famille, abandonne Aimée – « l'enfant du génie » – qui
plus tard vivra de manière misérable, en faisant des
ménages. En 1937, une jeune Allemande qui a fui son
pays, Gerda Groth, partage son existence. D'un

---

1. Ruiné, il laissera près d'un million de francs de dettes et ses amis se
cotiseront pour lui assurer des funérailles décentes.

naturel jaloux, il la séquestre et minute le temps qu'elle passe, sans lui, dans les cafés de Montparnasse. Tout le monde la surnomme « mademoiselle Garde », en souvenir des nuits où elle gardait Soutine, malade, qui souffre de terribles maux d'estomac. Lorsque la guerre éclate, Gerda, juive et réfugiée politique, est internée dans un camp en zone libre. Il tente de la faire libérer mais, lorsque Madeleine Castaing y parvient, Soutine est déjà loin de Paris dans les bras d'une autre femme, Marie-Berthe Aurenche, seconde épouse de Max Ernst. Classé comme juif et apatride, recherché par la police de Vichy, il se promène dans Montparnasse, son chapeau enfoncé sur les yeux de peur qu'on ne le reconnaisse. Vient le temps où, avec sa nouvelle compagne, il est obligé de se cacher. Dénoncé par une concierge [1], à présent recherché par la Gestapo, Soutine fuit la capitale de crainte d'être, à son tour, déporté comme les quatre-vingt-six artistes juifs de Montparnasse qui partiront pour les camps de la mort. Alors qu'il en a l'occasion, il refuse de s'exiler en Amérique, prétextant qu'il n'a pas d'argent, ce qui est faux. Son estomac le fait de plus en plus souffrir et il a maigri, car il ne se nourrit plus que de potages. Il a toujours faim et les privations durant la période de l'Occupation aggravent son état. Un médecin, incompétent, lui conseille de boire plusieurs litres d'eau gazeuse par jour. Soutine est devenu méconnaissable.

A la fin du mois de juillet 1943, il est victime d'une perforation d'estomac alors qu'il se trouve en Touraine. Marie-Berthe Aurenche, au lieu de le faire opérer sur place, exige le concours des meilleurs

---

1. En 1918, c'est un peintre français qui l'avait dénoncé pour avoir tenu des propos antifrançais.

spécialistes de la capitale. On le transporte dans un
corbillard pour ne pas éveiller l'attention. Hélas, au
lieu de faire au plus vite, il est décidé de se rendre en
de multiples lieux pour récupérer ses toiles. Pendant
ce temps, Soutine, exsangue et qui commet l'erreur
de boire sans cesse de l'eau, se meurt dans d'atroces
souffrances. Lorsqu'il est enfin placé sur la table
d'opération d'une clinique de Passy, après quatre
jours d'un affreux périple, il est trop tard. Chaïm
Soutine meurt le 8 août 1943. Il repose dans une
concession appartenant à la famille Aurenche. Seuls
Picasso, Cocteau, André Marchand et Max Jacob
assistent aux obsèques. Ce dernier le rejoindra l'année
suivante.

Maurice Sachs, le dernier bohème

« Je n'avais pas de beauté réelle ; j'étais déjà un peu
bouffi, avec des yeux trop petits et sans éclat, le front
très bas et fuyant, une bouche trop exiguë, mais j'avais
ce charme persuasif qui a toujours été mon lot... »,
écrit Maurice Sachs dans le *Sabbat*. Il est né à Paris le
16 septembre 1906, d'un père diamantaire de religion
juive – Herbert Ettinghausen –, sa grand-mère, Alice
Sachs, étant remariée au fils du compositeur Georges
Bizet. Le jeune Maurice vit une enfance troublée,
désordonnée, avec un père toujours absent et qui finit
par divorcer alors que Maurice fête son cinquième
anniversaire. Jamais plus il ne le reverra. Sa mère,
Andrée, qui n'est pas un modèle d'affection et ne
cache pas qu'elle aurait préféré une fille, reprend son
nom de jeune fille – Sachs – et en compagnie de son

fils, vit de la maigre rente octroyée par le grand-père. Dans ces conditions, il n'est pas étonnant que cet enfant, en quête d'une nouvelle identité sexuelle — né garçon, mais qui désire être fille —, connaisse au pensionnat ses premières expériences homosexuelles, ce qui lui vaudra d'être renvoyé pour avoir accepté les faveurs d'élèves bien plus âgés [1]. Cette période, la plus terrible de son enfance, est une horreur de tous les instants; il est martyrisé à cause de son physique ingrat, et on lui fait comprendre la malédiction d'être juif — « je ne sus, ô lâche Juif que j'étais, que courber la tête », vivant un calvaire fait de cruelles brimades; il est souvent roué de coups, parfois jeté dans la rivière ou déshabillé, pour être fouetté avec des orties. Au retour du pensionnat, où il avait pourtant fait montre de réelles qualités pour le français et l'anglais, il est confié à l'éducation de sa grand-mère, Alice, qui vient de divorcer. La mère de Maurice ne veut pas s'encombrer de ce fils qu'elle est incapable d'aimer. Elle s'est remariée avec l'auteur des *Montparnos,* Michel Georges-Michel, un homme d'une grande faiblesse qui l'a épousée pour sa dot, car Andrée a hérité de la fortune de son grand-père, qu'elle dépensera sans compter, et dans des placements hasardeux.

En 1921, Maurice Sachs a quinze ans. Il commence, grâce à cette grand-mère à l'esprit libre, à fréquenter les milieux mondains. Elle l'amène dans les réceptions où il est initié à la boisson, et dans lesquelles il décou-

---

1. Sachs raconte qu'un surveillant l'aurait poussé dans son lit. Dans une version manuscrite du *Sabbat,* il écrit : « La surprise et l'effarement me glacèrent. Je boudai, je pleurai. Il me laissa pour ce jour-là, mais vint un soir m'enlever au dortoir pendant mon sommeil, me porta dans son lit et m'y viola. » Source : Henri Raczymow, *Maurice Sachs ou les travaux forcés de la frivolité,* Gallimard, 1988.

vre, avec émerveillement, ce grand monde auquel il rêve d'appartenir. Mais le personnage qui a le plus d'influence sur l'adolescent est Jacques Bizet, le fils du compositeur de *Carmen*, qui avait fait une tentative de suicide le soir de la première, le 3 mars 1875. Abandonné par sa femme, il était mort des séquelles de son geste. Cette hérédité est un fardeau pour Jacques Bizet, qui ne se sépare jamais de son revolver dont il fait usage, entre deux piqûres de morphine ou pipes d'opium, tirant sans raison sur les bibelots de l'appartement. Après le divorce avec Alice, Maurice continue à le fréquenter et sa nouvelle femme, d'une cruauté et d'un cynisme sans égal envers Jacques, entraîne l'adolescent dans un coin de l'appartement pour lui faire avaler de grandes lampées de cognac, le laissant rentrer chez lui en état d'ébriété. Puis un jour, Jacques Bizet commet l'irréparable. Devant Maurice, il prend son revolver, tire par la fenêtre pour lui montrer qu'il est bien chargé et introduit le canon dans la bouche du jeune homme, en lui posant l'index sur la détente et lui disant : « Quand tu auras assez de la vie, c'est comme ça qu'il faudra te tuer. C'est propre et on ne sent rien [1]. » Malgré cet incident, Maurice continue à aller voir cet homme qui demeure seul. Peu de temps après, Jacques Bizet meurt en se tirant une balle dans le crâne : « Ainsi mourut le seul homme que j'avais bien connu et celui qui fut pour moi comme un semblant de père. [...] La mort de Jacques m'ébranla tout entier et quand je sus que quelques instants avant sa mort, il avait écrit ses dernières volontés et qu'il m'avait oublié, j'en ressentis un chagrin dont je ne pourrais même pas écrire [...] Mais cet homme déchu, je l'ai aimé comme le fils

---

1. Maurice Sachs, *Le Sabbat.*

le plus fier peut aimer le père le plus illustre. Lui seul, chancelant, irresponsable, m'a servi de famille [1]. »

Toujours en quête d'une famille — puisque la sienne, où les scènes de ménage sont devenues quotidiennes, a sombré dans la folie —, Maurice Sachs se lie d'amitié avec René Blum, qui est le frère cadet de Léon Blum, secrétaire du parti socialiste. Il le présente à l'écrivain Abel Hermant qui, à près de soixante-dix ans, intrigue pour devenir académicien. Celui-ci l'invite au restaurant et, un soir, il l'entraîne dans son appartement en saisissant le jeune homme dans ses bras : « Cela me surprit tant que je n'avais pas encore dit ni oui ni non, quand je sentis brusquement sa grosse moustache piquante sur mon visage, et une langue opiniâtre et pointue qui tâchait à me forcer mes lèvres [2]. » Au lieu de fuir, il accepte de coucher avec ce « grotesque » et ne nous épargne pas le moindre détail sur l'univers et les mœurs de cet écrivain vicieux, qui sera condamné en 1945 pour faits de collaboration et exclu de l'Académie française : « Quand il me rejoignit il était nu. Ce n'était point un spectacle attrayant. [...] La tête à la renverse sur le tapis, les jambes allègrement butant l'air, on eût dit un monstrueux bébé, un bébé poilu, posant pour sa première photographie. Ah quel dégoût ! [...] Et son corps satisfait se détendit, s'appesantit, s'immobilisa dans son imbécillité coutumière. Mais puisque nous étalons une crasseuse vérité ne la montrons pas à demi, je revins plus d'une fois [3]. »

En mai 1923, nouveau coup de théâtre dans la vie tumultueuse de Maurice Sachs. Sa mère, qui a émis un chèque sans provision, est au bord de la ruine. Après

---

1. *Idem.*
2. Maurice Sachs, *Chronique joyeuse et scandaleuse*, Éditions Corréa, 1948.
3. *Idem.*

avoir disparu durant trois jours, on apprend qu'elle vient de tenter de se suicider dans un palace de Deauville. Maurice Sachs n'a pas encore dix-sept ans, mais devant ce beau-père amorphe et qui ne cesse de pleurer, décide de prendre les choses en main. Comme elle risque d'être emprisonnée pour escroquerie, il loue une voiture qu'il conduit lui-même et la fait passer en Angleterre. Après avoir vendu sa bibliothèque et soutiré de l'argent à sa grand-mère, il part la rejoindre à Londres, où il occupe un emploi de bibliothécaire. Mais René Blum, qui a besoin d'un secrétaire, le rappelle. Il fréquente alors les milieux de Montparnasse où il côtoie Matisse et Picasso. C'est l'époque où après avoir été, tour à tour, vendeur de livres et réceptionniste d'hôtel, Maurice Sachs va faire, grâce à un ami, une rencontre qui va changer le cours de son existence. Alors qu'il s'apprête à accrocher une photographie de Gide sur le mur de sa modeste chambre d'hôtel de la rue Gay-Lussac — le même où vécut Verlaine —, son camarade l'interrompt dans son geste en le réprimandant avec fermeté : « Il n'y a que Cocteau ! » Au début de l'année 1924, Jean Cocteau ne parvient pas à se consoler de la mort de Raymond Radiguet. Maurice Sachs, après l'avoir rencontré, imagine remplacer l'auteur du *Diable au corps* : « Quand nous quittâmes ce magicien, je savais, à n'en pas douter, que je n'allais plus vivre que pour lui. J'écris ces mots avec d'autant moins de gêne qu'aucune attirance physique n'entrait en jeu. Il ne s'agissait que de vénération, de dévouement et de contemplation [1]. » Dans les mois qui suivent, Maurice Sachs, qui n'est pas encore majeur, devient l'amant de celui qu'Apollinaire avait surnommé, avant de mourir, « la huitième

---

1. Maurice Sachs, *Le Sabbat*.

merveille du monde». Ensemble, ils courent les soirées mondaines, les salons littéraires, les bars à la mode, les bouges et les bals homos de la rue de Lappe. Il devient son homme lige et — malgré quelques expériences homosexuelles sans lendemain — lui donne son cœur. Humble réceptionniste d'hôtel le jour, Maurice Sachs mène, la nuit, un grand train de vie dans le sillage de l'éblouissant Cocteau, qui ambitionne de mettre encore plus de génie dans sa vie que dans son œuvre. Maurice se jette à cœur, et surtout à corps perdu dans ce monde fait d'illusions. Ses besoins financiers deviennent de plus en plus importants, d'autant que durant ces années folles on dépense sans compter, et il est dans les usages de faire crédit, en particulier au Bœuf sur le toit [1] où le champagne coule à flots. Pour tenter de survivre et de régler les différentes notes qui s'accumulent chez des tailleurs ou dans des lieux de plaisir, il s'adonne à l'un des vices qu'il chérit le plus, le vol. Il vole les clients de l'hôtel qui lui commandent des places de spectacle qu'il ne fournit pas; il emprunte à l'un pour rembourser en partie à l'autre; il vole, comme il avait naguère pris un immense plaisir à dérober de l'argent à sa mère ou chez Abel Hermant, qu'il avait peu à peu dépouillé de quelques bibelots pour les revendre. Chez Cocteau, qui l'emploie comme secrétaire, il commet de nombreuses escroqueries en imitant son écriture; il vole des lettres dédicacées et des éditions rares qu'il écoule chez des bouquinistes; plus tard, il volera Coco Chanel dont il sera le bibliothécaire; chez les Castaing il volera un Soutine. Si à cette époque, Maurice Sachs commet de nombreux larcins chez Jean Cocteau, c'est

---

1. Restaurant créé quelques années plus tôt par Louis Moysès, que Cocteau, grâce à son entregent, va transformer en lieu à la mode, fréquenté par les plus grandes personnalités de ces années folles.

parce que ce dernier, en proie à une inconsolable douleur à la suite de la mort de Radiguet, est devenu opiomane. Pour assouvir son besoin constant en opium, qui à cette époque est très coûteux, retiré à Villefranche-sur-Mer, il lui faut vendre de nombreux objets et une partie de sa bibliothèque. Il charge donc Maurice Sachs de cette mission, lui donnant carte blanche, ignorant qu'il a affaire à un jeune escroc. En 1953, dans le *Journal d'un inconnu*, Jean Cocteau relate cet épisode : « Une année où je séjournais à Villefranche, Maurice emporta dans une charrette tout ce que contenait ma chambre parisienne. Mes livres, mes dessins, ma correspondance, mes manuscrits. Il les vendit par liasses et sans contrôle. Il imitait mon écriture à s'y méprendre. J'habitais encore rue d'Anjou. Il se présenta chez ma mère avec une fausse lettre où je lui laissais les mains libres... » Maurice Sachs n'est toutefois pas le seul. A cette époque, ils sont nombreux à faire le siège de l'appartement de Jean Cocteau ; certains s'introduisent dans la cage d'escalier et dorment sur les marches ; on en voit d'autres accrochés aux lampadaires. Parmi ces admirateurs passionnés, certains passent dans les bras de Cocteau et, avant d'être congédiés, s'obligèrent à dérober au moins un objet appartenant au maître.

L'amitié, et surtout l'aura de Jean Cocteau, deviennent pour Maurice Sachs sa seule raison d'exister. Tout va basculer, le jour où Jacques et Raïssa Maritain, chez qui Cocteau a trouvé refuge dans un climat évangélique, l'exhortent à retrouver le chemin de la raison, et surtout celui de la foi. De la raison en acceptant de suivre une sévère cure de désintoxication ; de la foi, en acceptant d'y retourner. Tout bascule le 15 juin 1925, lorsqu'il est « foudroyé » à la vue d'un missionnaire de passage chez les Maritain qui arbore, sur sa robe de bure, un cœur rouge surmontant une croix. Aussitôt, Cocteau se confesse en versant des larmes de joie et en déclarant : « Ce prêtre m'a frappé du même choc que Stravinsky et Picasso. » Puisque Cocteau retourne à la foi, le seul vœu de Maurice Sachs, que dans tous les milieux l'on surnomme « biquette », est d'être soumis et l'esclave des moindres faits et gestes de son mentor. Pour plaire à Cocteau, qui est sa seule raison de vivre, il imagine de se convertir et d'entrer dans les ordres. Pour lui, Cocteau est un dieu vivant, un dieu qui vient de se tourner vers un autre dieu. A cette époque, les murs de sa chambre sont tapissés de photographies de Jean, devant lesquelles, chaque soir, il se prosterne en prières : « Venez à mon secours. Il reste la foi. Vous vous êtes tourné vers elle. Ne m'abandonnez pas. J'ai besoin, j'ai besoin de prier. On ne m'a jamais laissé. Enfant à l'école lorsque j'espérais un bonheur, plus tard dans le malheur, je répétais seul des bribes de prières que je ne connaissais pas. Je priais la Vierge. Mais je n'avais pas le droit. Faites que j'aie le droit – et je veux vivre [1]... »

Quelques semaines plus tard, sous les instances d'un autre juif converti, Max Jacob, amoureux de Maurice Sachs, ce dernier accepte, chez les Maritain,

---

[1]. Lettre à Jean Cocteau ; source *Cahiers Jean Cocteau*. Dans son sillage, Jean Cocteau entraîne d'autres jeunes et influençables catéchumènes comme Jean Bourgoint qui est alors le grand rival de Maurice Sachs. C'est ce jeune homme, d'une grande beauté, qui inspire à Cocteau *Les Enfants terribles*. Jean Bourgoint, homosexuel et opiomane – il écrira : « Le diable s'est assis sur mon cœur, fesses nues » –, reçoit le baptême à l'âge de vingt ans, puis se met à vivre une existence d'errances et ce sera Jean Hugo – l'arrière-petit-fils de Victor – qui le sauvera d'une mort certaine. A la différence de Maurice Sachs, il poursuit sa vocation et, en 1948, entre dans les ordres. Moine trappiste, il part soigner les lépreux en Afrique et y meurt d'un cancer. Voir l'ouvrage de Georges Lauris : *Itinéraire d'un enfant terrible : de Cocteau à Cîteaux*, Presses de la Renaissance, 1998.

d'être oint par l'eau lustrale du baptême. Cocteau
aurait dû être son parrain. Il est absent, en villégiature
à Villefranche-sur-Mer. Raïssa Maritain, sa marraine,
écrit dans son *Journal* : « Malgré tout je ne suis pas
rassurée. Ce garçon a quelque chose d'obscur qui
m'inquiète. » Ce baptême ne change guère son mode
de vie. Maurice Sachs plonge à nouveau dans toutes les
débauches que Paris, en pleine fièvre, lui offre chaque
jour. Il devient le Casanova des milieux interlopes,
comme Jean Lorrain fut naguère le « dandy de la
fange ». De son côté, Cocteau, qui n'a pas renoncé
aux plaisirs, surtout à celui de l'opium, commence à
se détourner de ce jeune homme frivole, inconstant et
qui accumule les dettes, et surtout de la religion
rigoriste professée par les Maritain. En réalité, en
cherchant Dieu, Cocteau a surtout tenté de revivre sa
passion avec Radiguet, qu'il ne cesse de remplacer
dans son cœur par de jeunes écrivains qui lui font sans
cesse la cour et auxquels il ne peut résister, ce qui fera
dire à Max Jacob : « Cocteau, Dieu le déteste ! »

Pour échapper à ses créanciers, mais surtout aux
supplices de la chair, Maurice Sachs, qui a rompu avec
sa famille qui le traite de « renégat, imbécile, traître
se fourvoyant avec des calotins », décide d'entrer dans
les ordres. Malgré le brillant avenir auquel il semble
promis, on ne saurait douter – comme l'a écrit Cocteau – de la sincérité de cette démarche. A cette
époque, Maurice Sachs, a contrario de son mentor, a
été ébloui par Dieu, et il ne cesse de convertir autour
de lui tout en menant une vie de débauche. Sachs, qui
écrit à Cocteau « Je mange à votre cœur depuis deux
ans », cherche à échapper à la terrible possession dont
il est victime, ce dont il prend conscience. Il entre au
séminaire le 2 janvier 1926. Libéré de toute contrainte – ses amis ont accepté d'éponger ses dettes –,

Maurice Sachs, dans son austère cellule, aspire à la paix de l'âme et surtout à celle de son corps. Pour éviter toute nouvelle tentation, il porte la soutane, ce qui faillit provoquer un accident de voiture lorsque le pianiste Jean Wiener le vit ainsi accoutré dans une rue de Paris, alors que quelques semaines auparavant ils fréquentaient tous deux les fumeries d'opium, à peine revêtus de légers peignoirs en soie. Aux yeux de tous, l'engagement du voluptueux Sachs paraît une farce. Lorsqu'il fait ses adieux à tous ses camarades du Bœuf sur le toit, ils ont cru que le séminaire était une nouvelle boîte de nuit ! Le futur abbé Maurice Sachs s'adapte avec une relative aisance à sa nouvelle vie et accepte – malgré un perpétuel désir de masturbation – de se conformer au sixième commandement : « Mon corps était encore chaud de caresses, et j'étais tout entier alangui comme si mon sang eût charrié du sperme dans ses globules blancs. Au contraire, je me sentais cette envie de fermeté, de continence, de chasteté même qui est comme le besoin d'un peu d'air frais qui vous fait aller à la fenêtre d'une chambre surchauffée [1]. » Parce qu'il est le protégé des Maritain, Maurice Sachs bénéficie d'un régime de faveur. Il est autorisé, dans sa cellule, à recevoir des visites, ce qui ne manque pas de semer le trouble chez les autres séminaristes [2]. Le mercredi, qui est jour de relâche, Sachs apparaît dans les salons, avec sa soutane, ce qui suscite des railleries et fait naître un début de scandale, qui va bientôt éclater. Au séminaire, Sachs est dans l'obligation de porter le cilice, ceinture de crin,

---

1. Maurice Sachs, *Le Sabbat*.
2. L'un d'entre eux, le baron de Wasmer, qui n'a pas encore prononcé ses vœux, tombe amoureux de Marie Delle Donne qui était venue rendre visite à Sachs. Il quittera le séminaire pour l'épouser ; un mariage qui demeurera blanc, et le couple divorcera deux ans plus tard.

instrument redoutable et mortifère que l'on pose sur
la chair, et qui par ses frottements douloureux inhibe
tous les désirs. Bientôt, Sachs ne peut plus trouver le
sommeil, sombrant entre deux fièvres, l'une apostoli-
que, l'autre de la masturbation et des désirs de revivre
son ancienne existence. Lorsque arrivent les vacances
d'été, le séminaire ferme durant une période de trois
mois. Sa grand-mère Alice l'amène à Juan-les-Pins. Il
y retrouve le Tout-Paris, celui qu'il avait tenté de fuir
dans sa volonté d'embrasser Dieu. Ce séjour sur la
Côte d'Azur va lui être fatal. Quelques jours après
avoir échangé la soutane pour le maillot de bain, il
finit par l'ôter en se jetant dans les bras d'un jeune
adolescent : « L'abîme que j'entrevis à l'instant me
parut sans fond. Mais je m'y précipitai comme un fou,
si fou en vérité que je commençai les prières les plus
insensées pour supplier Dieu qu'il m'envoyât l'être
aimé au rendez-vous que nous avions pris. Le diable,
sans doute, ne voulut pas être en reste dans une affaire
qui relevait directement de lui, puisque nous nous
retrouvâmes [1]. » Le garçon, de nationalité américaine,
à peine âgé de quinze ans, s'appelle Tom Pinkerton.
En villégiature avec sa mère, il s'affiche aux bras de
Maurice Sachs, qui se trouve au centre d'un pitoyable
scandale faisant le tour de la petite station balnéaire.
Le couple devient la risée de tous les estivants, et
seule la grand-mère, qui passe son temps à tricoter, ne
s'aperçoit de rien ! La nuit, Sachs troque sa soutane
pour un maillot rose du plus bel effet. Fidèle à ses
habitudes, il s'en moque et se balade main dans la
main avec son nouveau protégé, allant jusqu'à le
présenter à Cocteau qui est à Villefranche-sur-Mer.
Ce dernier réagit très mal et lui intime l'ordre de

---

1. Maurice Sachs, *Le Sabbat*.

rentrer à Paris. Sachs, par crainte d'être arrêté par la police, boucle sa valise et part se confesser au père abbé du séminaire. Entre-temps, la mère de Tom Pinkerton écrit à l'évêque de Nîmes pour dénoncer les agissements de ce prêtre — qui ne l'est pas encore — et lui demander des sanctions très énergiques. Elle n'aura pas besoin de multiplier les démarches car le père Pressoir — à qui Sachs avait emprunté de l'argent qu'il ne rendra jamais — lui donne ce précieux conseil : « Mieux vaut faire un bon chrétien qu'un mauvais prêtre. Allez à votre service militaire, cela vous donnera le temps de réfléchir. »

Maurice Sachs va donc effectuer son service militaire durant lequel il connaîtra — enfin — sa première expérience hétérosexuelle. Affecté des latrines à la bibliothèque, c'est une longue période de dix-huit mois, qu'il met à profit pour renouer des relations épistolaires avec Max Jacob, et échafauder les plans d'une maison d'édition publiant des livres d'art. Auparavant, il avait écrit son premier roman, que Jean Cocteau le découragea de présenter à des éditeurs [1]. Rendu à la vie civile le 17 avril 1928, il s'agenouille dans la petite salle dans laquelle il a coutume d'écrire et, en baisant le bois de la table, prononce ce serment digne de Rastignac : « Je jure d'être un grand homme. »

---

1. Il s'agit du *Voile de Véronique* qui relate son expérience auprès de Max Jacob, lorsque le poète le recueillit après sa mésaventure de Juan-les-Pins. Cocteau demeura inflexible sur les piètres qualités de l'ouvrage qui sera publié à titre posthume en 1959. Ce premier différend entre Sachs et Cocteau fut à l'origine de leur terrible brouille. Dans *Le Sabbat*, Sachs n'épargnera pas Cocteau : « Extraordinaire pot-pourri de pétales arrachés aux fleurs les plus diverses et qui ont toutes séché entre ses mains, l'œuvre de Cocteau n'a plus d'odeur ni de saveur définies. Elle est pâle, presqu'uniforme à travers ses fausses transformations successives ; elle ne dégage plus qu'une senteur triste, comme ces roses dont on ne se souvient plus qu'elles furent étonnantes, car elles ne sont aux creux d'un bol qu'un peu de cendres »

De retour à Paris, le premier acte de Maurice Sachs est de rendre visite à André Gide ; « Ose devenir qui tu es », professait l'auteur des *Nourritures terrestres*. Maurice Sachs va suivre ce conseil à la lettre et, faute de devenir un grand homme, il va être un escroc minable dans ce milieu faisandé du Tout-Paris des lettres, au sein duquel il avait tous les atouts pour réussir. Après s'être brouillé avec les Maritain, à la suite du scandale de Juan-les-Pins, il en fait de même avec Max Jacob, qui avait eu l'imprudence de lui confier des toiles qu'il vendit bien plus cher que le prix annoncé. Criblé de dettes – il n'a toujours pas remboursé son ancien employeur et le père abbé du séminaire –, il se met à boire. A présent, Maurice Sachs est incapable de vivre sans une dose quotidienne de spiritueux, laquelle finit par devenir impressionnante : au moins trois Pernod au réveil, une bouteille de whisky par jour et une grande quantité de cocktails avant de passer à table : « Je me saoulais souvent pour oublier que je ne pouvais pas ne pas me saouler. » En sus de son alcoolisme, Maurice Sachs s'est laissé entraîner dans un établissement de bains pour garçons, à la réputation douteuse, quoiqu'il ait été fréquenté par Proust. On peut même trouver, dans une des chambres, quelques meubles ayant appartenu à l'auteur d'*A la recherche du temps perdu*. Dans cet endroit, on rencontre les anciens familiers de Proust, qui fréquentaient naguère les salons de l'hôtel Ritz, des personnages illustres et riches, certains bons pères de famille qui ont un goût secret pour les très jeunes garçons et qui « se dépouillaient ici de toute dignité singulière ou plurielle pour jouir [...] Cette confusion à la fois sincère, spontanée mais volontairement exagérée que je laissais, puis faisais monter entre la vérité d'un bordel et la fiction d'une œuvre m'a procuré des mois d'enchantement où les médiocres plaisirs physiques qu'on achète des prostitués comptaient pour peu [1] ». Dans cette ambiance proustienne, il y établit son quartier général et finit par s'y réfugier lorsque les créanciers deviennent trop pressants. Car à cette époque Maurice Sachs s'est lancé dans les affaires et dans l'édition. Avec un sens inné de la filouterie, il parvient à se faire engager comme bibliothécaire par mademoiselle Chanel. La couturière pensionne nombre de personnages qui gravitent autour d'elle ; Jean Cocteau, qui dessine certains motifs de ses robes, se voit octroyer dix mille francs par mois, une chambre, et sa dose quotidienne d'opium. Pour Maurice Sachs, c'est encore plus inespéré. Il obtient de Gabrielle Chanel soixante mille francs par mois, pour qu'il lui constitue une bibliothèque digne de son rang. Profitant de sa totale ignorance dans le domaine de la bibliophilie, il achète des éditions ordinaires, en lui faisant croire qu'elles sont d'une insigne rareté, réalisant ainsi un copieux bénéfice en menant un train de vie inouï. Comme cela est encore insuffisant, il lui emprunte des sommes importantes pour éponger les dettes qu'il contracte partout où il passe. Dans sa folle mégalomanie de petit escroc [2], il s'imagine être enfin parvenu au sommet de la gloire : « J'avais un appartement, des tableaux, une voiture, un secrétaire, deux domestiques, un masseur, des amours coûteuses ; je passai des nuits au cabaret, des après-midi chez le tailleur, j'achetais des livres,

---

1. Maurice Sachs, *op. cit.*
2. Il vend trois fois le canapé que Coco Chanel a offert à Pierre Reverdy. Il a le culot de faire passer une page du journal *L'Illustration* pour une authentique aquarelle d'un peintre de renom. Le propriétaire du « précieux » objet n'y aurait vu que du feu si par mégarde le cadre ne s'était brisé. Tout au long de son existence, Sachs fut victime d'une kleptomanie maladive qui lui causait d'affreux tourments souvent émaillés de remords.

des bibelots, et ce fut peut-être le moment de ma vie où j'eus le plus d'agrément physique [1]. »

Maurice Sachs commet alors l'imprudence de présenter à Gabrielle Chanel le poète Pierre Reverdy qu'il est allé sortir de sa retraite de Solesmes. Bientôt, ils seront amants et la couturière invite le poète à apprécier la bibliothèque que Sachs a composée à son intention, et dont elle est très fière. Désastre ! Pierre Reverdy lui démontre combien elle a été flouée, et que les prétendues éditions rares sont en réalité des livres acquis pour des sommes dérisoires dans des boîtes de bouquinistes. Elle diligente une expertise qui démontre la forfaiture de Sachs. Aussitôt congédié, le jeune homme perd sa principale source de revenus et, pis encore, toute crédibilité dans ces milieux au sein desquels il brillait de tous ses feux. A l'automne 1929, alors qu'un autre péril se profile en Amérique, Maurice Sachs est dans une situation très difficile. Selon l'expression d'Ernest Hemingway, c'est « le cafard après la fête ». Il a signé une multitude de reconnaissances de dettes, il a escroqué nombre de personnalités, sa réputation est épouvantable et il souffre à nouveau de problèmes d'argent : « Je m'éveillais parfois en sueur, tremblant de honte, haï de moi-même comme je n'ai jamais haï personne : les pieds glacés, les ongles cassants, les entrailles pesantes, une pâte épaisse dans la gorge, une gomme sur la langue, le sexe en feu. Il me semblait que j'étais frotté de souillures, repu de fumier. C'est l'enfer ici-bas, le seul enfer ; l'horreur de soi. "Ah ! me quitter, me quitter un instant !" gémissais-je, et je buvais de plus en plus belle [2]. » Pour Maurice Sachs, il n'y a qu'une alter-

---

1. Maurice Sachs, *Le Sabbat*.
2. *Idem.*

native : rester pour vivre miséreux et dans l'opprobre, ou partir tenter sa chance ailleurs. Cet ailleurs, ce sera l'Amérique. En 1931, il met le cap sur New York qui cristallise alors tous ses désirs. Un voyage « nourri de caviar, d'air marin et d'espérances ».

Aux Etats-Unis, il mène une carrière de marchand d'art, de chroniqueur radiophonique, de conférencier. Il parcourt de long en large le pays. N'ayant jamais abandonné ses ambitions et son rêve de grandeur, sachant toujours inspirer confiance et se faire aimer, il parvient à s'immiscer dans la plus haute société, renouvelant avec ruse les petites escroqueries, les mêmes mensonges et les innombrables trahisons qui l'ont contraint à fuir la vie parisienne. En 1931, alors qu'il donne une conférence sur ce qu'il connaît le mieux, les milieux artistiques de Montparnasse, une auditrice subjuguée, Gwladys Matthews, s'éprend de lui. Elle est la fille d'un pasteur presbytérien et Maurice Sachs omet alors de lui révéler qu'il est homosexuel, malgré qu'il se soit affiché avec une jeune actrice hollywoodienne, Clare Booth, qui se suicidera quelque temps plus tard. Au bout de plusieurs semaines émaillées de chastes rencontres, on parle mariage et Maurice Sachs, par folie ou provocation, accepte. Ce dernier a lieu dans les salons du pasteur : « Et en le regardant, les larmes me montaient aux yeux. J'avais une telle honte de le tromper que je me jurai de rendre sa fille heureuse, et tellement sincère, tellement ému me trouvai-je en ce moment que je faillis tomber amoureux de ma femme [1]. » Trois mois après cette union, Maurice Sachs, qui vient de publier *The Decade of Illusion* [2], abandonne son épouse encore

---

1. *Idem.*
2. Qui sortira en France en 1950, sous le titre *La Décade de l'illusion.*

vierge, pour un jeune Américain d'une vingtaine
d'années, Henry Wibbels, qui sera le dédicataire du
Sabbat.

En 1933, en compagnie de son nouvel amant,
Maurice Sachs quitte sa femme, et se résout à rentrer
en France, plein de bonnes résolutions et imaginant
avec naïveté que Paris a oublié ses forfaitures. Hélas,
ce qu'il n'a pas prévu, c'est combien Paris a changé en
presque deux ans. La ville, comme la France entière,
connaît les affres de la terrible crise économique qui a
ruiné ou poussé au suicide les riches Américains qui
fréquentaient, il y a peu de temps encore, les plus
hauts lieux de la capitale de Montmartre à Montparnasse. Certains peintres, riches avant 1929, sont rede-
venus de misérables rapins ; des écrivains, naguère
célébrés, ont « sombré » dans le journalisme ; les
hôtels sont vides ; la plupart des théâtres ont fermé,
comme nombre d'usines ou d'entreprises qui, tous les
jours, font faillite. Le Bœuf sur le toit est devenu une
vache maigre. Le jeune homme frêle à l'aspect féminin, qui pérorait naguère au Bœuf sur le toit avec un
œillet à la boutonnière, écrit : « Ventripotent, pâle,
barbu, vêtu de loques et démuni, je traînais de maison
en maison, incapable de ne rien faire, riant grassement
après quelques verres, morfondu par la plus courte
abstinence. Je regardais parfois dans la glace mon œil
glauque, dans lequel nageait ma prunelle comme une
huître morte, ou mon ventre blanc et gonflé comme
celui d'un âne mort, mes pieds que décorait une
pelade nerveuse, mon sexe rabougri par les services
infâmes ; je n'osais inspecter l'âme. »

C'est la fin d'une décade d'illusions.

La seconde décade d'illusions est, pour Maurice
Sachs, à l'image de la première : une lente montée aux
enfers qui le conduit jusqu'aux portes d'une gloire

éphémère, grâce à André Gide, qui le fait entrer dans le comité de lecture de la très prestigieuse N.R.F. En 1939, lorsqu'il achève le *Sabbat* — qui est son œuvre majeure [1] —, il tente de faire chanter Jean Cocteau, espérant lui soutirer de l'argent en l'échange de la suppression des passages le concernant. Le poète ne cède pas et le livre — malgré les pressions — verra le jour après la guerre, avec les pages incriminées.

Les dernières années de la vie de Maurice Sachs sont aussi sordides que les épisodes les plus douloureux de son existence chaotique, faite de paradoxes [2]. Lorsque en juin 1940, les Allemands entrent dans Paris, son nom est sur la liste des condamnés à mort. Alors agent de change, vivant encore de menus larcins et de trafic d'or, pour échapper à la peine capitale ou à la déportation, il entre au service de la Gestapo, n'hésitant pas à trahir des frères israélites. Fidèle à ses convictions, Maurice Sachs est un homme sans morale, qui ne cesse de tomber amoureux, de vivre des passions brûlantes et douloureuses — cette fois avec des êtres des deux sexes —, qui vit la nuit et boit toujours plus que de raison. Mais il travaille à son

---

1. Publié à titre posthume en 1946.
2. Il est un personnage qui pourrait disputer à Maurice Sachs la palme de la bohème, de l'excentricité et du scandale, c'est le neveu d'Oscar Wilde, plus connu sous le pseudonyme d'Arthur Cravan. Né à Lausanne en 1887, ce colosse de deux mètres et de plus de cent vingt kilos, s'est illustré à la Closerie des Lilas et à Montparnasse, en fondant une revue, *Maintenant*, qui compta cinq numéros entre 1912 et 1915, qu'il vendit dans une voiture des quatre saisons, et dans laquelle il injuriait de nombreuses personnalités. Précurseur du dadaïsme, il gifla Sonia Delaunay, insulta Marie Laurencin : « En voilà une qui aurait besoin qu'on lui relève les jupes et qu'on lui mette une grosse... quelque part », mais malgré sa stature refusa tout duel avec Apollinaire. Il s'inventait des identités, des exploits et il prétendait être boxeur, défiant à Barcelone le champion du monde qui le mit K.O. à la première reprise. Il annonça son suicide public et calomnia l'auditoire en le traitant de voyeur. Enfin, il s'embarqua pour les Etats-Unis où perdurèrent ses scandales, se déshabillant lors d'une conférence. Il disparut en 1918 dans le golfe du Mexique, sans que son corps soit jamais retrouvé.

livre, retouchant sans cesse le *Sabbat*. En coulisse,
Maurice Sachs est au cœur de toutes les plus sombres
affaires de trafic qui émaillent la capitale, et s'avère un
précieux indicateur pour la Gestapo et la police française, tout en conservant son statut de juif, ce qui ne
le met pas à l'abri des rafles. Il semble qu'il ait, haut
placés, des protecteurs car il mène un double jeu,
toutefois très périlleux. Son état de santé ne cesse de
se dégrader. Malgré les restrictions, il pèse plus de
cent kilos. Première alerte : il est victime d'une
septicémie. C'est Violette Leduc, amoureuse de lui,
qui le soigne et parvient à le sauver. En 1942, poursuivi par la police française, il trouve refuge dans une
maison de passe. En novembre de cette même année,
il est arrêté pour être conduit dans un camp de
travail à Hambourg. Jamais plus, Maurice Sachs ne
reverra le sol français. Bénéficiant d'un statut de
travailleur libre – il manœuvre une grue –, Sachs
peut vaquer à d'autres occupations, et on le retrouve
à la direction d'un centre culturel de la ville. En
réalité, Maurice Sachs, emprisonné dans une captivi-
té volontaire, est à nouveau employé par la Gestapo
pour dénoncer les agissements antinazis de certains
de ses membres. Il remplit son rôle avec zèle, jusqu'au jour où il fait la rencontre d'un père jésuite,
soupçonné de propagande et d'entretenir des contacts avec des réseaux de renseignements à Londres.
Chargé par ses employeurs de confondre l'homme et
son réseau, il rédige un rapport innocentant
l'ecclésiastique. Grave erreur d'interprétation qui va
lui être fatale. Le père Nicot est bien un activiste
antinazi, et la Gestapo ne pardonnera jamais à Sachs
cette méprise. Le 16 novembre 1943, Maurice
Sachs, surnommé « Maurice la tante », est arrêté et
incarcéré dans une prison au nord de Hambourg, au

milieu des nombreux détenus qu'il avait lui-même dénoncé et qui jurent de se venger. C'est en avril 1945, face à l'avancée des troupes anglaises, que Maurice Sachs va danser son dernier sabbat. Sa fin lamentable est à l'image de son existence désordonnée. Selon la version de Philippe Monceau, qui aurait été témoin des faits, les S.S. auraient abandonné la prison, laissant les détenus régler le sort du «juif collabo». Prostré au fond de sa cellule, Sachs, roué de coups, traité de «salope, ordure, enculé», aurait été l'objet de la vengeance de détenus qui le frappaient, libérant ainsi une haine accumulée depuis des mois : «Lorsque Sachs ne fut qu'une masse sanglante et informe, une bouillie de chair, d'os et de sang, ses bourreaux l'abandonnèrent. [...] Les bergers allemands, auxiliaires de la garde-chiourme, hurlaient sous les fenêtres. Pour les calmer, quelqu'un proposa :
— Y a qu'à leur foutre la tante à bouffer.
Il y eut encore une ruée sur le cadavre de Sachs qui fut traîné et abandonné aux chiens [1].»
En 1946, paraît le *Sabbat — Souvenirs d'une jeunesse orageuse*. L'ouvrage s'achève ainsi : «J'ai tout raté. Ce petit ouvrage pouvait-il échapper à mon destin? Echapperai-je, moi-même, au mauvais sort? Je ne m'en vais peut-être que pour tenter, une fois encore, de m'arracher à la ronde infernale du sabbat.»

---

1. Du Dognon & Monceau, *Le Dernier Sabbat de Maurice Sachs*, Le Sagittaire, 1950. Une commission d'enquête, diligentée en 1951, recueillit une autre version des faits. C'est en pleine débâcle, épuisé par plusieurs jours de marche, que Maurice Sachs aurait été abattu par les S.S.

Que reste-t-il de la bohème ? En 1830, alors qu'il souffrait de la misère au sein du phalanstère de l'impasse du Doyenné, Arsène Houssaye déclarait : « Elle ne s'achèvera cette bohème, que lorsqu'il n'y aura plus de poètes. Dans une centaine d'années. » Le temps de la bohème galante a pris fin au Quartier latin avec Verlaine, que l'on surnommait déjà « le dernier bohème », et qui dans l'un de ses poèmes disait : « Je suis l'Empire à la fin de la décadence. » La belle époque s'est achevée le 1ᵉʳ août 1914 ; le XIXᵉ siècle s'effondra avec les premières affiches de mobilisation. Le vieux Montmartre disparut là, victime des architectes et des hommes d'argent.

Les années folles ont pris fin au lendemain du terrible krach de 1929. Le désastre financier engloutit des centaines de milliers de fortunes et parfois des vies. Montparnasse se vida de la riche clientèle américaine, après avoir perdu celle des artistes, chassée par les touristes.

On a longtemps mythifié l'existence de ces artistes bohèmes qui ont été les sentinelles du Quartier latin, de Montmartre et enfin de Montparnasse. Cette bohème leur a laissé l'amertume d'avoir gâché leur existence. Ils furent nombreux, assoiffés de gloire, à croire en leur génie, et qui préférèrent mourir dans la misère plutôt que de sacrifier leur art.

CHRONOLOGIE

1803 : Au coin des actuels boulevards Saint-Michel et du Montparnasse, la Closerie des Lilas voit le jour sur les ruines d'un ancien bal champêtre.

1807 : Naissance à Dijon de Louis Bertrand, dit Aloysius, le 20 avril.

1808 : Naissance à Paris, le 21 mai, de Gérard Labrunie, dit Gérard de Nerval.

1809 : Naissance de Pétrus Borel à Lyon, le 28 juin.

1822 : Naissance d'Henri Murger le 27 mars.

1830 : Le 25 février, a lieu la première d'*Hernani* de Victor Hugo. C'est un immense succès, malgré les vives oppositions des « classiques ». Le romantisme devient le courant à la mode.

1832 : Pétrus Borel publie son premier recueil de poèmes, *Rhapsodie*, où il décrit sa misère. Il connaîtra la gloire près d'un siècle plus tard, ressuscité par les surréalistes. Victor Escousse et Auguste Lebras, victimes de la critique, se suicident le 18 février dans leur chambre de la rue de Bondy.

1833 : Année de publication de *Champavert – Contes immoraux* de Pétrus Borel. Nouvel échec éditorial. Naissance d'Ernest Cabaner.

1835 : Publication de *Chatterton*, le drame d'Alfred de Vigny où il met en scène un jeune poète en proie à un dépit amoureux et souffrant d'un génie non reconnu. A l'instar des *Souffrances du jeune Werther* de Goethe, s'ensuit une vague de suicides. Gérard de Nerval s'installe rue du Doyenné, siège de la « bohème galante ». Elisa Mercœur, jeune et talentueuse poétesse, s'éteint à l'âge de vingt-six ans.

1837 : Publication de *Myosotis*, œuvre majeure d'Hégésippe Moreau.

1838 : Mort d'Hégésippe Moreau, que Félix Pyat sauve de la fosse commune.

1839 : Naissance d'Albert Glatigny à Lillebonne.

1841 : Mort d'Aloysius Bertrand de phtisie.

1842 : Une année après la mort d'Aloysius Bertrand, paraît enfin *Gaspard de la nuit*, considéré comme le premier essai de poème en prose. Naissance de Charles Cros.

1843 : Gérard de Nerval s'embarque pour son voyage en Orient. Naissance d'Anne-Marie Gaillard, dite Nina de Villard.

1844 : Naissance d'Henri Julien Félix Rousseau (dit le Douanier) à Laval.

1845 : Naissance de Tristan Corbière, le 18 juillet, à Morlaix.

1848 : Henri Murger publie *Scènes de la vie de Bohème*, livre culte de plusieurs générations. Le mythe de la bohème littéraire, de l'écrivain pauvre à la recherche de la gloire, vient de naître.

1849 : Théodore Barrière s'inspire du roman de Murger pour composer un drame en cinq actes, joué pour la première fois le 22 novembre.

1850 : Naissance d'Alfred Boucher, dans une famille pauvre de l'Aube. Sculpteur de renom, il deviendra le fondateur de la Ruche.

1852 : Naissance de Rodolphe Salis, futur « gentilhomme cabaretier », et directeur du Chat Noir.

1855 : Le 26 janvier, au petit matin, Gérard de Nerval est retrouvé pendu, rue de la Vieille-Lanterne. Naissance de Paul Alexandre Duval, dit « Jean Lorrain », à Fécamp, et le 7 mars de Robert de Montesquiou-Fezensac.

1857 : Publication des *Fleurs du mal* de Charles Baudelaire. L'ouvrage lui rapportera à peine 250 francs et mettra son éditeur en faillite.

1859 : Mort de Pétrus Borel en Algérie.

1860 : A Montmartre, voit le jour une manufacture de pianos, qui en 1889 sera transformée en ateliers d'artistes et que l'on surnommera le Bateau-Lavoir. Marguerite Eymery, Rachilde en littérature, naît le 12 février en Dordogne.

1861 : Le 28 janvier, mort du romancier de la bohème, Henri Murger.

1863 : Naissance d'André Level, grand collectionneur, qui sera l'instigateur de l'association « La Peau de l'Ours ». Nina de Villard ouvre le salon le plus intellectuel de Paris, 17, rue Chaptal.

1864 : Naissance d'Henri de Régnier.

1867 : Inauguration du Café Vachette, qui deviendra le symbole de la vie littéraire et artistique du Quartier latin. Naissance de Jehan Rictus à Boulogne-sur-Mer, et de Paul-Jean Toulet à Pau. Mort de Charles Baudelaire.

1868 : Naissance de Mécislas Golberg, le 21 octobre à Plock, en Pologne, et du galeriste Ambroise Vollard à la Réunion.

1870 : En réaction à la peinture trop académique, le courant impressionniste apparaît en France. Naissance de Pierre Louÿs à Gand, en Belgique.

1872 : Naissance de Paul Fort à Reims, le 1ᵉʳ février. Mort de Théophile Gautier le 23 octobre. Tristan Corbière s'installe à Montmartre, en ne fréquentant pas les milieux littéraires. Naissance d'Emmanuel Signoret.

1873 : Naissance de Charles Guérin à Lunéville et d'Alfred Jarry à Laval. Jean Lorrain s'éprend de Judith Gautier, fille du poète Théophile, mais elle ne s'intéresse pas à lui ; il en ressentira une cruelle blessure. Tristan Corbière publie *Les Amours jaunes*, ouvrage qui ne rencontre aucun succès. Charles Cros fait paraître *Le Coffret de santal*. Mort d'Albert Glatigny, le 16 avril. Verlaine blesse Arthur Rimbaud avec un revolver ; il est condamné à deux ans de prison.

1874 : Naissance de Charles-Louis Philippe et de Jean de Tinan. Julien Tanguy s'installe comme marchand de couleurs, rue Clauzel. Ses premiers clients sont Seurat, Signac et Cézanne.

1875 : Après la première représentation désastreuse de *Carmen*, Georges Bizet tente de se suicider ; il va mourir des séquelles de son geste. Naissance de Marie de Heredia, le 20 décembre. Mort de Tristan Corbière, le 1er mars ; son père le suit le 27 septembre, à l'âge de quatre-vingt-deux ans.

1876 : Naissance de Max Jacob à Quimper. Jean Richepin publie *La Chanson des gueux*, ouvrage qui lui vaut un mois d'emprisonnement et tous les exemplaires saisis. Jehan Rictus trouve refuge à Paris, à l'âge de neuf ans. Il est battu par sa mère qui est folle. Bien avant Edison, Charles Cros, le poète du *Coffret de santal*, invente le phonographe, qu'il appelle le « paléophone » ; on refuse de croire en son invention et son génie est tourné en dérision par les scientifiques, qui pensent être en présence d'un mystificateur et d'un vulgaire ventriloque.

1877 : Naissance de Maurice Magre à Toulouse. Charles Cros dépose le brevet du phonographe sans connaître les travaux d'Edison qui seront déposés l'année suivante. Aujourd'hui encore, on continue à en attribuer la paternité à l'Américain.

1878 : Naissance du club des Hydropathes.

1879 : Naissance de Léon Deubel à Belfort, et de Béatrice Hastings à Port Elisabeth.

1880 : Naissance, à Meung-sur-Loire, de Gaston Couté. Jean Lorrain s'installe à Paris.

1881 : Ouverture du premier Chat Noir, en décembre, sur le boulevard de Rochechouart. Mort d'Ernest Cabaner.

1882 : Jean Lorrain publie son premier recueil de poèmes, le *Sang des Dieux*. Il collabore à la revue le *Chat Noir*.

1883 : Naissance de Maurice Utrillo la nuit de Noël. Jehan Rictus vit une existence de clochard à Montmartre. L'école symboliste voit le jour. Verlaine découvre *Les Amours jaunes* de Tristan Corbière.

1884 : Naissance d'Amedeo Modigliani à Livourne, en Toscane, et de Marie Vassilieff à Smolensk en Russie. Rachilde publie, en Belgique, *Monsieur Vénus*, un roman scandaleux qui lui vaudra de nombreux déboires et le surnom de la « Marquise de Sade ». Joris-Karl Huysmans publie *A Rebours* en s'inspirant – pour son personnage principal, Des Esseintes – de Robert de Montesquiou. Nina de Villard, inspiratrice de la bohème du second Empire, meurt dans une maison de santé.

1885 : Naissance de Julius Pinkas, alias Pascin, sur les bords du Danube. Le Chat Noir déménage rue Victor Massé. La famille Heredia s'installe au 11 bis rue de Balzac ; chaque samedi, de 15 à 19 heures, le maître des lieux tient l'un des salons les plus courus de la capitale. Henri de Régnier publie son premier recueil de poèmes : *Lendemains*.

1886 : Après avoir pris pour nom Le Cabaret des Assassins, puis Ma Campagne, la petite maisonnette au coin de la rue des Saules et de la rue Saint-

Vincent est baptisée Au Lapin Agile. Naissance de Francis Carco à Nouméa, sur l'île du bagne. Jean Moréas publie le *Manifeste du Symbolisme*. Le Douanier Rousseau se fait connaître grâce à l'exposition de ses toiles au salon des Indépendants. Van Gogh arrive à Paris. A la suite de la publication de son second roman, *Très Russe*, Jean Lorrain est menacé d'un duel par Maupassant. Mort de Villiers de l'Isle-Adam.

1887 : Henri de Régnier fréquente le salon de José-Maria de Heredia sans vraiment prendre garde à Marie – douze ans – qui deviendra sa femme.

1888 : Le jeune Maurice Barrès fait paraître le *Quartier Latin*, mince plaquette lue par toute une génération. Naissance de Katherine Mansfield, en Nouvelle-Zélande. Au lycée de Rennes, un groupe d'adolescents met en scène les aventures burlesques d'un professeur qu'ils brocardent ; ils le surnomment le « Père Ebé » et représentent une pièce de théâtre le mettant en scène, *Les Polonais*. C'est le futur *Père Ubu*.

1889 : Jehan Rictus est ramassé à demi mort et hospitalisé à Lariboisière. Le poète Albert Samain le prend sous sa coupe et Oscar Wilde, fasciné par son talent, lui adresse un exemplaire dédicacé de la *Ballade de la geôle de Reading*. C'est l'année de l'Exposition universelle, avec comme vedette la tour Eiffel. Ouverture, place Blanche, du Moulin-Rouge. Paul Fort et Pierre Louÿs se rencontrent à l'occasion d'une bataille de boules de neige, dans les jardins du Luxembourg.

1890 : Alfred Valette reprend le *Mercure de France*. Mort de Van Gogh qui se tire une balle dans la poitrine. Alfred Jarry, qui vient d'obtenir à Rennes son baccalauréat avec mention bien, prépare l'entrée à l'Ecole normale. Le 13 décembre, Henri de Régnier présente Pierre Louÿs au poète José-Maria de Heredia. Mort d'Ephraïm Mikhaël à l'âge de vingt-quatre ans.

1891 : Mécislas Golberg arrive en France, le 25 décembre, avec cinq francs en poche. Mort d'Arthur Rimbaud. Pierre Louÿs crée une luxueuse revue qui ne comptera que onze numéros, *La Conque*.

1892 : L'anarchiste Ravachol est envoyé à la guillotine ; c'est l'apogée des attentats à la bombe à Paris. Le peintre Maufra s'installe au Bateau-Lavoir, que l'on appelait alors la Maison du trappeur. Mécislas Golberg tente de se suicider ; à la sortie de l'hôpital, il fait la connaissance d'Emmanuel Signoret. Alfred Jarry s'installe à Paris et rencontre Léon-Paul Fargue. Pierre Louÿs publie son premier livre, *Astarté*.

1893 : Alfred Jarry se lie d'amitié avec son compatriote Henri Rousseau. Grand farceur, l'écrivain – qui admire l'œuvre du peintre – ambitionne de le présenter à ses relations comme le champion d'un art nouveau, baptisé « primitif ». Naissance de Chaïm Soutine à Smilovitchi, en Lituanie. José-Maria de Heredia publie son œuvre majeure, le recueil de poèmes parnassiens : *Les Trophées,* qui lui vaudra son entrée à l'Académie française. Pierre Louÿs se brouille avec Oscar Wilde, qui vient d'afficher son homosexualité avec Lord Alfred Douglas.

1894 : Mort de Julien Tanguy, dit « le père Tanguy », qui était marchand de couleurs au 14, rue Clauzel, le seul endroit où l'on pouvait trouver des toiles de Van Gogh et de Cézanne. Jean Lorrain fait la rencontre de la

courtisane Liane de Pougy. Alfred Jarry publie ses poèmes, des contes et
son premier livre, *Les Minutes de sable mémorial*, au Mercure de France ; il
fréquente les salons littéraires et devient le protégé de Remy de Gourmont. Pierre Louÿs entretient une liaison avec une jeune Algérienne,
Ouled-Naïl Meryem, qui sera l'inspiratrice des *Chansons de Bilitis*. José-
Maria de Heredia est élu à l'Académie française contre Zola et Verlaine.

1895 : Inauguration, par le président Poincaré, du buste de Murger qui se
trouve au jardin du Luxembourg. Début des noctambulismes de Jean de
Tinan. Le Chat Noir connaît de graves problèmes financiers ;
l'établissement est menacé de fermeture. Le Douanier Rousseau vend ses
premières toiles à Vollard, lequel, sur les conseils de Renoir, organise la
première exposition des œuvres de Cézanne. Mécislas Golberg fonde son
journal, *Sur le Trimard, organe des revendications des sans-travail*. Alfred Jarry,
incorporé pendant treize affreux longs mois au 101ᵉ régiment d'infanterie
de Laval, est réformé pour lithiase biliaire chronique, et imbécillité précoce. Pierre Louÿs publie son premier chef-d'œuvre, *Les Chansons de Bilitis ;* le 30 mai José-Maria de Heredia est reçu à l'Académie française ;
quelques semaines plus tard, un pacte secret lie Pierre Louÿs et Henri de
Régnier, régissant la déclaration en mariage commune qu'ils entendent
faire pour obtenir, du poète, la main de sa fille Marie. Quelques jours plus
tard, Henri de Régnier rompt le pacte et se déclare. Apprenant la forfaiture, en septembre, Marie se rend au domicile de Pierre Louÿs pour
s'offrir à lui ; il la repousse.

1896 : Première d'*Ubu Roi* d'Alfred Jarry. Interdite à Londres, *Salomé* d'Oscar
Wilde est jouée à Paris. Mécislas Golberg est déclaré indésirable et un
arrêté d'expulsion est pris à son encontre. Jehan Rictus fait ses débuts au
cabaret des Quat'z'Arts, boulevard de Clichy, en y récitant ses premières
pièces des *Soliloques d'un pauvre* qui paraîtront l'année suivante. Mort de
Paul Verlaine. Pierre Louÿs publie son premier roman, *Aphrodite*, qui
connaît un succès éblouissant ; l'auteur en est fâché.

1897 : En octobre, début de la liaison tumultueuse entre Pierre Louÿs et
Marie de Heredia. Mort de Rodolphe Salis. Alfred Bottini, peintre des
prostituées et des invertis de Pigalle, surnommé « Le Goya de Montmartre », meurt dans une camisole de force à l'asile de Villejuif, après avoir,
dans un accès de démence dû à la syphilis, tenté de poignarder sa mère.
Mécislas Golberg vit à Londres, miséreux, exerçant le métier de vendeur
de café ambulant. Au carrefour Vavin, le Dôme remplace une simple
baraque à frites. André Gide publie *Les Nourritures terrestres* dont les invendus s'empilent sur les étagères du Mercure de France. Duel de Jean Lorrain avec Marcel Proust. Rupture entre Alfred Jarry et Remy de Gourmont.

1898 : Mort de Jean de Tinan, surnommé « le météore des lettres », dans
d'atroces souffrances, à l'âge de vingt-quatre ans. Mécislas Golberg écrit à
Zola afin qu'il tienne, au Quartier latin, une réunion en faveur de Dreyfus ; il est condamné à trois mois de prison pour infraction à l'arrêté
d'expulsion. Gaston Couté arrive à Paris. Alfred Jarry s'installe à Corbeil,
dans une villa louée par Alfred Valette ; il y rédige *Gestes et opinions du*

docteur Faustroll, pataphysicien. Paul-Jean Toulet publie *Monsieur du Paur, homme public*. Pierre Louÿs publie *La Femme et le pantin*. Claude Debussy met en musique trois poèmes des *Chansons de Bilitis*. Le 8 septembre, Marie de Régnier met au monde un fils dont Pierre Louÿs est le père. *La Bohème* de Giacomo Puccini est jouée pour la première fois à l'Opéra-Comique.

1899 : Pierre Louÿs épouse Louise de Heredia, fille cadette du poète et académicien ; fin provisoire de la liaison entre Marie de Régnier et Pierre.

1900 : Arrivée à Paris de Picasso pour une simple excursion touristique ; il est l'un des peintres espagnols sélectionnés pour l'Exposition universelle. Alfred Boucher achète à Libion des terrains vagues passage Dantzig, pour construire un phalanstère d'artistes. Jean Lorrain quitte Paris pour s'installer à Nice. Alfred Jarry se construit une baraque de planches sur un terrain loué par l'équipe du *Mercure de France*. Mort d'Emmanuel Signoret.

1901 : Naissance d'Alice Prin, qui sera connue sous l'appellation de « Kiki de Montparnasse ». Maurice Utrillo, qui est déjà alcoolique, exerce cent métiers pour survivre. Le suicide de Casagemas marque Picasso qui, à compter de cette date, commence à peindre en bleu ; première exposition de ses œuvres chez Ambroise Vollard, rue Laffitte. Mort de Toulouse-Lautrec. Berthe Weill ouvre sa galerie rue Victor Massé. Jean Lorrain publie *Monsieur de Phocas*, ouvrage considéré comme son chef-d'œuvre. Ruiné par des dettes de jeu, José-Maria de Heredia devient administrateur de la bibliothèque de l'Arsenal.

1902 : L'éditeur Fasquelle reprend le fonds de la *Revue Blanche*, en faillite. Le Lapin Agile est cédé en gérance par Aristide Bruant à Berthe, femme de Frédé. Picasso, après le succès chez Vollard, fait une exposition chez Berthe Weill, rue Victor Massé ; il n'en retirera pas un sou. Mécislas Golberg contracte la tuberculose. Jehan Rictus publie les *Cantilènes du malheur*. A Montparnasse, Alfred Boucher inaugure la Ruche, qui est à Montparnasse ce que le Bateau-Lavoir est à Montmartre. Mort d'Emile Zola. Alfred Jarry fait paraître *Le Surmâle* aux éditions de la *Revue Blanche*.

1903 : Première édition du Salon d'Automne créé par Frantz Jourdain dans les sous-sols du Petit-Palais. C'est le rendez-vous annuel d'un art nouveau libre et vivant ; une grande rétrospective Gauguin fait recette. Raoul Dufy fait sa première exposition chez Berthe Weill à Montmartre. Après une longue rénovation, la Closerie des Lilas ouvre ses portes dans un immeuble neuf. A la suite d'un procès en diffamation, Jean Lorrain est condamné à verser une très lourde amende ; certains de ses anciens amis – dont Huysmans – ont refusé de témoigner en sa faveur ; pour éponger ses dettes il écrit un nouveau roman, *La Maison Philibert*. Naissance de Raymond Radiguet. Marie de Régnier, sous le pseudonyme de Gérard d'Houville, fait paraître *L'Inconstante*, son premier roman qui retrace ses amours tumultueuses avec Pierre Louÿs ; c'est la fin de leurs relations intimes.

1904 : Picasso s'installe au Bateau-Lavoir. En août, il fait la rencontre de Fernande Olivier. A l'initiative d'André Level, quelques jeunes gens se réunissent pour acheter – pendant dix ans – des toiles d'inconnus ; ils fondent une association et une collection, « La Peau de l'Ours ». Début des « mardis » de Paul Fort qui investit la Closerie des Lilas.

1905 : Pascin arrive à Montparnasse en provenance de Vienne. Picasso rencontre Leo et Gertrude Stein. Kees Van Dongen expose ses œuvres chez Berthe Weill. Mécislas Golberg séjourne au sanatorium d'Avon. Le Dôme ouvre ses portes, accueillant déjà de nombreux artistes venus des pays de l'Est. Au Salon d'Automne, où est exposée la *Femme au chapeau* de Matisse, le critique d'art Louis Vauxcelles s'écrie, horrifié : « Mais c'est la cage aux fauves ! » Le fauvisme vient de naître. Paul Fort et André Salmon lancent *Vers et Prose*, revue dont la livraison prendra fin avant la guerre de 1914. Alfred Jarry, qui vit dans une misère noire, presque toujours ivre, menace le quidam avec son pistolet ; le sculpteur Manolo en fait les frais. Paul-Jean Toulet publie *Mon amie Nane*. Mort de José-Maria de Heredia.

1906 : Modigliani arrive à Paris. Picasso rencontre Matisse chez les Stein. Apollinaire fait la connaissance du Douanier Rousseau. Jehan Rictus publie *Fil de fer*, roman autobiographique qui faillit obtenir le prix Goncourt. Mort de Jean Lorrain, victime d'une perforation intestinale. Alfred Jarry, très malade, reçoit l'extrême-onction, écrit à tous ses amis et rédige son testament, puis guérit. Naissance de Maurice Sachs, de son vrai nom Maurice Ettinghausen.

1907 : Picasso peint son plus grand chef-d'œuvre : *Les Demoiselles d'Avignon ;* Braque et Kahnweiler découvrent la toile qui ne sera exposée au public que trente ans plus tard ; avec sa « bande », il quitte les hauteurs de Montmartre pour se rendre chaque jour à la Closerie des Lilas. C'est l'année de l'escroquerie dont est victime le Douanier Rousseau. Après avoir publié *Le Moutardier du Pape* et une plaquette de souvenirs sur Albert Samain, Alfred Jarry meurt le 1er novembre dans un affreux dénuement. Le 28 décembre, Mécislas Golberg s'éteint à son domicile. Avec l'aide de quelques camarades, Gaston Couté fonde son propre cabaret, la Truie qui file, en plein Quartier latin ; c'est cette année-là qu'il contracte la maladie qui va l'emporter. Chaïm Soutine étudie le dessin à Minsk ; il y fait la rencontre de Michel Kikoïne, qu'il rejoindra bientôt à Paris. Marie Vassilieff s'installe à Paris, et devient élève de l'Académie Matisse.

1908 : En novembre, Picasso donne dans son atelier le fameux banquet en l'honneur du Douanier Rousseau, après avoir acheté une de ses toiles pour la modique somme de 5 francs. Alfred Boucher, sur son terrain, fait construire un théâtre de trois cents places ; Louis Jouvet y fait ses débuts.

1909 : Max Jacob voit le Christ dans sa chambre de la rue Ravignan. Suzanne Valadon entretient une liaison avec le meilleur ami de son fils, Utter. C'est la naissance de la « Trinité maudite ». Mort de Charles-Louis Philippe, surnommé « Le petit poète des égouts ». Les Ballets Russes de Diaghilev sont joués à Paris. Modigliani, épuisé par la vie parisienne, retourne à Livourne.

1910 : C'est l'année où l'axe de communication entre Montparnasse et Montmartre est enfin ouvert par une ligne de métro Nord-Sud ; jusqu'à présent on allait à pied d'un quartier à l'autre ou, pour les plus fortunés, en voiture à cheval. Francis Carco découvre Montmartre sous un jour de neige, et se précipite au Lapin Agile. Le Douanier Rousseau s'éteint à l'hôpital Necker, victime d'une gangrène de la jambe. Sept personnes l'accompagneront pour son dernier voyage, les avis de décès arriveront trop tard. Jean Moréas meurt d'une attaque d'hémiplégie en mars ; la Closerie des Lilas est en deuil. Marie de Régnier est la maîtresse d'Henri Bernstein, une relation orageuse qui prendra fin en 1913.

1911 : Picasso quitte le Bateau-Lavoir et emménage au 11, boulevard de Clichy ; il se sépare de Fernande Olivier qui aura partagé sept ans son existence. Mort de Gaston Couté. Chagall s'installe à la Ruche. Victor Libion ouvre la Rotonde. Apollinaire est soupçonné d'être l'auteur du vol de la Joconde ; il effectue un court séjour en prison.

1912 : Michel Kikoïne, précédant Krémègne et Chaïm Soutine, se rend à Paris et intègre la colonie russe de la Ruche. Le milliardaire américain Albert C. Barnes se rend à Paris, rencontre le marchand Ambroise Vollard et commence à acheter de nombreuses toiles destinées à la fondation qu'il est en train d'ériger, dédiée à l'art moderne. La revue, *Les Soirées de Paris*, voit le jour. Paul Fort, remplaçant le défunt Léon Dierx, est élu Prince des poètes, titre créé par Mallarmé. Paul-Jean Toulet quitte Paris pour son pays natal. Henri de Régnier est reçu à L'Académie française.

1913 : Mort de Léon Deubel qui, de dépit, se jette dans la Marne. Katherine Mansfield fait son premier – et inoubliable – séjour à Paris. Alice Prin – Kiki – arrive à Paris. Démolition du Café Vachette. Le 14 juillet, Chaïm Soutine arrive dans la capitale ainsi que Foujita. Mort de Clovis Sagot chez qui Gertrude Stein se rendit pour acheter des toiles de Picasso. Divorce de Pierre Louÿs et Louise de Heredia.

1914 : Béatrice Hastings fait sa première apparition à Montparnasse ; l'année suivante, elle prend pour amant Modigliani, liaison tumultueuse qui durera deux ans. Publication de *Jésus la Caille*, l'un des chefs-d'œuvre de Francis Carco. Jehan Rictus publie *Le Cœur populaire*, son dernier recueil de poèmes. Soutine, grâce à Modigliani, fait la connaissance du marchand Léopold Zborowski. Le 2 mars 1914 a lieu la vente de *La Peau de l'Ours* à l'Hôtel Drouot, démontrant que la peinture contemporaine peut être rentable.

1915 : En février, Marie Vassilieff ouvre une cantine au 21, avenue du Maine, en sauvant des dizaines d'artistes de la faim, en particulier les étrangers dont les colis ou correspondances, qui pourraient contenir des mandats, sont bloqués aux frontières.

1916 : Marie Vassilieff organise un banquet en l'honneur de Braque dans sa cantine. Le 2 août, à midi, Jean Cocteau a rendez-vous avec Picasso à la Rotonde. Jusqu'à quatre heures de l'après-midi, il va faire dix-neuf photos qui deviendront célèbres ; on y découvre, entre autres, Picasso, Max Jacob, Modigliani, Kisling, Henri-Pierre Roché, Marie Vassilieff, André Salmon et Pâquerette, un modèle.

1917 : Première exposition – jugée trop scandaleuse – des toiles de Modigliani, chez Berthe Weill, à Montmartre. Le peintre rencontre Jeanne Hébuterne ; Zborowski, qui arrive à Paris, abandonne la poésie, s'improvise spécialiste de l'art et devient son marchand. Première de *Parade* de Jean Cocteau, qui fait scandale. Mort de Georges Louis, demi-frère de Pierre

Louÿs, qui était peut-être son père ; Pierre, criblé de dettes, ne se remettra jamais de la disparition de son frère, et commence à sombrer dans une quasi-misère.

1918 : Léopold Zborowski, marchand attitré de Modigliani et Soutine, finance une cure de désintoxication en faveur d'Utrillo en s'attachant sa production. Apollinaire meurt de la grippe espagnole, la veille de l'armistice. Marie de Régnier est couronnée par le grand prix de littérature de l'Académie française. Disparition d'Arthur Cravan.

1919 : Maurice Sachs est renvoyé du pensionnat pour avoir accepté les caresses d'élèves plus âgés. Pierre Louÿs publie le 7 novembre un article dans *Comœdia* : « Molière est un chef-d'œuvre de Corneille ! »

1920 : Le 23 janvier, Modigliani s'éteint à l'hôpital de la Charité, dans le même lit qu'Alfred Jarry. Trois jours plus tard, Jeanne Hébuterne, sa compagne, se suicide en se jetant par la fenêtre. Retour en France de Pascin et Hermine David, en exil en Amérique. *Le Bœuf sur le toit*, spectacle de Jean Cocteau et Darius Milhaud, est joué, pour la première fois, en février 1920 ; comme au temps d'*Ubu Roi*, la moitié de la salle hurle et siffle son mécontentement, l'autre applaudit à tout rompre. Fermeture de l'Académie Colarossi, qui a compté au nombre de ses étudiants les plus grands peintres et sculpteurs du siècle. Paul-Jean Toulet s'éteint à Guéthary, le 6 septembre ; publication de *La Jeune Fille verte*.

1921 : Max Jacob quitte une première fois Paris pour le monastère de Saint-Benoît-sur-Loire ; Béatrice Hastings devient la maîtresse de Raymond Radiguet. Le 25 juillet, Mécislas Charrier, enfant naturel de Mécislas Golberg, participe à l'attaque du train Paris-Nice. Il sera arrêté, jugé, condamné à mort et guillotiné le 2 août de l'année suivante. Man Ray arrive à Paris. A la Rotonde, le 19 septembre 1921, Charlie Chaplin reçoit une ovation digne d'un chef d'Etat. Mort de Robert de Montesquiou. Les *Contrerimes* de Paul-Jean Toulet paraissent enfin ; il atteint la gloire, hélas, posthume. Maurice Sachs est confié à l'éducation de sa grand-mère, mariée au fils du compositeur Georges Bizet.

1922 : Le 10 janvier 1922 est inauguré le Bœuf sur le toit, qui sera le rendez-vous privilégié du Tout-Paris durant les années folles. Mort de Marcel Proust. Publication de *La Garçonne*, le scandaleux roman de Victor Margueritte, symbole d'une nouvelle génération de femmes qui adoptent les cheveux courts et des mœurs libérées. Jacques Bizet, grand ami de Proust, imite le terrible destin de son père en se suicidant. Marie de Régnier prend pour nouvel amant André Chaumeix, journaliste.

1923 : Katherine Mansfield meurt dans les griffes du mage Gurdjieff, au Prieuré d'Avon. Kiki s'embarque pour les Etats-Unis, croyant y faire une carrière d'artiste. Le mécène Albert C. Barnes achète soixante toiles de Soutine, le sauvant de la misère. Lorsque Louis Libaude meurt, cette année-là, sa fille met en vente, pour un million de francs, cent toiles d'Utrillo de la période blanche ; à peine les avait-il achetées moins de dix francs chacune. C'était là une faible partie de sa collection. Mort de Raymond Radiguet qui vient de publier *Le Diable au corps* ; Jean Cocteau, fou de douleur, n'assistera pas aux obsèques.

1924 : Premier *Manifeste du surréalisme* d'André Breton. A Montparnasse, inauguration du Sélect, un bar ouvert toute la nuit, bientôt investi par toute la folle bohème. Maurice Sachs se présente à Jean Cocteau comme un nouveau Radiguet.

1925 : En juillet, a lieu un banquet en l'honneur de Saint-Pol-Roux à la Closerie des Lilas, qui se termine en pugilat à cause des surréalistes qui y font scandale. Après le retour de Jean Cocteau dans la foi catholique, Maurice Sachs se convertit à son tour, et décide d'entrer dans les ordres. Mort de Pierre Louÿs qui laisse une abondante et compromettante correspondance, des pièces importantes sur sa relation avec Marie de Régnier. Un des anciens secrétaires de Pierre Louÿs tente de faire chanter Marie qui, grâce à une amie, peut racheter le « dossier secret » de ses amours adultérines. Une copie, bien qu'incomplète, nous est parvenue.

1926 : Le 2 janvier, Maurice Sachs entre au séminaire des Carmes, rue d'Assas. En novembre, après le scandale de Juan-les-Pins, il part au régiment.

1927 : La Coupole – à Montparnasse – ouvre ses portes.

1928 : Jean Cocteau entre dans une maison de santé pour subir une nouvelle cure de désintoxication à l'opium. De retour à la vie civile après dix-huit mois de service militaire, Maurice Sachs se « jure d'être un grand homme ». Son premier acte est d'aller voir André Gide ; grâce à Mademoiselle Chanel, chez qui il est bibliothécaire, il fréquente le grand monde.

1929 : Kiki est élue « reine de Montparnasse ». Cette même année, elle publie ses *Souvenirs*. Le quartier amorce son inexorable déclin après la chute de la bourse de New York.

1930 : Suicide de Pascin. Jehan Rictus est décoré de la Légion d'honneur.

1931 : Exilé en Amérique, Maurice Sachs ouvre une galerie de peinture à New York.

1932 : Léopold Zborowski, ancien marchand de Modigliani, Soutine, Foujita, s'éteint dans la misère, à son domicile de la rue Joseph-Bara.

1933 : Le 6 novembre, mort de Jehan Rictus. Maurice Sachs est de retour à Paris.

1934 : Mort d'Alfred Boucher.

1936 : Nouveau et dernier séjour de Max Jacob à Saint-Benoît-sur-Loire. Maurice Utrillo se marie avec Lucie Valore. Mort de l'académicien Henri de Régnier.

1937 : Francis Carco est élu à l'Académie Goncourt. Cette même année, Maurice Magre remporte le prestigieux grand prix de littérature de l'Académie française.

1938 : Mort de Suzanne Valadon.

1939 : Mort d'Ambroise Vollard, victime d'un accident de voiture.

1941 : Maurice Magre s'éteint à Nice, le cœur ivre d'opium.

1942 : Maurice Sachs est arrêté et conduit dans un camp de travail à Hambourg.

1943 : Suicide de Béatrice Hastings. Chaïm Soutine meurt d'une perforation intestinale. Maurice Sachs, qui semble avoir trahi la Gestapo, est déporté. « Tigre », le fils adultérin de Marie de Régnier et Pierre Louÿs, meurt alcoolique.

1944 : Mort de Max Jacob à Drancy.

1945 : Mort de Maurice Sachs, abattu par les S.S. qui avaient entraîné dans leur fuite les prisonniers d'un camp de concentration ; la légende raconte qu'il fut déchiqueté par leurs chiens.

1946 : Publication du *Sabbat* de Maurice Sachs. L'ouvrage rencontre un immense succès, l'un des plus importants de l'immédiate après guerre.

1948 : Utter, jadis amant de Suzanne Valadon et bourreau d'Utrillo, quitte le Lapin Agile, une nuit d'hiver, en ayant oublié son manteau. Les quelques mètres qui le séparent de son atelier vont lui être fatals. Il contracte une pneumonie et s'éteint le lendemain, après une nuit de souffrance, dans la nostalgie de ce qu'aurait pu être la vie d'un grand peintre de talent, élevé dans l'académie des rues du cruel Montmartre.

1951 : Berthe Weill s'éteint à l'âge de quatre-vingt-cinq ans. Presque aveugle et impotente, elle avait été promue au grade de chevalier de la Légion d'honneur en 1948.

1953 : Mort de Rachilde, à l'âge de quatre-vingt-treize ans, dans l'indifférence générale et dans une quasi-misère, ainsi que la reine de Montparnasse, Kiki.

1955 : Maurice Utrillo s'éteint, des suites d'une congestion cérébrale.

1957 : Mort de Marie Vassilieff.

1958 : Francis Carco meurt quai de Béthune, sur l'île Saint-Louis. Marie de Régnier reçoit le grand prix de poésie de l'Académie française.

1960 : Mort de Paul Fort. Jean Cocteau lui succède au titre de Prince des poètes.

1963 : Mort de Marie de Régnier.

1969 : Le Bateau-Lavoir est classé monument historique.

1970 : La Ruche est classée monument historique alors que le Bateau-Lavoir, dernier symbole de la bohème, est détruit par un incendie.

INDEX

BIBLIOGRAPHIE ET SOURCES

ADÉMA (Pierre-Marcel) — DÉCAUDIN (Michel), *Album Apollinaire*, N.R.F., Paris, 1971.

—, *Guillaume Apollinaire*, La Table Ronde, Paris, 1968.

AEGERTER (Emmanuel) et LABRACHERIE (Pierre), *Au Temps de Guillaume Apollinaire*, Julliard, Paris, 1945.

—, *Guillaume Apollinaire*, Julliard, Paris, 1943.

ALBALAT (Antoine), *Souvenirs de la vie littéraire*, Fayard, Paris, 1920.

—, *Trente ans de Quartier latin*, Société Francaise d'Edition, Paris, 1930.

ANDREU (Pierre), *Vie et mort de Max Jacob*, La Table Ronde, Paris, 1982.

ANTHONAY (Thibaut d'), *Jean Lorrain*, Fayard, Paris, 2005.

ARBELLOT (Simon), *La Fin du Boulevard*, Flammarion, Paris, 1964.

ARESSY (Lucien), *Verlaine et la dernière bohème*, Jouve, Paris, 1947.

ARMORY, *50 Ans de vie Parisienne*, Jean-Renard, Toulouse, 1943.

ARNOUX (Alexandre), *Tristan Corbière — Une âme et pas de violon...*, Grasset, Paris, 1929.

AUDEBRAND (Philibert), *Derniers jours de la bohème — Souvenirs de la vie littéraire*, Calmann-Lévy, Paris, Sd.

AUBÉRY (Pierre), *Mécislas Golberg — 1868-1907, Biographie intellectuelle suivie de fragments inédits de son journal*, Aux Lettres Modernes, Paris, 1978.

AXA (Zo d'), *Les feuilles de Zo d'Axa*, Société libre d'édition des gens de lettres, Paris, 1900.

BACHELIN (Henri), *Charles-Louis Philippe — Son œuvre*, La Nouvelle Revue Critique, Paris, 1929.

BANVILLE (Théodore de), *Mes Souvenirs*, Charpentier Editeur, Paris, 1882.

BARRÈS (Maurice), *Le Quartier Latin*, Dalou Editeur, Paris, 1888.

BARTHELEMY (Robert), *Montmartre, un milieu littéraire et cosmopolite : 19e et 20e siècles*, Thèse de Doctorat, Lille 3, 1988.

BEACHBORAD (Robert), *La Trinité Maudite — Valadon, Utter, Utrillo*, Amiot-Dumont, Paris, 1952.

BÉALU (Marcel), *Dernier visage de Max Jacob*, Calligrammes, Paris, 1994.

BEDU (Jean-Jacques), *Maurice Magre — Le Lotus perdu*, Dire, Cahors, 1999.

—, *Francis Carco au cœur de la bohème*, Le Rocher, Paris, 2001.

BENSTOCK (Shari), *Femmes de la rive gauche*, Des Femmes — Antoinette Fouque Editrice, Paris, 1987.

BERCY (Anne de), *A Montmartre le soir*, Grasset, Paris, 1951.

BERGERAT (Emile), *Souvenirs d'un enfant de paris — les années de bohème*, Fasquelle, Paris, 1911.

BERNARD (Jean), *La Vie de Paris en 1910*, Lemerre, Paris, 1911.

BERTAUT (Jules), *Les Belles nuits de Paris*, Tallandier, Paris, 1956.

BESNIER (Patrick), *Alfred Jarry*, Plon, Paris, 1990.

BILLY (André), *Intimités littéraires*, Flammarion, Paris, Sd.

—, *Guillaume Apollinaire*, Seghers, Paris, 1972.

—, *Max Jacob*, Seghers, Paris, 1956.

—, *L'Epoque 1900*, Tallandier, Paris, 1951.

—, *L'Epoque contemporaine (1905-1930)*, Tallandier, Paris, 1956.

—, *Les Beaux jours de Barbizon*, Editions du Pavois, Paris, 1947.

—, *Paris Vieux & Neuf — La Rive gauche — La Rive Droite*, Editions Eugène Rey, Paris, 1909.

BIZET (René), *La Double vie de Gérard de Nerval*, Librairie Plon, Paris, 1928.

BOCQUET (Léon), *Autour d'Albert Samain*, Mercure de France, Paris, 1932.

—, *Léon Deubel — Roi de Chimérie*, Bernard Grasset, Paris, 1930.

—, *Les Destinées mauvaises*, Librairie Edgar Malfère, Amiens, 1923.

BOISSIER (Denis), *Dictionnaire des anecdotes littéraires*, Le Rocher, Paris, 1995.

BOISSON (Marius), *Les Compagnons de la vie de bohème*, Editions Jules Tallandier, Paris, 1929.

BONA (Dominique), *Les Yeux noirs — Les vies extraordinaires des sœurs Heredia*, Lattès, Paris, 1989.

BOTT (François), *Radiguet — L'Enfant avec une canne*, Editions Flammarion, Paris, 1995.

BOUGAULT (Valérie), *Paris Montparnasse à l'heure de l'art moderne 1910-1940*, Terrail, Paris, 1996.

BOURRE (Jean-Paul), *Villiers de l'Isle-Adam — Splendeur et misère*, Les Belles Lettres, Paris, 2002.

BRASSAÏ, *Le Paris secret des années 30*, Gallimard, Paris, 1930.

BRAY (René), *Chronologie du Romantisme 1804-1830*, Boivin Editeur, Paris, 1932.

BRIANT (Théophile), *Jehan Rictus*, Seghers, Paris, 1960.

BRISSON (Adolphe), *Paris intime*, Flammarion, Paris, 1900.

BUISSON (Sylvie) — PARISOT (Christian), *Paris-Montmartre (1860-1920)*, Terrail, Paris, 1996.

BURNAND (Robert), *Paris 1900*, Hachette, Paris, 1951.

BURTY (Philippe) & TOURNEUX (Maurice), *L'Age du Romantisme*, Editions Monnier, Paris, 1887.

BYVANCK (W.G.C.), *Un Hollandais à Paris en 1891*, Perrin et Cie Editeurs, Paris, 1892.

CABANES (Docteur), *Autour de la vie de bohème*, Albin Michel, Paris, 1938.

CABANNE (Pierre), *L'Epopée du cubisme*, La Table Ronde, Paris, 1963.

—, *Le Siècle de Picasso (1881-1912)*, Folio, Paris, 1992.

—, *Le Siècle de Picasso (1912-1937)*, Folio, Paris, 1992.

CADOU (René), *Esthétique de Max Jacob*, Seghers, Paris, 1953.

CARACALLA (Jean-Paul), *Montmartre — gens et légendes*, Pierre Bordas, Paris, 1995.

CARCO (Francis), *Charles-Henry Hirsch*, Sansot, Paris, 1913.

—, *Maurice Utrillo*, Nouvelle Revue Française, Paris, 1921.

—, *La Légende et la vie d'Utrillo*, Grasset, Paris, 1929.

—, *De Montmartre au Quartier Latin*, Albin Michel, Paris, 1927.

—, *Mémoires d'une autre vie*, Albin Michel, Paris, 1934.

—, *Montmartre à vingt ans*, Albin Michel, Paris, 1938.

—, *Bohème d'artiste*, Albin Michel, Paris, 1940.

—, *Nostalgie de Paris*, Éditions du Milieu du Monde, Genève, 1941.

—, *L'Ami des peintres*, Editions du Milieu du Monde, Genève, 1944.

—, *Ombres vivantes*, Ferenczi, Paris, 1948.

—, *Verlaine poète maudit*, Albin Michel, Paris, 1948.

—, *La Belle Epoque au temps de Bruant*, Gallimard, Paris, 1954.

CARPENTER (Humphrey), *Au Rendez-vous des génies — Ecrivains américains dans les années vingt*, Aubier, Paris, 1990.

CASSAGNE (Albert), *La Théorie de l'Art pour L'Art*, Champ Vallon, Paris, 1997.

CHABANNES (Jacques), *Glatigny*, Grasset, Paris, 1948.

CHARENSOL (Georges), *De Montmartre à Montparnasse*, Editions Françoise Bourin, Paris, 1990.

CHARLES-ROUX (Edmonde), *L'Irrégulière ou mon itinéraire Chanel*, Grasset, Paris, 1974.

CHARPENTIER (Octave), *A Travers Montmartre*, Plicque, Paris, 1921.

—, *Cantilènes du vieux Paris*, Editions d'art du croquis, Paris, Sd.

—, *A Travers le Quartier latin*, Les Editions de Paris, Paris, 2000.

CHASTENET (Jacques), *Quand le bœuf montait sur le toit*, Fayard, Paris, 1958.

CLARETIE (Jules), *Pétrus Borel le lycanthrope. Sa Vie — Ses écrits — Sa correspondance poésies et documents inédits*, René Pincebourde Editeur, Paris, 1865.

CLOUARD (Henri), *La Tragique destinée de Gérard de Nerval*, Grasset, Paris, 1929.

—, *Histoire de la littérature française (1885 à 1960)*, Albin Michel, Paris, 1960.

COLLECTIF, *Anthologie des écrivains morts à la guerre*, Bibliothèque du Hérisson, Paris, 1927.

—, *Balades littéraires dans Paris du XVIIe au XIXe siècle*, Nouveau Monde éditions, Paris, 2005.

—, *Daniel-Henri Kahnweiler — Marchand, éditeur, écrivain*, Centre Georges Pompidou, Paris, 1984.

—, *Ephraïm Mikhaël et son temps*, Bibliothèque Municipale de Toulouse, Toulouse, 1986.

—, *L'Ecole de Paris — 1904-1929, la part de l'autre*, Paris Musée, Paris, 2001.

—, *La Belle Epoque 1900-1914 — Les Illustrations délicieuses de l'Europe durant quinze ans de son existence*, Fernand Nathan Editeur, Paris, 1977.

—, *La Vie parisienne à l'époque romantique*, Payot, Paris, 1931.

—, *La Ruche — Le centenaire d'une cité d'artistes*, Musée du Montparnasse.

—, *Le Livre de Paris 1900*, Trincvel, Paris, 1994.

—, *Marie de Régnier — Muse et poète de la Belle Epoque*, BNF, Paris, 2004.

—, *Max Jacob et Picasso*, Réunion des Musées Nationaux, Quimper, 1994.

—, *Mécislas Golberg (1869-1907) — Passant de la pensée*, Quatre Fleuves, Paris, 1994.

—, *Modigliani — L'Ange au visage grave*, Skira — Musée du Luxembourg, Paris, 2002.

—, *Montmartre (de jadis à aujourd'hui)*, Bibliothèque Nationale — Bibliothèque de l'Arsenal, Paris, 1978.

—, *Montparnasse — Réimpression en fac-similé de la revue*, Edition cent pages, Grenoble, 2002.

—, *Salon d'Automne — La Grande aventure de Montparnasse 1912-1932*, Paris, 1986.

COULON (Marcel), *Verlaine — Poète Saturnien*, Bernard Grasset, Paris, 1929.

COURS (Jean de), *Francis Vielé-Griffin —Son œuvre, sa pensée, son art*, Librairie Honoré Champion, Paris, 1930.

COURTHION (Pierre), *Montmartre*, Skira, Zurich, 1956.

CRESPELLE (Jean-Paul), *La Folle Epoque*, Hachette, Paris, 1968.

—, *La Vie Quotidienne à Montmartre au temps de Picasso (1900-1910)*, Hachette, Paris, 1982.

—, *La Vie Quotidienne à Montparnasse à la grande époque (1905-1930)*, Hachette, Paris, 1976.

—, *Modigliani (Les Femmes, Les Amis, L'Œuvre)*, Presses de la Cité, Paris, 1969.

—, *Montmartre vivant*, Hachette, Paris, 1964.

—, *Montparnasse vivant*, Hachette, Paris, 1962.

—, *Utrillo*, Presses de la cité, Paris, 1970.

DABADIE (Maïté), *L'Echarde dans la chair ou la vie du poète Germain Nouveau*, Tacussel Editeur, Marseille, 1986.

DABO (Henri), *Souvenirs et impressions d'un bourgeois du Quartier latin*, Péronne, Paris, 1899.

DAIREAUX (Max), *Villiers de l'Isle-Adam — L'homme et l'œuvre*, Desclée de Brouwer, Paris, 1936.

DANTZIG (Charles), *Dictionnaire égoïste de la littérature française*, Grasset, Paris, 2005.

—, *Remy de Gourmont — Cher Vieux Daim*, Grasset, Paris, 2008.

DARZENS (Rodolphe), *Nuits à Paris*, E. Dentu éditeur, Paris, 1889.

DAUDET (Léon), *Ecrivains et artistes*, Edition du Capitole, Paris, 1929.

—, *Etudes et milieux littéraires*, G.L.M, Paris, 1927.

—, *Paris Vécu (rive droite et rive gauche en deux tomes)*, Gallimard, Paris, 1930.

DAUPHINE (Claude), *Rachilde*, Mercure de France, Paris, 1991.

DÉCAUDIN (Michel), *Apollinaire*, Le Livre de poche, Paris, 2002.

—, *Apollinaire — Œuvres Comptètes*, André Balland et Jacque Lecat, Paris, 1966.

—, *La Crise des valeurs symbolistes*, Privat, Toulouse, 1960.

DELVAU (Alfred), *Henri Murger et la Bohème*, Librairie Bachelin — Deflorenne, Paris, 1866.

—, *Gérard de Nerval — sa vie et ses œuvres*, Librairie Bachelin — Deflorenne, Paris, 1865.

DESNOS (Youki), *Les Confidences de Youki*, Fayard, Paris, 1999.

DESPREZ (Adrien), *Train de plaisir au Quartier latin*, Gustave Havard Editeur, Paris, 1860.

DEUBEL (Léon), *Œuvres*, Mercure de France, Paris, 1929.

DEVILLIERS (René). *Butte Boul'mich' & Cie*, Aux Portes du Large, Paris, 1946.

DONNAY (Maurice) *l'Esprit montmartrois*, Carlier, Paris, Sd.

DORGELÈS (Roland), *Au Beau temps de la Butte*, Albin Michel, Paris, 1963.

—, *Bouquet de bohème*, Albin Michel, Paris, 1989.

—, *Images*, Albin Michel, Paris, 1975.

—, *Le Château des brouillards*, Albin Michel, Paris, 1948.

—, *Montmartre, mon pays*, Lesage, Paris, 1950.

—, *Portraits sans retouche*, Albin Michel, Paris, 1952.

—, *Promenades montmartroises*, Trinckvel, Paris, 1960.

—, *Quand j'étais montmartrois*, Albin Michel, Paris, 1936.

DOT (Jean-Marie) et POLAD-HARDOUIN (Dominique), *Les Heures chaudes de Montparnasse*, Hazan, Paris, 1999.

DUBECH (Lucien), *Les Chefs de file de la jeune génération*, Plon, Paris, Sd.

DUBRAY (Jean), *Maurice Rollinat intime*, Marcel Seheur Editeur, Paris, 1930.

EMILE-BAYARD (Jean), *Montmartre — Hier et aujourd'hui*, Jouve Editeur, Paris, 1927.

—, *Montparnasse — Hier et aujourd'hui*, Jouve Editeur, Paris, 1927.

—, *Le Quartier Latin — Hier et aujourd'hui*, Jouve Editeur, Paris, 1924.

ESTEVE (Edmond), *Byron et le romantisme français*, Librairie hachette, Paris, 1907.

FABRIS (Jean), *Maurice Utrillo — Folie?*, Editions Galerie Pétridès, Paris, 1992.

FABUREAU (Max), *Max Jacob son Œuvre*, Nouvelle Revue Critique, Paris, 1935.

FARGUE (Léon-Paul), *D'après le piéton de Paris*, Club des Libraires de France, Paris, Sd.

—, *Dans les rues de Paris au temps des fiacres*, Les Editions du Chêne, Paris, 1950.

—, *Le Piéton de Paris*, Gallimard, Paris, 1950.

FLEURY (Robert), *Marie de Régnier*, Plon, Paris, 1990.

FONTAINAS (André), *Mes Souvenirs du symbolisme*, Editions de la nouvelle revue critique, Paris, 1928.

FORT (Paul), *Mes Mémoires — Toute la vie d'un poète*, Flammarion, Paris, 1944.

FOURCHAMBAULT (Jacques de), *Charles-Louis Philippe, le bon sujet*, Denoël, Paris, 1943.

FRANCK (Dan), *Bohèmes*, Calmann-Lévy, Paris, 1998.

FRANK (Nino), *10.7.2 et autres portraits*, Papyrus, Paris, 1983.

—, *Mémoire brisée Tome 1*, Calmann-Lévy, Paris, 1967.

—, *Mémoire brisée Tome 2 — Le bruit parmi le vent*, Calmann-Lévy, Paris, 1967.

—, *Montmartre ou les enfants de la folie*, Calmann-Lévy, Paris, 1956.

FUSS-AMORE (Gustave) — DES OMBIAUX (Maurice), *Montparnasse*, Albin Michel, Paris, 1925.

GAUTIER (Théophile), *Histoire du romantisme*, Charpentier, Paris, 1874.

GEORGES-MICHEL (Michel), *Les Montparnos*, Fayard, Paris, 1933.

—, *De Renoir à Picasso*, Fayard, Paris, 1954.

GEORGIN (René), *Jean Moréas*, Editions de la Nouvelle Revue Critique, Paris, 1930.

GIDE (André), *Correspondance avec Charles-Louis Philippe (1898-1936)*, Centre d'Etudes Gidiennes, Lyon, 1995.

—, *Charles-Louis Philippe*, Figuière, Paris, 1911.

GIDEL (Henri), *Picasso*, Flammarion, Paris, 2002.

GILL (André), *Vingt années de Paris*, C. Marpon et E. Flammarion, Paris, 1883.

GOUDEAU (Emile), *Dix ans de bohème*, A la librairie illustrée, Paris, 1888.

—, *Guide de l'étranger à Montmartre*, Paris, 1900.

—, *Paris qui consomme*, Henri Rebaldi, Paris, 1893.

—, *Paysages parisiens*, Henri Rebaldi, Paris, 1892.

GOUJON (Jean-Paul), *Jean de Tinan*, Plon, Paris, 1990.

—, *Lettres inédites à André Lebey*, A.S.B.L, 1984.

—, *Léon-Paul Fargue*, Gallimard, Paris, 1997.

—, *Pierre Louÿs — Une Vie secrète 1870-1925*, Seghers—Jean-Jacques Pauvert, Paris, 1988.

—, *Pierre Louÿs*, Fayard, Paris, 2002.

GRAVIGNY (Jean), *Montmartre en 1925*, Montaigne, Paris, 1924.

GREGH (Fernand), *L'Age d'or*, Grasset, Paris, 1947.

—, *L'Age de fer*, Grasset, Paris, 1956.

GUENIN (Eugène), *Les Parisiens de Paris*, Pairault, Paris, 1896.

GUIETTE (Robert), *La Vie de Max Jacob*, Nizet, Paris, 1976.

GUILLAMIN (Emile), *Charles-Louis Philippe, mon ami*, Grasset, Paris, 1942.

GUILLEMINAULT (Gilbert) — BERNERT (Philippe), *Les Princes des années folles*, Plon, Paris, 1970.

GUILLOT (Adolphe), *Paris qui souffre*, E. Dentu Editeur, Paris, 1890.

GURY (Christian), *Bibi la purée — Compagnon de Verlaine*, Editions Kimé, Paris, 2004.

HEISE (Ulla), *Histoire du café et des cafés les plus célèbres*, Belfond, Paris, 1987.

HOUSSAYE (Arsène), *Les Confessions — Souvenirs d'un demi-siècle 1830-1880*, E. Dentu Editeur, Paris, 1885.

JACOB (Max), *Correspondance*, Editions de Paris, Paris, 1953.

JAKOVSKY (Anatole), *Les Années folles de Montparnasse — Peintres et Ecrivains*, Paris, 1957.

JANS (Adrien), *De Montmartre à Montparnasse*, Sodi, Bruxelles, 1968.

JOUANNY (Robert), *Jean Moréas écrivain français*, Lettres Modernes Minard, Paris, 1969.

JOB-LAZARE, *Albert Glatigny — Sa vie, son œuvre*, Paris, 1878.

JOUFFROY (Alain), *La Vie réinventée — l'explosion des années 20 à Paris*, Robert Laffont, Paris, 1982.

JUIN (Hubert), *Ecrivains de l'avant siècle*, L'Archipel, Paris, 1972.

JULLIAN (Philippe), *Jean Lorrain ou le Satiricon 1900*, Fayard, Paris, 1974.

JULLIEN (Adolphe), *Le Romantisme et l'éditeur Renduel*, Charpentier & Fasquelle, Paris, 1897.

KESSEL (Joseph), *Nuits de Montmartre — Années folles*, Plon, Paris, 1971.

KLUVER (Billy) et MARTIN (Julie), *Kiki et Montparnasse (1900-1930)*, Flammarion, Paris, 1998.

KOHNER (Frédéric), *Kiki de Montparnasse*, Buchet-Chastel, Paris, 1968.

KRYSTOF (Doris), *Modigliani*, Taschen, 2000.

KYRIA (Pierre), *Jean Lorrain*, Seghers, Paris, 1973.

LABRACHERIE (Pierre), *La Vie quotidienne de la Bohème Littéraire au XIXe siècle*, Hachette, 1967.

LACAZE-DUTHIERS (Gérard de), *Les Laideurs de la Belle Epoque*, La Ruche Ouvrière, Paris, 1957.

LAGARDE (Pierre), *Max Jacob — Mystique et martyr*, Baudinière, Paris, 1944.

LAMARZELLE (Gustave de), *L'Anarchie dans le monde moderne*, Gabriel Beauchesne, Paris, 1919.

LARGUIER (Léo), *Au Café de l'univers*, Aubanel, Avignon, 1942.

—, *Avant le déluge*, Grasset, Paris, 1928.

—, *Petits loyers et tours d'ivoire*, Le Bateau Ivre, Paris, 1947.

—, *Saint Germain des Prés mon village*, Plon, Paris, 1938.

LAUBIER (Marie de), *Marie de Régnier — Muse et poète de la Belle Epoque*, Bibliothèque Nationel de France, Paris, 2004.

LAUTREC (Gabriel de), *Souvenirs des jours sans souci*, La Tournelle, Paris, 1938.

LÉAUTAUD (Paul), *Journal Littéraire (1893-1956)*, Mercure de France, Paris, 1995.

—, *Passe-Temps*, Mercure de France, Paris, 1949.

LEBEY (André), *Disques et Pellicules*, Librairie Valois, Paris, 1929.

—, *Jean de Tinan*, La Connaissance, Paris, 1921.

—, *Jean de Tinan — Souvenirs et correspondance*, H. Floury, Paris, 1922.

LECA (Victor), *Montmartre*, Société Française d'Edition, Paris, 1914.

LEFRÈRE (Jean-Jacques) & PAKENHAM (Michael), *Cabaner, poète au piano*, L'Echoppe, Paris, 1994.

—, *Jules Laforgue*, Fayard, Paris 2005.

LEROY (Géraldi) — BERTRAND-SABIANI (Julie), *La Vie littéraire à la Belle Epoque*, PUF, Vendôme, 1998.

LESOURD (Paul), *Montmartre*, France Empire, Paris, 1973.

LETHÈVE (Jacques), *La Vie quotidienne des artistes français au XIXe siècle*, Hachette, Paris, 1968.

LEVÊQUE (Jean-Jacques), *La Belle Epoque — De l'Impressionnisme à l'Art Moderne*, A.C.R, Paris, 1991.

—, *Les Années Folles — Le Triomphe de l'Art Moderne*, A.C.R, Paris, 1992.

LÉVY (Jules), *Les Hydropathes — Prose et vers*, André Delpeuch Editeur, Paris, 1928.

LIEDEKERKE (Arnould de), *La Belle Epoque de l'opium*, La Différence, Paris, 1984.

LORRAIN (Jean), *Femmes de 1900*, Editions de la Madeleine, Paris, 1932.

—, *Poussières de Paris*, Librairie Ollendorf, Paris, 1902.

LOTTMAN (Robert), *Man Ray à Montparnasse*, Hachette, Paris, 2001.

LOUŸS (Pierre), *Mille lettres inédites de Pierre Louÿs à Georges Louis 1890-1917*, Fayard, Paris, 2002.

—, *Mon Journal (20 mai 1888 — 14 mars 1890)*, Gallimard, Paris, 2001.

MAGRE (Maurice), *Confessions sur les femmes, l'amour, l'opium et l'idéal*, Fasquelle, Paris, 1930.

MAIGRON (Louis), *Le Romantisme et les mœurs*, Honoré Champion, Paris, 1910.

—, *Le Romantisme et la mode*, Honoré Champion, Paris, 1911.

MAILLARD (Firmin), *La Cité des intellectuels*, H. Daragon Editeur, Paris, Sd.

—, *Les Derniers bohèmes — Murger en son temps*, Librairie Sartorius, Paris, 1874.

—, *Le Requiem des gens de lettres — Comment meurent ceux qui vivent du livre*, H. Daragon éditeur, Paris, 1901.

MAILLARD (Léon), *Un coup d'œil sur les Hirsutes*, Jules Lévy Editeur, Paris, 1888.

—, *La Lutte idéale — Les soirs de la Plume*, Paul Sevin Editeur, Paris, 1892.

MAINTRON (Jean), *Le Mouvement anarchiste en France — des origines à 1914*, Gallimard, Paris, 1992.

MALKI-THOUVENEL (Béatrice), *Cabarets — cafés et bistrots de Paris*, Horvath, Paris, 1987.

MANN (Carol), *Paris, années folles*, Sogomy, Paris, 1996.

MARIE (Aristide), *La Forêt symboliste — Esprit et visages*, Firmin-Didot, Paris, 1936.

MARTINEAU (Henri), *La Vie de Paul-Jean Toulet*, Le Divan, Paris, 1921.

—, *Paul-Jean Toulet — Collaborateur de Willy*, Le Divan, Paris, 1957.

MARTIN-FUGIER (Anne), *Les Romantiques 1820-1848*, Hachette, Paris, 1998.

MASSENET (Violaine), *François Mauriac*, Flammarion, Paris, 2000.

MELLOT (Philippe), *La Vie secrète de Montmartre*, Omnibus, Paris, 2008.

MILLAN (Gordon), *Pierre Louÿs ou le culte de l'amitié*, Pandora, Aix-en-Provence, 1979.

MILLANVOYE (Bertrand), *Anthologie des poètes de Montmartre*, Ollendorf, Paris, sd.

MIRECOURT (Eugène de), *Henri Murger*, Librairie des contemporains, Paris, 1869.

MONTEGUT (Maurice), *La Bohème sentimentale*, Glady Frères Editeurs, Paris, 1875.

MONTFORT (Eugène), *Vingt-cinq ans de littérature française*, Librairie de France, Paris, 1925.

MONTORGUEIL (Georges), *Henri Murger romancier de la bohème*, Grasset, Paris, 1929.

MORNET (Daniel), *Histoire de la littérature contemporaine*, Larousse, Paris, 1927.

MOVILLAT (Marie-Christine), *Raymond Radiguet ou la jeunesse contredite 1903-1923*, Daniel Radford, Paris, 2000.

MUGNIER, *Le Journal de l'abbé Mugnier (1879-1939)*, Mercure de France, Paris, 1985.

MURAT (Laure), *La Maison du docteur Blanche − Histoire d'un asile et de ses pensionnaires de Nerval à Maupassant*, J.C. Lattès, Paris, 2001.

MURGER (Henri), *Scènes de la vie de bohème*, Folio, Paris, 1988.

NADAR, *Quand j'étais étudiant*, Michel Lévy Editeur, Paris, 1861.

NAJJAR (Alexandre), *Le Mousquetaire − Zo d'Axa 1864-1930*, Balland, Paris, 2004.

NATAF (André), *La Vie Quotidienne des anarchistes en France 1880-1910*, Hachette, Paris, 1986.

NEMER (Monique), *Raymond Radiguet*, Fayard, Paris, 2002.

NERVAL (Gérard de), *La Bohème galante*, Michel Lévy, Paris, 1856.

—, *Petits Châteaux de bohème*, E. Didier Editeur, Paris, 1853.

NIKLAUS (R.), *Jean Moréas − Poète lyrique*, Presses Universitaires de France, Paris, 1936.

NUCÉRA (Louis), *Les Contes du Lapin Agile*, Le Cherche Midi, Paris, 2001.

O' NEDDY (Philothée), *Lettre inédite sur le groupe littéraire romantique dit des Bousingos*, Bassac Editeur, Paris, 1863.

ODOUARD (Nadia), *Les Années folles de Raymond Radiguet*, Seghers, Paris, 1973.

OLIVIER (Fernande), *Picasso et ses amis*, Stock, Paris, 1973.

ORLIAC Antoine, *La Cathédrale symboliste − Délivrance du rêve*, Mercure de France, Paris, 1933.

ORMESSON (Jean d'), *Une Autre histoire de la littérature francaise*, Points Seuil, Paris, 1999.

PARINAUD (André), *Apollinaire (1880-1918)*, J.C. Lattès, Paris, 1994.

PARISOT (Christian), *Modigliani − Biographie*, Canale Arte Edizioni, Turin, 2000.

PAULVE (Dominique), *La Ruche − Un siècle d'art à Paris*, Gründ, 2002.

PÉRARD (Joseph), *Max Jacob l'universel*, Alsatia, Paris, 1974.

PERRY (Jacques), *Yo Picasso*, J.C. Lattès, Paris, 1982.

PEYRE (André), *Max Jacob au quotidien*, José Millas Martin, Paris, 1976.

PLANTIER (René), *Max Jacob*, DDB, Paris, 1972.

PLUET-DESPATIN (Jacqueline) — LEYMARIE (Michel) — MOLLIER (Jean-Yves), *La Belle Epoque des revues 1880-1914*, Editions de l'Imec, Paris, 2002.

POIZAT (Alfred), *Le Symbolisme*, Librairie Bloud & Gay, Paris, 1924.

PORCHÉ (François), *L'Amour qui n'ose pas dire son nom* — *Oscar Wilde*, Grasset, Paris, 1927.

PRIVAT D'ANGLEMONT (Alex), *Paris Anecdote*, Dalahays, Paris, 1864.

RACHILDE, *Portraits d'Hommes*, Mercure de France, Paris, 1930.

RACZYMOW (Henri), *Maurice Sachs*, Gallimard, Paris, 1988.

RADIGUET (Chloé) — CENDRES (Julien), *Raymond Radiguet* — *Un jeune homme sérieux dans les années folles*, Editions Mille et une nuits, Paris, 2003.

RAYNAUD (Ernest), *La Bohème sous le second Empire* — *Charles Cros et Nina*, L'Artisan du livre, Paris, 1930.

REGNIER (Henri de), *Nos rencontres*, Mercure de France, Paris, 1931.

—, *Les Cahiers inédits 1887-1936*, Pygmalion, Paris, 2002.

RENAULT (Georges) & CHATEAU (Henri), *Montmartre*, Flammarion, sd.

—, *Le Quartier Latin*, Flammarion, 1900.

RICHARDSON (John), *Vie de Picasso 1881-1906*, Editions du Chêne, Paris, 1992.

RICHEPIN (Jean), *Jules Vallès* — *Les étapes d'un réfractaire*, Librairie internationale, Paris, 1872.

—, *La Chanson des gueux* — *Dernières chansons de mon premier livre*, Pelletan, Paris, 1910.

ROUSSART (André), *Dictionnaire des lieux à Montmartre*, Editions André Roussart, Paris, 2001.

—, *Les Montmartrois*, Editions André Roussart, Paris, 2004.

ROUSSELOT (Jean), *Max Jacob* — *L'homme qui faisait penser à Dieu*, Laffont, Paris, 1966.

—, *Max Jacob au sérieux*, La Bartavelle, Paris, 1994.

—, *Tristan Corbière*, Seghers, Paris, 1966.

RUDE (Maxime), *Tout-Paris au Café*, Maurice Reyfous Editeur, Paris, sd.

RUDLER (Madeleine), *Parnassiens, symbolistes et décadents*, Messein, Paris, 1938.

SABATIER (Robert), *La Poésie du vingtième siècle (3 Tomes)*, Albin Michel, Paris, 1982.

SACHS (Maurice), *Alias*, Gallimard, Paris, 1979.

—, *Chronique joyeuse et scandaleuse*, Corréa, Paris, 1948.

—, *La Décade de l'illusion*, Gallimard, Paris, 1950.

—, *Le Sabbat*, Corréa, Paris, 1946.

SALMON (André), *La Négresse du Sacré-Cœur*, N.R.F, Paris, 1920.

—, *L'Air de la Butte*, Les Editions de la Nouvelle-France, Paris, 1945.

—, *La Terreur noire*, Jean-Jacques Pauvert, Paris, 1959.

—, *Modigliani* — *Le Roman de Montparnasse*, Seghers, Paris, 1957.

—, *Montparnasse mémoires*, Arcadia Editions, Paris, 2003.

——, *Souvenirs sans fin — Première époque (1903-1908)*, Gallimard, Paris, 1962.

——, *Souvenirs sans fin — Deuxième époque (1908-1920)*, Gallimard, Paris, 1962.

——, *Souvenirs sans fin — Troisième époque (1920-1940)*, Gallimard, Paris, 1962.

SANDRY (Géo), *Les Dessous de Montmartre*, La Pensée Latine, Paris, 1924.

SANOUILLET (Michel), *Dada à Paris*, Jean-Jacques Pauvert, Paris, 1965.

SCHANNE (Alexandre), *Souvenirs de Schaunard*, Charpentier, Paris, 1887.

SÉCHÉ (Alphonse), *Dans la mêlée littéraire (1900-1930)*, Paris, 1935.

——, *Les Poètes misère*, Louis-Michaud Editeur, Paris, 1907.

SÉCHÉ (Léon), *Jules Vallès — Sa vie son œuvre*, Revue Illustrée de Bretagne, Paris, 1888.

SEIGEL (Jerrold), *Paris bohème (1830-1930)*, N.R.F, Paris, 1991.

SIEGMANN (Renaud), *Je me souviens de Montmartre*, Parigramme, Paris, 1997.

SOUCHON (Paul), *Emmanuel Signoret — incarnation du poète*, La Couronne Littéraire, Paris, 1950.

STEINMETZ (Jean-Luc), *Pétrus Borel — Vocation poète maudit*, Fayard, Paris, 2002.

STRAUSS (Paul), *Paris Ignoré*, Ancienne Maison Quantin, Paris, 1892.

TAILHADE (Laurent), *A Travers la jungle politique et littéraire*, Librairie Vallois, Paris, 1930.

——, *Quelques Fantômes de Jadis*, Edition Française Illustrée, Paris, 1919.

TARRIT (Jean-Marc), *Poulbot gosse de Montmartre*, Magellan & Cie, Paris, 2003.

TINAN (Jean de), *Noctambulismes (1897-1898)*, Ronald Davis, Paris, 1921.

TROUILLEUX (Rodolphe), *Montmartre des écrivains*, Bernard Giovanangeli Editeur, Paris, 2005.

VAJDA (Sarah), *Maurice Barrès*, Flammarion, Paris, 2000.

VAILLANT (Alain) — BERTRAND (Jean-Pierre) — RÉGNIER (Philippe), *Histoire de la littérature française du XIXe Siècle*, Nathan, Paris, 1998.

VALORE (Lucie), *Maurice Utrillo mon mari*, Joseph Foret, Paris, 1956.

VAN BEVER (Adolphe) — LÉAUTAUD (Paul), *Poètes d'Aujourd'hui (3 tomes)*, Mercure de France, Paris, 1929.

VERANE (Léon), *Humilis Poète errant*, Bernard Grasset, Paris, 1929.

VERLAINE (Paul), *Les Poètes maudits*, Léon Vannier Editeur, Paris, 1888.

VERTEX (Jean), *Bistrots — Reportages parisiens*, Querelle, Paris, 1935.

VIOLLIS (Jean), *Charles Guérin 1873-1907*, Mercure de France, Paris, 1909.

VOLLARD (Ambroise), *Souvenirs d'un marchand de tableaux*, Albin Michel, Paris, 1937.

WALZER (Paul Olivier), *Paul-Jean Toulet — l'Œuvre — L'Ecrivain*, Aux Portes de France, Paris, 1949.

——, *Paul-Jean Toulet*, Seghers, Paris, 1963.

——, *Paul-Jean Toulet — Qui êtes-vous?*, Seghers, Paris, 1987.

WARNOD (André), *Ceux de la Butte*, Julliard, Paris, 1947.

——, *Fils de Montmartre*, Fayard, Paris, 1955.

——, *Le Vieux Montmartre*, Figuières, Paris, 1913.

——, *La Brocante et les petits marchés de Paris*, Figuières, Paris, 1914.

——, *Les Bals de Paris*, Les Editions Crès, Paris, 1922.

——, *Les Peintres de Montmartre*, La Renaissance du livre, Paris, 1922.

——, *Les Plaisirs de la rue*, Edition Française Illustrée, Paris, 1920.

——, *Premier album descriptif de Montmartre en 1927*, Paris, 1927.

——, *Visages de Paris*, Firmin-Didot, Paris, 1930.

WARNOD (Jeanine), *L'Ecole de Paris*, Arcadia Editions, Paris, 2004.

——, *Le Bateau-Lavoir*, Presses de la connaissance, Paris, 1975.

——, *La Ruche et Montparnasse*, Weber, Bruxelles, 1978.

WEILL (Berthe), *Pan dans l'œil ou trente ans dans les coulisses de la peinture contemporaine, 1900-1930*, Librairie Lipschutz, Paris, 1933.

WILLY, *Souvenirs littéraires... et autres*, Montaigne, Paris, 1925.

WINOCK (Michel), *La Belle Epoque — La France de 1900 à 1914*, Perrin, Paris, 2002.

——, *Le Siècle des intellectuels*, Le Seuil, Paris, 1997.

YAKI (Paul), *Le Montmartre de nos vingt ans*, Tallandier, Paris, 1933.

——, *Montmartre, terre des artistes*, Girard, Paris, 1947.

Remerciements

Je remercie tous ceux qui m'ont toujours soutenu durant cette longue entreprise : mon épouse Emmanuelle, ma fille Morgane, André Bonet président du Centre Méditerranéen de littérature, Henry Bonnier, Stéphan Antonio, et ceux qui ont accepté de me lire en me prodiguant des précieux conseils : Joël Schmidt, Dominique Fernandez de l'Académie française, Philippe et France-Marie Chauvelot, ainsi que monsieur le préfet Hugues Bousiges, à l'érudition sans faille et passionné de littérature et de bohèmes.

Enfin, je remercie Olivier Nora pour la confiance qu'il m'a témoignée, et Martine Boutang pour sa patience et son précieux travail sur le manuscrit.

TABLE

LA BELLE ÉPOQUE DE LA BOHÈME –
LE TEMPS DE MONTMARTRE

LES ANNÉES FOLLES DE LA BOHÈME –
LE TEMPS DE MONTPARNASSE

ANNEXES

Cet ouvrage a été imprimé par

C P I
Firmin Didot
Mesnil-sur-l'Estrée

pour le compte des Éditions Grasset
en septembre 2009

Imprimé en France
Dépôt légal : septembre 2009
N° d'édition : 15898 – N° d'impression : 96789